Ochenta melodías de pasión en rojo

Título original:
EIGHTY DAYS RED

Diseño de cubierta:
GRAEME LANGHORNE / ORION BOOKS

Imágenes:
© SHUTTERSTOCK y © ISTOCKPHOTO

Adaptación de cubierta:
ROMI SANMARTÍ

© VINA JACKSON, 2012
© de la traducción: MONTSE BATISTA, 2013
© MAEVA EDICIONES, 2013
   Benito Castro, 6
   28028 MADRID
   emaeva@maeva.es
   www.maeva.es

ISBN: 978-84-15532-52-1
Depósito legal: M-6.722-2013

Fotomecánica: Gráficas 4, S. A.
Impresión y encuadernación: Industria Gráfica CAYFOSA, S. A.
Impreso en España / Printed in Spain

1

Corriendo

Los latidos de mi corazón marcaban el ritmo de mis pasos.

Central Park estaba cubierto de blanco. A pesar de la calma que reinaba en el parque, yo era consciente en todo momento de la ciudad que se extendía alrededor, como una enorme mano abierta con un pedacito de verde en medio y los edificios apuntando hacia arriba como sucios dedos grises en torno a las prístinas y ondulantes capas de nieve que cubrían el césped.

La nieve era reciente y la oía crujir bajo mis pies, amortiguando mis pisadas. La ausencia de color en el parque aguzaba mis otros sentidos y notaba el roce del aire helado sobre mi piel como si fuera el tacto de algún ser sobrenatural y gélido. Mi aliento se convertía en vaho que se alzaba frente a mí como volutas de humo y el aire frío me quemaba la garganta.

Llevaba un mes corriendo a diario, desde que encontré el libro de Dominik en la Shakespeare & Co. de Broadway. Lo leí de forma apresurada, aprovechando los raros momentos en que me encontraba sola en casa, para evitar la mirada vigilante de Simón.

Me resultó extraño leer la novela de Dominik. La heroína se parecía mucho a mí. Había incluido en sus diálogos algunas de nuestras conversaciones, describía escenas de mi infancia que yo le había contado, hablaba de lo asfixiante que era la vida cuando crecías en una ciudad pequeña y de mi deseo de marcharme de allí. ¡Si hasta era pelirroja!

A lo largo de todo el texto reconocí la voz de Dominik con toda claridad. Sus giros particulares, referencias a sus lecturas y a la música que le gustaba.

Habían transcurrido dos años desde que rompimos. Tuvimos un terrible malentendido, yo me dejé dominar por el orgullo y corté, cosa que aún lamentaba. Cuando volví a su apartamento para intentar aclarar las cosas, él ya se había marchado. Miré por la rendija de debajo de la puerta y vi una habitación vacía y el correo amontonado en el suelo. Desde entonces no supe nada de él.

Hasta ese día en que fui a Manhattan a comprarme unas zapatillas para correr y vi su novela en el escaparate de una librería. Con curiosidad, la abrí para hojearla y quedé alucinada al encontrarme con que, a pesar de nuestra relación tempestuosa y de la amarga separación, me la había dedicado a mí: «A S. Siempre tuyo».

Desde entonces no era capaz de pensar en otra cosa.

Correr era mi forma de expulsar los sentimientos de mi cuerpo. Especialmente en invierno, cuando el suelo estaba cubierto de nieve y las calles más tranquilas de lo habitual. En invierno, Central Park era como un desierto helado, el único lugar en el que podía escapar de la cacofonía de la ciudad durante una hora.

También me ofrecía un poco de espacio para pensar, lejos de Simón.

Él seguía estando al frente de la Gramercy Symphonia, la orquesta en la que nos conocimos.

Hacía tres años que me había incorporado a la sección de cuerda, en la que tocaba el violín Bailly que en su día me regaló Dominik. Simón era el director de la orquesta, y bajo su tutela mi forma de tocar había mejorado muchísimo. Fue él quien me animó a probar como solista, me presentó a una agente; ahora ya tenía a mis espaldas unas cuantas giras y un par de discos publicados.

Nuestra relación empezó siendo profesional, aunque reconozco que en algunas ocasiones hubo cierto coqueteo en los inicios. Sabía que Simón estaba enamorado de mí e hice muy poco para desanimar sus sentimientos, pero no ocurrió nada entre nosotros hasta que me peleé con Dominik. Yo estaba de gira, no tenía casa propia y el apartamento de Simón, cercano al Lincoln Centre, con el espacio de ensayo incorporado, parecía la opción obvia, más fácil y práctica que un hotel.

Pero Dominik desapareció y un par de noches con Simón se convirtieron rápidamente en un par de años.

Me dejé llevar con mucho gusto. Simón era una persona de trato fácil y yo le tenía cariño, incluso lo quería. Nuestros amigos recibieron con entusismo la idea de que fuéramos pareja. Tenía mucho sentido, el joven director virtuoso y su prometedora violinista. Tras años de soltería voluntaria o de relaciones con hombres de los que mis amigos y familiares sospechaban que no eran para mí, de pronto encajé.

Me sentí aceptada. Normal.

La vida transcurría en una continua secuencia de ensayos y actuaciones, estudios de grabación, la emoción de sacar mi primer disco y luego un segundo. Fiestas íntimas, navidades y comidas de Acción de Gracias en compañía de amigos y parientes. Incluso aparecimos en un par de artículos en revistas que nos calificaban como la gran pareja musical de Nueva York. Nos habían fotografiado en el Carnegie Hall después de un concierto, de la mano, yo con la cabeza apoyada en el hombro de Simón, mi cabello pelirrojo y rizado entre sus mechones oscuros. Llevaba un vestido largo de terciopelo negro con la espalda escotada.

Era el vestido que me puse para Dominik la primera vez que toqué para él –Vivaldi, *Las cuatro estaciones*– en el cenador del parque de Hampstead Heath.

Dominik y yo habíamos hecho un trato. Él me compraría un violín nuevo –el mío se rompió en una pelea en la estación de metro de Tottenham Court Road– a cambio de una actuación en el parque y otra más privada en la que toqué para él totalmente desnuda. Era una petición descarada viniendo de un desconocido, pero la idea me excitó de un modo que en aquellos momentos no fui capaz de explicar. Dominik vio en mí algo que yo desconocía. Una sensualidad y un morbo que yo ni siquiera había empezado a explorar. Una parte de mí que desde entonces me había causado tanto placer como dolor.

Fiel a su palabra, Dominik reemplazó mi viejo violín maltrecho por un Bailly, el instrumento con el que aún tocaba en mis conciertos, aunque tenía otros de reserva para ensayar.

Simón había querido comprarme uno nuevo. Él prefería los violines modernos, con un tono más limpio, y pensaba que debería probar un sonido más nítido para variar. Yo tenía la impresión de que lo único que quería era que me deshiciera de todo lo de Dominik que seguía presente en mi vida. Había recibido tantas ofertas de productores musicales y fabricantes de instrumentos que hubiera podido reemplazar el Bailly diez veces.

Pero con el regalo de Dominik me sentía muy cómoda. Ningún otro instrumento tenía el mismo tono ni el peso ideal con el que este descansaba en mi mano, encajando perfectamente bajo mi barbilla. No puedo evitar pensar en Dominik cuando toco el Bailly, y al hacerlo llego a ese lugar que solo alcanzo cuando interpreto mejor. Allí mi cuerpo se impone a mi mente, que se retira a un ensueño en el que la música cobra vida y yo no tengo que tocar más, solo experimentar mi sueño mientras mi mano mueve el arco sobre las cuerdas por mí.

En mi carrera pasé junto a una mujer que se me quedó mirando con expresión sorprendida. Iba vestida con una chaqueta gruesa con la capucha bien ajustada en torno a la cara para protegerse del frío y empujaba un cochecito de un color azul intenso con un bebé bien abrigado dentro. Otro corredor equipado de pies a cabeza con ropa térmica con bandas reflectantes me dirigió una mirada de complicidad al cruzarnos.

Por Navidad, entre otros regalos, Simón me había comprado ropa para correr. Quizá fuera un indicio de que tenía pensado dejar de darme la lata para que me apuntara a un gimnasio. Simón no soportaba que hiciera *footing* en Central Park, sobre todo a primera hora de la mañana o a última de la tarde. Citaba las estadísticas de mujeres corredoras en Central Park y la probabilidad de que las atacaran. Por lo visto, tenías más posibilidades si eras rubia, llevabas una cola de caballo y corrías un lunes alrededor de las seis de la mañana. Le dije que eso prácticamente me descartaba: soy pelirroja y los lunes nunca estoy levantada a las seis, pero él seguía fastidiándome.

Me había regalado un par de guantes térmicos de marca, unos pantalones largos, camiseta y chaqueta a juego y las zapatillas más caras del mercado aunque yo acababa de comprarme unas.

–Corres por el hielo, resbalarás –me dijo.

Yo me ponía las zapatillas para contentarlo, aunque cambié los cordones blancos por unos rojos para dar un toque de color. Y también me ponía los guantes. Pero casi siempre dejaba la chaqueta térmica en casa. Prefería correr solo con camiseta, incluso en invierno. Al principio el frío era terrible. El viento me cortaba la piel como una cama de clavos, pero no tardaba en entrar en calor y me gustaba la sensación del aire fresco y el viento frío que me animaba a correr más rápido.

Llegaba a casa con la piel inevitablemente colorada y a veces con los dedos hinchados a pesar de los guantes, como si el frío me hubiese quemado.

Simón me tomaba entre sus brazos y me besaba para darme calor, me frotaba los brazos y hombros desnudos hasta que me dolía la piel.

Era un hombre cálido en todos los sentidos, desde su piel color café, cortesía de su herencia venezolana, hasta sus grandes ojos castaños, su cabello fuerte y rizado y su corpulencia. Medía casi un metro noventa y había ido ganando peso desde que vivíamos juntos. No estaba gordo, ni mucho menos, pero el hecho de cenar juntos y compartir botellas de vino en el sofá mientras veíamos un DVD lo habían hecho pasar de delgado a fornido; la ligera redondez de su cuerpo le añadía un aire de ternura. Tenía el pecho cubierto de una masa espesa de vello oscuro por el que me encantaba pasar las manos cuando yacíamos juntos en la cama después de hacer el amor.

Tenía un aspecto manifiestamente masculino y una forma de ser muy cariñosa. Los dos años que estuvimos juntos habían sido como relajarse en un baño de burbujas. Entablar una relación con él fue como llegar a casa después de una larga jornada de trabajo y ponerse un pijama de franela y unos calcetines viejos. No hay nada como la compañía de un hombre que te ama total e incondicionalmente. Con Simón me sentía cuidada, protegida, tranquila.

Pero también me aburría.

Me las había arreglado para aplacar el trasfondo de descontento en nuestra relación con una gran cantidad de pasatiempos. Tocando el violín como si cada una de mis actuaciones fuera la última. Corriendo la maratón de Nueva York. Corriendo y corriendo, huyendo continuamente pero regresando siempre a casa.

Hasta que leí el libro de Dominik.

Desde entonces oía su voz en mi cabeza de forma casi constante.

Primero, a través de las palabras de su novela, como si en lugar de leerla estuviera escuchando un audiolibro.

Después los recuerdos afluyeron como una marea.

El sexo fue determinante en nuestra relación, pero no se parecía al sexo cotidiano y convencional que tenía con Simón.

Dominik era un hombre con deseos más oscuros que los de la mayoría y estar con él fue como tener una luz encendida en mi vida. Con Dominik había disfrutado muchísimo haciendo realidad unas fantasías que antes ni siquiera imaginé. Me pidió que hiciera para él cosas que otras personas ni siquiera se atrevían a pronunciar en voz baja. Más que por osadía, lo hice por su insistencia para que le dejara utilizar mi cuerpo y obtener placer, por someterme a él en un juego extraño, más mental que físico, en el cual ambos éramos cómplices, aunque a cualquier persona ajena pudiera parecerle que yo le permitía que me dominara.

Desde el punto de vista sexual, Simón era prácticamente lo opuesto a Dominik. Le gustaba que yo me pusiera encima, y me pasaba gran parte de las noches cabalgando sobre él, intentando evitar que mi mente vagara y soñara despierta con el trabajo y las listas de la compra, o me quedara mirando fijamente el blanco satinado de la pared del cabecero.

El teléfono vibró en el bolsillo de mi pantalón y me sobresaltó tanto que casi resbalé sobre un trecho de suelo helado. Pocas personas tenían mi número y no recibía llamadas a menudo. Normalmente me llamaba Simón o mi agente, Susan, y Simón sabía que estaba corriendo, por lo que era poco probable que fuera él a menos que quisiera que le llevara algo para desayunar, una de esas rosquillas azucaradas de la tienda de la esquina de Lexington con la 56 que le gustaba mojar en el café.

Me apresuré a quitarme un guante dando tirones. Tenía los dedos tan helados que a duras penas podía sujetar el teléfono. Era un número de Nueva Zelanda, que yo no tenía en mis contactos.

Pulsé la tecla para responder con cierta inquietud. Rara vez hablaba por teléfono con mi familia. No éramos del tipo de personas que se comunican con frecuencia y preferíamos utilizar el correo electrónico o Skype. Y además, en Nueva Zelanda ya sería de noche.

—¿Diga?

—¡Hola, Sum! ¿Cómo te va?

—¿Fran?

—¡No me digas que ha pasado tanto tiempo que ya no reconoces mi voz, hermanita!

—Pues claro que te reconozco, lo que pasa es que no esperaba que fueras tú. ¿Qué hora es allí?

—No podía dormir. He estado pensando.

—No lo tomes por costumbre.

—Quiero ir a hacerte una visita.

—¿A Nueva York?

—Para serte sincera preferiría que fuera en Londres, pero en tiempos de guerra cualquier hoyo es trinchera. Me estoy aburriendo de Te Aroha.

Nunca me había imaginado que oiría esas palabras de boca de mi hermana mayor. Ella destacaba en nuestra ciudad natal, Te Aroha, y aunque a mí no me parecía una persona de las que les gustan las ciudades pequeñas, había vivido allí toda su vida, casi treinta años. Trabajaba en el banco local desde que dejó el instituto. Llevaba unos doce años en el mismo trabajo. Empezó como cajera, la ascendieron a jefa de equipo y luego a consejera financiera, aunque no había recibido ninguna formación profesional aparte de la que ofrecía la empresa. Yo era la única de la familia que había ido a la universidad, aunque la dejé después del primer año.

Me resultó fácil imaginármela. Para mí era sábado por la mañana, de manera que para ella sería bien entrada la noche. Estaría sentada en su casita de campo, vestida con unos vaqueros cortos y una camiseta de color neón con desgarrones, al estilo punk de los ochenta, y sin parar quieta, como hacía siempre, pasándose la mano por el pantalón, por el cabello corto teñido de rubio o enroscándose un mechón del

12

flequillo en un dedo. Allí estaban en pleno verano, por lo que probablemente hacía calor, aunque en su casa había mucha corriente y en Te Aroha el aire siempre parecía frío, como si toda la ciudad viviera a la sombra de la montaña.

—¿A qué se debe todo esto? —le pregunté—. Creía que te quedarías allí para siempre.

—No hay nada que dure eternamente, ¿no es cierto?

—Sí, bueno, pero para ti es un cambio de actitud. ¿Ha ocurrido algo?

—No sé si debería contártelo. Mamá me dijo que no te lo dijera.

—¡Oh, por favor!, pues ahora vas a tener que hacerlo. No puedes dejarme en ascuas.

Había aminorado el ritmo a un paso ligero y, al no contar con la velocidad de la carrera que me impulsaba por el hielo, estaba resbalando con cada paso y congelándome sin el calor que me proporcionaba el ejercicio intenso. Sin el guante, los dedos de la mano se me habían enrojecido de frío y empezaban a dolerme.

—Fran, estoy en medio de Central Park y la temperatura es de varios grados bajo cero. Necesito empezar a correr otra vez y no puedo hablar al mismo tiempo, así que suéltalo ya y te llamaré cuando llegue a casa.

—El señor Van der Vliet ha muerto.

Pronunció las palabras con suavidad, como si estuviera soltando un arma con cuidado.

—Tu profesor de violín... —añadió, llenando el silencio entre las dos.

—¡Ya sé quién es!

Me detuve por completo y dejé que la gelidez del aire me envolviera como una manta de acero.

Fran guardó silencio al otro lado de la línea.

—¿Cuándo? ¿Qué ocurrió? —pregunté al fin.

—No lo saben. Encontraron su cuerpo en el río, donde murió su esposa.

La esposa del señor Van der Vliet murió el día en que yo nací. La mujer iba conduciendo por Karangahake Gorge de vuelta a casa desde Tauranga y las ruedas del coche patinaron en la lluvia, no calculó bien una de las curvas cerradas y chocó contra un camión que circulaba en sentido contrario. Al conductor del otro vehículo no le pasó nada, ni siquiera un rasguño, pero el coche de la señora Van der Vliet dio una vuelta de campana, se precipitó por un lado de la peligrosa carretera y cayó al río. La mujer se ahogó antes de que alguien pudiera salvarla.

–¿Cuándo? –La palabra se me atascó en la garganta como un bocado de algodón en rama.

–Hace casi dos meses –susurró Fran–. No queríamos decírtelo. Pensamos que podría alterarte, afectar tus actuaciones. Mamá y papá no querían que lo dejaras todo por venir a casa para el funeral.

–Hubiera ido.

–Ya lo sé. ¿Pero qué más da? Estaría muerto igualmente, tanto si hubieras estado aquí como si no.

Fran, al igual que la mayoría de los neozelandeses que conocía, era una persona práctica y pragmática. Pero su lógica implacable no impidió que tuviera la misma sensación que si un tornillo de banco me atenazara el corazón.

El señor Van der Vliet tendría ya más de ochenta años y creo que no superó nunca la muerte de su esposa. Aunque era un hombre tranquilo y modesto, había sido como un puntal en mi niñez. Su voz, que aún poseía un marcado acento holandés a pesar de vivir en Nueva Zelanda casi toda su vida adulta, era suave pero firme cuando corregía mi forma de sujetar el arco o me elogiaba por una buena interpretación.

Había aprendido gran parte del arte de tocar el violín observándolo a él. La manera en que su cuerpo alto y excesivamente delgado cobraba vida y gracia cuando tomaba un instrumento. Tocaba como si hubiera cruzado una puerta a otro lugar, se convertía en un hombre completamente distinto, sin rastro de su torpeza habitual. Yo había intentado imitar la forma en que parecía vivir él la música y no tardé en descubrir que, si cerraba los ojos y absorbía la melodía con mi cuerpo, podía tocar mucho mejor que si me limitaba a leer la partitura.

El señor Van der Vliet no fue por quien yo empecé a tocar. Los responsables fueron mi padre y sus discos de vinilo. Pero sin duda Hendrik van der Vliet fue quien me hizo continuar. Aparentaba ser un hombre muy severo, pero tenía una parte tierna que afloraba de vez en cuando, y yo había pasado gran parte de mi niñez y mi adolescencia haciendo todo lo posible por suscitar sus raros halagos, practicando y practicando hasta tener los dedos en carne viva.

–¿Summer? ¿Sigues ahí? ¿Estás bien?

Sus palabras sonaban como un eco.

–Fran, volveré a llamarte, ¿de acuerdo?

Pulsé la tecla de fin de llamada y volví a meter el teléfono en el bolsillo del pantalón a toda prisa sin esperar a que respondiera.

Me puse los auriculares y subí el volumen de la música. Era «Fight like a girl», de Emilie Autumn, algo que el señor Van der Vliet hubiera aborrecido. Él siempre me empujaba hacia la música clásica y quedó decepcionado cuando abandoné la carrera de música y me mudé a Londres.

Se me llenó la cabeza con imágenes de su rostro bajo el agua. ¿Habría tenido un accidente? ¿Un ataque al corazón, casualmente en el mismo lugar en el que murió su esposa? Tenía mis dudas al respecto. Que yo supiera, el señor Van der Vliet nunca había sufrido ni un simple resfriado, no me lo imaginaba enfermo. Debía de haber tomado una decisión deliberada, aunque no era de la clase de personas que saltan a un río. Eso hubiera sido demasiado espontáneo. Él habría optado por irse de un modo definitivo, teniendo pleno control de su muerte en todo momento. Él se hubiera metido en el agua.

Podía verlo como si una película se desarrollara frente a mí. Se habría puesto su mejor traje. Quizá el que llevó al concierto que hice en el salón de actos del instituto de Te Aroha hacía un par de años, cuando fui de visita durante mi gira en solitario por las antípodas. Una camisa blanca con un chaleco verde oliva oscuro, pantalones y chaqueta. Parecía un saltamontes, con los miembros flexionados con incomodidad para encajarse en las pequeñas sillas de madera que se habían dispuesto en la sala. Tenía la piel fina como el papel, como si la brisa pudiera hacerlo susurrar como una hoja.

Él se habría metido en el agua sin más, relajado. Lo habría hecho a última hora de la noche o a primera de la mañana, antes de que el río se llenara de veraneantes, excursionistas y niños con barcas hinchables decididos a surcar la corriente hasta Paeroa, donde el Ohinemuri confluye con el Waihou.

El señor Van der Vliet debía de ser una de las pocas personas de Nueva Zelanda que no sabía nadar. Decía que nunca había querido aprender, que siempre prefirió la comodidad de la tierra seca incluso en verano. Con su falta absoluta de tejido adiposo se hubiera hundido como una piedra hasta el fondo del río.

Cuando llegué a casa las lágrimas me corrían suavemente por las mejillas. La noticia de la muerte del señor Van der Vliet me había entristecido, sobre todo el hecho de no enterarme del funeral; no había tenido ocasión de despedirme y darle las gracias por todo lo que hizo por mí.

Simón estaba sentado en uno de los taburetes frente a la barra de la cocina leyendo el periódico. Su cabello largo y abundante le enmarcaba el rostro como una cortina. Llevaba puestos un par de vaqueros desgastados y una camiseta de Iron Maiden, deleitándose como siempre con la ocasión de vestirse de manera informal, de salir de las limitaciones de su frac de director de orquesta con el que a mí me parecía que estaba guapísimo –era un cruce entre un hombre lobo y un vampiro– y que él detestaba porque consideraba que constreñía igual que una camisa de fuerza.

Cuando entré en la habitación se volvió hacia mí, se puso de pie y me estrechó entre sus brazos.

–Ha llamado Fran –dijo–. Lo siento muchísimo, cariño.

Me incliné hacia él y hundí la cabeza en su hombro. Olía como siempre, a nuez moscada y canela, las fragancias que perfumaban la colonia que usaba desde que lo conocí. Era un olor intenso, a madera, un aroma que yo había empezado a asociar con el confort y con la sensación de su cálido abrazo.

–Pensaba que no tenía nuestro teléfono –comenté sin entusiasmo.

–Se lo di en Navidad.

Simón estaba mucho más centrado en la familia que yo. Con sus hermanos siempre andaba como perros y gatos, y de vez en cuando también se peleaba con sus padres, aunque hablaba con ellos al menos una vez a la semana. Yo tenía muy buena relación con mi familia pero podía pasar perfectamente seis meses sin tener noticias.

Alcé la mirada y le di un beso. Tenía unos labios carnosos y casi siempre también un poco de barba. Simón reaccionó al tacto de mis labios besándome con firmeza y empujándome con suavidad hacia el dormitorio a la vez que metía las manos por debajo de mi camiseta de correr y tiraba de los gruesos corchetes de mi sujetador de deporte.

Simón había aprendido una de mis peculiaridades: cuando estaba disgustada, siempre y cuando no fuera con él, lo que más quería era sexo. Sabía que era una manera extraña de consuelo propia de mí y quizá de solo una pequeña minoría de la población femenina. El sexo me mantenía los pies en la tierra como ninguna otra cosa, y era lo único del mundo, aparte quizá de tocar el violín, que me hacía sentir en paz.

Me bajó los pantalones de correr y deslizó un dedo dentro de mí. Una conocida oleada de placer me recorrió la espalda en respuesta a su tacto.

–Debería darme una ducha –protesté–. Estoy toda sudada.

–No, no deberías –replicó él con firmeza, y me echó sobre la cama–. Ya sabes que me gustas así.

Era cierto, e intentaba dejarlo muy claro a menudo. A Simón le gustaba tal como era, fuera como fuera, un hecho que reiteraba con frecuencia despertándome con la cabeza entre mis piernas o abalanzándose sobre mí cuando volvía del gimnasio.

Era un hombre apasionado al que le encantaba hacer el amor y que hacía todo lo posible por complacerme, pero teníamos gustos distintos en la cama aunque ambos preferíamos no asumir el control.

No era un hombre dominante y yo echaba de menos esa pizca de frialdad, la firmeza del tacto de Dominik y de otros hombres que se comportaban como él. Quería que me ataran a la cama y que dieran rienda suelta a su voluptuosidad conmigo. Simón lo intentaba, pero nunca había sido capaz de reconciliarse con la idea de que podría hacerme daño de verdad. Decía que no podía golpear o dominar a una mujer ni siquiera en broma, y eso descartaba los azotes, una de las prácticas con las que yo más disfrutaba.

Era un buen hombre. Yo tenía claro que ponerme encima era mucho más su estilo que no al revés, y yo lo hacía porque él pensaba que me gustaba más. El hecho de haberme pasado toda nuestra relación con un sentimiento persistente de insatisfacción me provocaba una culpabilidad constante, como una herida que no se curaba, un picor que no podía rascarme.

Lo que yo más deseaba era ser la clase de mujer que estaría contenta con todas las cosas habituales. Tenía incluso más de lo habitual. Simón no solo era bueno, era un hombre maravilloso; ambos gozábamos de buenas amistades, buena salud y, por si fuera poco, éxito en nuestras profesiones. Pero aun así, una voz me susurraba al oído que la vida que llevaba no era la que yo quería, ni la que me convenía.

Simón quería casarse y tener hijos; yo no. Era la única cuestión en la que no estábamos en absoluto de acuerdo y que no habíamos sido capaces de resolver, y a mí me acometía una sensación punzante de horror cada vez que lo veía mirando anillos de compromiso en el escaparate de una joyería o sonriéndole a un niño pequeño con el que se topara en la calle. Todas las cosas que le harían feliz y contento para siempre eran las que a mí me aterrorizaban, y a altas horas de la noche, cuando no estaba distraída con el trabajo, eventos sociales o corriendo en el frío, me sentía como si alguien me hubiera colgado un peso de hierro en torno al cuello, o como si tuviera una aureola sobre mí tan pesada que no pudiera mantenerla derecha. A veces tenía la sensación de que acabaría aplastada bajo el peso de mi propia vida.

Transcurrieron dos semanas y mis sueños estaban llenos de cascadas de agua y del sonido de la voz de Dominik.

Me despertaba por las mañanas con un sobresalto, como si un león me arrancara a la fuerza de mi sueño.

Pese a mis temores y preocupaciones, pasó el tiempo. Corría a diario, ensayaba y asistía a veladas con otras parejas, la mayoría de ellas pertenecientes al ambiente de la música. Sin embargo, me sentía falta de todo propósito, como un barco sin timón, como si mi vida se hubiera ido desintegrando paulatinamente.

Fran siguió llamando de vez en cuando, de día o de noche. Pensé que lo hacía para comprobar cómo me encontraba, a su manera. Siempre habíamos estado unidas pero ninguna de las dos era abiertamente sentimental y la mayoría de nuestras conversaciones duraban solo unos minutos. Continuaba decidida a irse de Te Aroha. Dijo que había presentado su dimisión en el trabajo y solicitado el visado para el Reino Unido.

Teníamos ascendencia británica, por lo que éramos afortunadas en ese aspecto. Mis abuelos eran ucranianos por una parte e ingleses por la otra. Éramos pioneros, viajeros por ambos lados. El deseo de estar siempre viajando a lugares desconocidos corría con fuerza por nuestras venas.

—Entonces, ¿no vas a venir a Nueva York? —le pregunté una noche después de que me contara que había reservado un vuelo a Reino Unido.

—Creo que llevo Londres en la sangre. De todos modos, no puedo conseguir un visado para Estados Unidos.

—Puedes vivir conmigo, no hace falta que vengas a buscar trabajo. Ven como turista.

—No seas ridícula. Sabes tan bien como yo que no duraría ni un minuto si no puedo ganarme el sustento, y a ti te pasaría lo mismo.

—Está bien. Pero vendrás a visitarme, ¿no?

—Por supuesto. ¿Y tú vendrás a verme a Londres?

—Claro que sí. Tengo pendiente una visita.

Cuanto más pensaba en ello, más lo echaba de menos. El clima frío, la tenebrosidad de los edificios antiguos, calles que llevaban aquí, allá y a todas partes, caminos que recorrían la ciudad como tentáculos a diferencia de las manzanas cuadradas que bordeaban con rigidez las avenidas en Nueva York.

Había vuelto una vez desde que estaba con Simón, pero solo fue para una visita relámpago puesto que ambos estábamos trabajando. Me mantenía en contacto con Chris, mi mejor amigo, al que conocí cuando llegué a Londres. Su banda, los Groucho Nights, estaba empezando a tener éxito. Una noche, en una fiesta, él y su primo Ted, el guitarrista de la banda, conocieron a Viggo Franck, el cantante de The Holy Criminals, y enseguida hicieron buenas migas. Después les habían ofrecido la oportunidad de actuar como teloneros de la famosa banda de rock en la Brixton Academy, la clase de actuación con la que las bandas como la de Chris se pasaban la vida soñando.

De hecho, Chris y yo nos conocimos en aquel mismo local, en la primera fila de un concierto de los Black Keys. Yo fui sola porque no conocía a nadie y me choqué con él al saltar para recoger la púa de la guitarra del cantante. Él, que siempre fue un caballero, dejó que me la quedara y yo lo invité a una copa después del concierto para agradecérselo. Nos unió el hecho de que los dos acabábamos de llegar a Londres y de que ambos tocábamos un instrumento de cuerda. Yo el violín y él la viola, aunque se había pasado a la guitarra para atraer al público roquero. Yo toqué alguna que otra vez con su banda, cuando la música permitía incluir a un violinista.

Decidí llamarlo. En Londres ya sería tarde, pero Chris era músico, estaría despierto.

Respondió con voz soñolienta.

–¡No me digas que estabas durmiendo! No es muy propio de una estrella del rock como tú.

–¿Summer?

–La misma. ¿Qué hay de nuevo?

Oí el frufrú de las mantas cuando se incorporó, supuse que aún en la cama.

–Conseguimos la actuación.

–¿Con The Holy Criminals? Increíble. ¿Tuviste que acostarte con Viggo Franck para conseguirlo?

–No seas idiota.

–Dime, ¿cómo es?

–¿Viggo?

–Pues claro que Viggo. El batería no me gusta, eso seguro.

–Te gustaría. A todas las chicas parece gustarles. La verdad es que no lo entiendo. Pero bueno, ese es el problema de ser el tipo simpático, ¿no? Siempre el amigo, nunca el novio. Son los cabrones los que se lo llevan todo.

–Simón es un tipo simpático –le dije en broma.

–Sí, lo es. –Su tono de voz se volvió serio de pronto–. Pero, ¿eres feliz con él?

Me quedé callada porque no sabía cómo expresarlo. ¿Cómo iba a confesarle a nadie que estaba considerando romper con el chico más encantador del mundo porque era demasiado encantador?

–¿Qué pasa, Summer? Nunca llamas para charlar.

–No lo sé. No estoy del todo bien. Mi profesor de violín murió. El señor Van der Vliet. No sé si te hablé alguna vez de él.

–Sí, lo hiciste. Pero ya estaba un poco viejo, ¿no? Disfrutó de una larga vida. Y estaba orgulloso de ti.

–Creo que igual se suicidó. –Me salieron las palabras precipitadamente y con incomodidad.

–¡Oh! Lo siento mucho… ¿Estás bien?

–La verdad es que no… Yo… No sé cómo estoy. Solo quería oír tu voz.

–Bueno, pues aquí estaré siempre que me necesites, ya lo sabes.

–Sí, lo sé. Pues buena suerte con vuestro concierto. ¿Será pronto?

–El mes que viene. Aunque te echaremos de menos. Nunca ha sido lo mismo sin ti.

–¡Bah! Tonterías.

–No, es verdad. Tú aportabas algo. Mira, puede que ya fuéramos todos famosos si no te hubieras marchado.

Cuando llegué a casa aquella noche ya era tarde y Simón estaba levantado esperándome, sentado frente a la barra de la cocina con sus largas piernas cruzadas a la altura de los tobillos. Estaba encorvado y miraba fijamente el banco, aunque no tenía ningún periódico delante. Había algo en la barra. Un libro, pero no estaba abierto. Al acercarme, me di cuenta con horror de que era el de Dominik.

Simón no se levantó de un salto para recibirme como solía hacer. Me miró, parecía envuelto en un pesado velo de agotamiento.

–Hola –dije yo para romper el hielo.

Él levantó la vista y me sonrió con languidez. Su mirada era afable, pero tenía el mismo aire de un caballo enfermo que viera acercarse a su amo con una escopeta.

–Hola, cariño –dijo–. Dame un abrazo.

Extendió los brazos y me acerqué para que me estrechara en ellos. Estaba llorando. Apoyada contra su hombro, noté las sacudidas de su pecho y las lágrimas me humedecieron el cuello.

–¿Qué pasa? –le pregunté con dulzura.

–Aún estás enamorada de Dominik. –Era la exposición de un hecho, no una pregunta.

–Hace dos años que no nos vemos –repuse.

–Pero no niegas que estás enamorada de él.

–Yo...

Señaló con un gesto el libro que había sobre la mesa.

–Es sobre ti. Otro lugar, otra época, pero aun así eres tú.

–¿Lo has leído?

–Lo suficiente. Lo siento, sé que no debería haber mirado tus cosas, pero últimamente no eres la misma. Estaba preocupado.

–No pasa nada. No tendría que haber guardado el libro.

Había intentado tirarlo, consciente de que siempre cabía la posibilidad de que Simón lo encontrara. No era que no confiara en él. Pero tenía la costumbre de intentar retenerme como si supiera que, en cierto modo, yo no le pertenecía, como si siempre estuviera tratando de encontrar pruebas de que en realidad no lo amaba. Yo lo quería, pero era un afecto profundo más que un amor romántico.

Me puso la mano en la barbilla y me apartó un mechón de pelo de la cara.

–Esto no va a funcionar nunca –dijo.

–¿Qué quieres decir?

Un dolor sordo empezó a invadirme el pecho.

–Queremos cosas distintas, Summer. Yo te quiero, pero nunca serás feliz conmigo. Y me pasaré el resto de mi vida intentando retener algo que nunca tuve.

–No seas tonto –protesté, y un deje de pánico se hizo evidente en mi voz–. No es más que un libro, no significa nada. Podemos discutirlo tranquilamente, encontrar una forma…

–Yo quiero tener hijos, una familia, y tú no. Ya sabes lo que dicen: un pájaro y un pez pueden enamorarse, pero ¿dónde construirán su nido?

Balbucí intentando encontrar un motivo para discrepar, pero no había ninguno.

–He hablado con Susan –continuó.

–¿Le has contado a mi agente que ibas a romper conmigo antes de decírmelo a mí?

Noté que me sonrojaba y, en ausencia de lágrimas, la furia estalló en mi interior. Apreté los puños y lo golpeé en el pecho. Él me agarró las muñecas y me sujetó contra sí.

–Por supuesto que no. Solo estaba sugiriendo que necesitas un respiro. Me doy cuenta de que te estás aburriendo, frustrando. Hasta el mejor de los músicos necesita unas vacaciones, un cambio.

Eso tampoco podía discutírselo. Llevaba años tocando las mismas melodías una y otra vez, incluso vistiendo la misma ropa en los conciertos. Empezaba a aburrirme. En realidad estaba harta, hastiada. Incluso el disco que acabábamos de grabar de melodías sudamericanas lo había hecho sin ganas, no suscitaba en mí la misma pasión que tenía por los compositores neozelandeses o incluso por los temas roqueros que solía tocar con Chris cuando improvisaba con ellos en los bares y pubs de Camden. Supongo que ese es el problema cuando empiezas a ganar dinero con algo que amas. La música se había convertido en mi carrera y, poco a poco, en mi trabajo, y estaba empezando a cansarme.

–¿Quieres que me marche de casa?

–No, yo quiero tenerte a mi lado para siempre. Pero eso no va a resultar bien para ninguno de los dos –respondió con un tono insulso–. Yo sí me voy a tomar un descanso. Me iré a Venezuela a pasar unos quince días para ver a mi familia. Mi avión sale por la mañana. Dejaré que decidas lo que quieres hacer.

Aquella noche volvimos a hacer el amor, y luego otra vez, en mitad de la noche, cuando me despertó con un beso salvaje a las tres de la madrugada y me folló con un ímpetu que no había demostrado hasta entonces. Pasamos las pocas horas previas a su vuelo abrazados, hablando y riendo como viejos amigos.

–¡Ojalá pudiera ser siempre así! –comenté cuando se desenredó de mí para empezar a preparar su marcha.

–Creo que ninguno de los dos somos la persona adecuada para el otro –dijo–. Lo que pasa es que no quería admitirlo. Nos gusta que las cosas sigan igual…

Lo observé mientras se vestía, mientras se ponía los vaqueros desgastados directamente, sin ropa interior. Su cabello castaño y tupido le tapaba la cara mientras se abrochaba el cinturón y se ajustaba la calavera de plata que adornaba la hebilla. Flexionó los músculos para ponerse una camiseta blanca ceñida que ocultó la espesa mata de vello de su pecho. Añadió una cadena con un colgante de plata en forma de pluma que yo le había regalado el año anterior por Navidad y se la abrochó en torno al cuello. Le encantaba la ropa; nunca había conocido a ningún hombre al que fuera tan fácil hacerle regalos.

Se sentó en el borde de la cama para calzarse sus botines de piel de serpiente con suelas rojas y le rodeé la cintura con los muslos.

–No puedes quedarte así agarrada para siempre, ¿sabes? –dijo–. No acabaré nunca de ponerme los zapatos.

Me dio otro largo beso frente al taxi que había pedido para que lo llevara al aeropuerto y me abrazó hasta que el conductor empezó a impacientarse.

–No te hagas de rogar. Mantente en contacto.

–Lo haré –repuse.

Y me quedé mirando el coche mientras se alejaba y se llevaba a Simón de mi vida.

Volví a entrar en el apartamento arrastrando los pies y me senté a la barra de la cocina. El libro de Dominik aún estaba en medio del banco. Lo cogí y lo hojeé otra vez, leí por encima las líneas que hablaban de la heroína pelirroja, a la que era evidente que no le habían faltado amantes en París. Dominik y yo no habíamos sido capaces de seguir viviendo juntos. En el aspecto doméstico éramos totalmente incompatibles, pero en el sexual hacíamos una pareja perfecta. Y aunque parecía ridículo y terrible construir una relación basada en eso, tal vez lo que ocurría simplemente es que yo era así. Puedes intentar eludir tu naturaleza, pero al final siempre te alcanza.

«A S.»

«Siempre tuyo.»

Me pregunté si aún pensaba en mí. Si lo que había pasado era que le faltaba imaginación para crear una historia de la nada y se había visto obligado a depender de una biografía novelada con muy poco de ficción para conseguir una voz femenina adecuada, o si simplemente no había podido olvidarme, igual que yo tampoco podía quitármelo de la cabeza.

¡Oh, Dominik! ¿Cómo es que conseguiste seguir teniendo control sobre mi vida, después de dos años y a miles de kilómetros de distancia?

Apoyé la cabeza en los brazos y me puse a llorar, las lágrimas cayeron sobre las páginas del libro y las mojaron hasta que empezaron a arrugarse.

Media hora después, fui a por el teléfono y marqué un número.

En algún lugar de Camden Town sonó un teléfono.

Chris contestó.

–¡Caray, Summer! ¿Estamos una eternidad sin hablarnos y ahora me llamas dos veces en una semana?

–Voy a ir a Londres. Tomaré el próximo vuelo.

–Estupendo –dijo él, muy animado–. Llegarás justo a tiempo para nuestro concierto. Quizá hasta pueda convencerte para que vuelvas a estar en el escenario.

–¿Como en los viejos tiempos?

–Mejor –respondió–. Mucho mejor.

2

El sencillo arte de la dilación

−¿Y bien? ¿Qué planes tienes para hoy? −preguntó Lauralynn.

−Hacer el remolón, por supuesto −contestó Dominik.

−Nada nuevo entonces...

Estaba de pie y daba sorbos a un vaso de leche mientras recogía sus cosas y se disponía a salir de casa para una jornada de ensayo. El día anterior había dejado el violonchelo en el estudio donde ensayaba, como solía hacer. Era una lata llevarlo por Londres en el transporte público, y el edificio en el que se reunía con sus compañeros músicos del cuarteto de cuerda contaba con medidas de seguridad las veinticuatro horas.

Llevaba unas botas de cuero negro hasta la rodilla y el resto de sus largas piernas enfundado en unos vaqueros ajustados que desaparecían en la cintura bajo los amplios pliegues de una informe sudadera gris. Tenía aspecto de cualquier cosa menos intérprete de música clásica, y aún menos de música de cámara.

Dominik no podía evitar encontrarla *sexy* en cualquier situación. Algunas mujeres poseían dicho atractivo, otras no; ella lo tenía al cien por cien. Atraía todas las miradas con el simple atisbo de una sonrisa. Y el hecho de que prefiriese a las mujeres la hacía aún más excitante.

Lauralynn se sujetaba en alto el cabello rubio y alborotado para encajarlo en el casco de moto. Una de las primeras cosas que hizo después de que Dominik accediera a que se quedara en su casa, y formar su cuarteto con el único miembro que quedaba de su anterior formación del conservatorio y un par de recién llegados, fue permitirse el lujo de comprarse una moto nueva. Una Suzuki GSXR 750 de segunda mano, negra, reluciente e impecable. Antes de regresar a Inglaterra había vendido la Kawasaki que tenía en Yale, al parecer por problemas de transporte. Dominik no sabía de dónde sacaba el dinero, pero a Lauralynn nunca parecía faltarle y su actitud hacia él era particularmente desdeñosa. No debía de ganar demasiado con las actuaciones esporádicas del cuarteto y los diversos trabajos como músico en conciertos.

Lauralynn le lanzó un beso y salió por la puerta a toda prisa. Enseguida se oyó el rugido del potente motor de su moto, que se fue apagando a medida que descendía a toda velocidad por la ladera.

Dominik bajó la vista al plato que tenía delante. Ahí estaba su última tostada, abandonada.

Pensó en los meses que llevaba viviendo con Lauralynn bajo el mismo techo. Se conocieron cuando él estaba organizando una actuación privada en una cripta, en la que Summer tocó el violín completamente desnuda, acompañada por el cuarteto de Lauralynn, cuyos integrantes llevaban los ojos vendados. Tiempo después, Lauralynn apareció en Manhattan, coincidiendo con una de las ausencias de Summer, y le había enseñado nuevas posibilidades sexuales. Posteriormente, acudió a él tras su retorno a Londres, donde se convirtieron en cómplices de sus aventuras, mientras ella lo ayudaba a alejar el fantasma de Summer.

Volvía a estar solo en la enorme casa, a su aire.

Solo estaban él y el documento en blanco en la pantalla del ordenador. Lo inundó una oleada de desprecio por sí mismo y supo que a medida que avanzara el día iría sumando con aplicación unas mil palabras o algo así, y que muy probablemente, por la tarde, acabara borrando la mayor parte de lo escrito.

Dominik echaba de menos las clases y la docencia. Pensaba que podría haber sido un grave error renunciar a su puesto de titular tras el éxito inesperado de su novela parisina, protagonizada por la trágica heroína que se inspiraba en Summer.

Había firmado un contrato para una segunda parte, pero llevaba varios meses de retraso e iba muy por detrás del calendario que colgaba de la pared de su estudio.

Por un lado, estaba la presión inevitable de idear algo que estuviera a la altura del inspirado romanticismo del libro de Summer. Por otro, la triste realidad de que no tenía buenas ideas. Las que le venían a la mente las descartaba enseguida por superficiales o poco interesantes. Necesitaba un anzuelo. Una historia. Personajes. Estaba claro que no podía limitarse a reciclar las emociones que le evocaba Summer. Aunque solo fuera porque dolía demasiado.

Después de la ruptura y de su apresurado regreso de Nueva York escribió la primera novela en un arrebato de excitación, aporreando el teclado mientras la música sonaba a todo volumen en la habitación: una estudiada mezcla del repertorio clásico que con frecuencia le había oído tocar a Summer, las *chansons* francesas y el jazz norteamericano de comienzos de los años cincuenta que conformaban el trasfondo del desarrollo de su historia. Ahora podía incluso permitirse el lujo de escuchar la música que Summer tocaba para él en los discos que había sacado durante los últimos meses, cuando su carrera empezó a tener éxito, pero no servía de nada. Incluso tenía el efecto contrario: casi siempre se quedaba muerto de miedo al oír las notas del Bailly que, nítidas como el cristal, se elevaban y evocaban inevitablemente las sombras de su piel, el color oscuro de sus pezones y, en lo más profundo de su recuerdo, el sabor de su sexo. Hubo un tiempo en el que eso lo había inspirado; ahora solo conseguía aumentar su depresión, agudizar su dolor.

Había comprado los CDs de Summer; el primero era una grabación brillante de *Las cuatro estaciones* de Vivaldi, en la que Dominik podía sentir toda la pasión de la joven, su carácter salvaje y caprichoso, pero también su delicada sensibilidad. En una crónica de sociedad leyó que vivía con Simón Lobo, cosa que no resultaba sorprendente: era el director de la orquesta en todas sus grabaciones y ya trabajaban juntos en Nueva York durante los pocos meses que vivió con Summer en el *loft* de Manhattan. Los otros dos CDs incluían los conciertos de violín de Tchaikovsky y Mendelssohn y el último, que vio de casualidad en un escaparate el mes anterior, estaba dedicado a improvisaciones de temas de los nativos sudamericanos, lo cual obviamente no era una mera coincidencia.

La caja de este último álbum descansaba abierta en el extremo izquierdo de su mesa, junto a un montón de libros de consulta y carpetas llenas de recortes de revistas y notas varias, la mayoría de las cuales eran indescifrables porque había escrito en ellas en todas direcciones y con letra apresurada. Una fotografía de Summer ocupaba la cubierta, mostrando su rostro borroso, un atisbo de sus hombros desnudos, las llamas rojas de su cabello como una ensordecedora explosión de color contra un fondo blanco como la nieve y el fino tirante negro de un vestido que Dominik no pudo evitar reconocer. Era el que él le había comprado en el mercadillo de Waverly Place.

Se le pasó por la cabeza la irónica idea de que en alguna tienda en la que vendieran libros y discos algún comprador desconocido adquiriera por casualidad sus palabras y la música de Summer como parte de la misma transacción, ajeno a los lazos que los habían unido.

31

Dominik suspiró con intensidad, como si lo hiciera para un público, y supo que si ponía música en aquel momento lo más probable era que su humor no mejorara.

Tendría que optar por el silencio.

El cursor de la pantalla parpadeaba, cobraba vida y desaparecía, mofándose de él.

Después de regresar de Nueva York, Lauralynn asumió la tarea de reconducir a Dominik por el buen camino. Sin sus ánimos probablemente no hubiera seguido con el trabajo ni terminado su novela parisina, y se hubiese visto arrastrado de nuevo a la tranquila rutina de enseñar y, si le surgía la oportunidad, a los juegos sin ataduras.

Lauralynn sabía que Dominik se sentía atraído por ella y no perdía la ocasión de seducirlo con su actitud despreocupada respecto al sexo y a su desnudez. Ella sabía que al despertar el deseo en Dominik conseguía crear el efecto del combustible que él necesitaba para seguir produciendo palabras y llegar al final del manuscrito sin sentir lástima por sí mismo. Sin depender demasiado de los recuerdos de su época con Summer, aun cuando era innegable que el personaje femenino principal de su libro semibiográfico se basaba en la violinista pelirroja.

—Necesitas distracciones, mi querido Dominik —le dijo una noche con aquel brillo juguetón de sus ojos verdes, preludio de alguna travesura.

—¿Ah, sí?

Dominik sabía que su intención era buena, pero parte de él aún estaba pasando el duelo, y le parecía que era demasiado pronto para salir a jugar otra vez.

Lauralynn no aceptaría un no por respuesta y lo convenció para que se vistiera para la ocasión. En son de burla, no le dejó ponerse la camisa informal estampada que había elegido, alegando que tenía un claro sabor a mediana edad, e hizo que se pusiera un polo azul de Tommy Hilfiger. Solo lo usaba en ocasiones especialmente formales, y estaba completamente seguro de que aquella noche no iba a serlo ni mucho menos.

–No te arrepentirás –le dijo Lauralynn.

–Más vale.

Lauralynn siempre tenía planes y sus gustos eran, cuanto menos, liberales. Una vez Dominik le dijo en broma que debía de tener una lista negra llena de nombres y direcciones de personas a las que podía llamar y que acudirían enseguida a su llamada, como un donjuán aburguesado. Pero ella respondió, con una amplia sonrisa pícara, que no era el caso. Dijo que guardaba todos los nombres y direcciones en la cabeza.

–Todos divididos cuidadosamente en columnas –sugirió Dominik–. Sumisos, esclavos, travestidos; los que intercambian parejas; los que practican orgías y cualquier otra categoría, cuya existencia una persona ignorante como yo tal vez desconozca. Sin duda todos guapos y haciendo cola, esperando a que los elijan para jugar, ¿no?

–Por supuesto –le confirmó ella con aire triunfal–. Una chica debe tener sentido de la organización en los tiempos que corren…

–Dime pues, ¿qué hay esta noche en el menú? –le preguntó mientras esperaban al taxi que Lauralynn había pedido. Era última hora de la tarde y con las restricciones de estacionamiento en la ciudad habría resultado poco práctico conducir su BMW hasta el West End.

–Espera y verás.

Dominik percibió el perfume de mujer que flotaba en el aire frente a él, una mezcla delicada de notas verdes y cítricas. Lauralynn tenía un arsenal de perfumes, y cada uno era un arma distintiva para las diferentes especies de presa. Cuando iba abiertamente a la caza de otras mujeres optaba por un aroma dulzón y almizclado, de una agresividad misteriosa.

Dominik supuso que el perfume elegido para aquella noche, con más matices, presagiaba un tipo de caza distinto.

El encuentro tendría lugar en el sótano de un pub del centro, en Cambridge Circus. A Dominik no le gustaban los pubs. El hecho de que no bebiera alcohol, sencillamente porque no le gustaba, era ya de por sí un obstáculo, pero además los pubs tenían algo, quizá los olores o el aire cargado y estancado, que lo hacía sentir incómodo.

–¿No podrías haber quedado en otro sitio? –le preguntó a Lauralynn mientras bajaban por las escaleras de madera.

–Es el que les pareció más seguro.

–¿Les? –inquirió con una sonrisa.

Lauralynn sonrió aún más.

–Son una simpática pareja casada, probablemente de las afueras, por lo que pensé que sugerir tu club o el bar de algún hotel elegante les podría hacer cambiar de opinión.

–¿Una pareja casada?

–Genial, ¿verdad?

El sótano solo estaba lleno a medias y enseguida vieron al hombre y la mujer sentados en un rincón, nerviosos, frente a una cerveza y un zumo de naranja.

–¿Dónde los conociste? –susurró Dominik.

–En Internet, por supuesto. Últimamente todo el mundo que busca sexo va a la red.

Dominik también lo había hecho, pero tenía la sensación de que fue en otra vida.

El hombre rondaba los cuarenta y cinco años; vestía un traje gris y lo más probable era que hubiese acudido allí directamente desde la oficina. Su esposa era más joven, una mujer de tez pálida y cabello moreno con flequillo que llevaba su vestido de los sábados por la noche, negro y con un par de centímetros de escote de más. La mujer alzó la mirada y al darse cuenta de la presencia de Dominik esbozó una sonrisa de satisfacción y se le iluminaron los ojos, como si hubiese estado preparada para encontrarse a alguien menos agradable y se tranquilizara al ver que era un hombre atractivo.

–Me gusta tu camisa –le dijo.

–¡Estoy encantada de veros! –exclamó Lauralynn al tiempo que les tendía una mano para saludarlos. El hombre fue el único que correspondió. Dominik hizo lo mismo. El apretón de manos del hombre fue débil y húmedo, en tanto que la mujer se limitó a quedarse allí sentada y se ruborizó un poco. El hombre tenía la mirada fija en Lauralynn, que llevaba una camiseta blanca que marcaba sus pezones. Había sustituido los vaqueros por una falda tubo ajustada. La expresión del hombre fue de alivio, como si le hubiera preocupado que su interlocutor de Internet fuera un hombre que se hacía pasar por una mujer y, por fin, respirara tranquilo al ver que Lauralynn era del sexo femenino. Según supuso Dominik, también sería idéntica a la fotografía que le habría enviado. Consciente de su desparpajo, imaginó que quizá salía desnuda en la foto.

Dominik se figuró que su participación había sido presentada solo con una descripción breve; no creía que Lauralynn guardara ninguna imagen suya en el ordenador, ni vestido ni desnudo. Estaba claro que se había anunciado a sí misma como el cebo principal y que él iba simplemente como un extra.

–Lo mismo digo –repuso el hombre.

Tomaron asiento en el banco de madera, al otro lado de la mesa y frente a la pareja.

–De modo que tú eres Kevin –dijo Lauralynn–, y tú debes de ser Liz, ¿no?

La joven asintió. Seguro que no eran sus nombres verdaderos.

Dominik sonrió a ambos con la esperanza de que su aspecto concordara con las características que, sin duda, Lauralynn había prometido a la pareja como gancho durante sus contactos en Internet.

–¿Y tú eres…? –preguntó Kevin–. No me dijiste tu nombre en ninguno de los correos electrónicos.

–Bueno, ¿tanto importan los nombres? –señaló Lauralynn, quitándole importancia al asunto–. Llamadnos Él y Ella y ya está, ¿no?

–¿Por qué no? –dijo Kevin–. ¿Os pido algo de beber?

Dominik siguió sin decir nada. Aún no sabía qué era lo que Lauralynn había acordado con la pareja. ¿Acaso Kevin y Liz eran principiantes en el intercambio de parejas? Parecía que sí.

Kevin fue a la barra a buscar las bebidas.

–Dime, Liz, ¿tú a qué te dedicas? –preguntó Lauralynn.

–Soy secretaria.

–¡Qué interesante! –Lauralynn le dirigió una sonrisa coqueta–. Así pues, esta es tu primera vez, ¿no?

La joven asintió y volvió la mirada hacia Dominik.

–¿La idea fue suya o tuya? –continuó Lauralynn.

–Bueno… de los dos –contestó, y se movió inquieta en su asiento.

–¡Venga ya! ¿En serio?

Liz dijo que sí con la cabeza pero Dominik siguió sin estar convencido.

Llegaron las bebidas, seguidas de un momento de silencio incómodo.

Más tarde, Lauralynn explicó a Dominik que este tipo de situaciones no eran poco frecuentes ni mucho menos. Muchos hombres albergaban la fantasía de ver cómo otro hombre hacía el amor a sus esposas o novias, ya fuera por su inclinación al voyeurismo o por el deseo de sentirse humillados. Era lo que Kevin buscaba en el foro de Internet en el que Lauralynn y él se habían conocido. Quizá el hecho de que Lauralynn, otra mujer, se involucrara y estuviera presente contribuía a dar confianza, o tal vez añadiera un grado más de morbo a la escena.

Dominik no estaba tan seguro de qué era lo que buscaba Liz.

La pareja había accedido a reservar una habitación en un pequeño hotel de la cercana calle Bloomsbury al que finalmente se dirigieron tras varias rondas más de copas, durante las cuales Liz se había pasado rápidamente al alcohol. Estaba claro que Lauralynn le había expuesto a Kevin las reglas de la velada antes de acceder a la reunión y era de suponer que este cerró todos los detalles con Liz.

El juego de esposas que había guardado en el cajón de la mesita, y que entregó a Lauralynn al llegar, estaba forrado de peluche. De peluche de color rosa. Lauralynn rompió a reír.

–¿De dónde demonios las has sacado? ¿De un *sex shop* de Essex?

Él se ruborizó. No se había esperado que la humillación fuera también verbal.

Liz se sentó sola en una esquina de la cama en cuanto entraron en la estrecha habitación del hotel; no dejaba de lanzar miradas inquisitivas a Dominik, al tiempo que se guardaba muy bien de mirar a su marido, quien se hallaba un tanto temeroso. Ella estaba un poco sonrojada después del gin tonic de más que se había tomado apresuradamente en el pub para afianzar su determinación antes de que la acción se trasladara a la habitación del hotel.

Lauralynn se quitó la chaqueta de cuero rápidamente y se volvió a mirar a Kevin, que seguía sin moverse del sitio.

–Bueno, ¿a qué esperas?

El hombre parecía indeciso, no estaba seguro de a qué se refería.

–Quítate la ropa. ¡Vamos! –le ordenó.

Tenía un cuerpo pálido y delgado. Lauralynn insistió en que se dejara puestos los calcetines negros que le llegaban a medio tobillo. Creyó que le daban un aspecto más ridículo. Le indicó que se sentara y que se colocara las esposas en las muñecas. Lo sujetó a la única silla que había en la habitación y la dispuso de forma que el hombre quedara mirando a la cama.

Liz permaneció sentada, cada vez más inquieta y nerviosa. Apretaba las rodillas y en la frente se le formó una gota de sudor al darse cuenta de que habían llegado a un punto en el que no había vuelta atrás.

–Toda tuya, D –dijo Lauralynn.

Dominik miró a Liz.

–Ven aquí –le ordenó en voz baja a la joven. Ella se levantó. Dominik le sacaba una cabeza.

Le rodeó la barbilla con la mano y acercó los labios a los de Liz. Percibió el sabor de la ginebra en su aliento. Y el olor del champú con el que debía de haberse lavado el pelo aquella tarde. Un débil estremecimiento recorrió el cuerpo de la mujer cuando se tocaron. Ella se tensó por un breve instante, pero el contacto de su boca la relajó y mitigó la tensión.

Con el rabillo del ojo Dominik vio que, detrás de la silla en la que había inmovilizado a Kevin, Lauralynn sonreía de oreja a oreja mientras pasaba distraídamente sus largos dedos por el cabello del hombre, despeinándolo. Era evidente que aquello le hacía sentir aún más incómodo, la raya en medio con la que se había peinado desapareció, y quedó reducido a un juguete con unos ojos como platos en manos de Lauralynn.

Dominik notó que la resistencia mental de Liz desaparecía cuando sus lenguas se fundieron y poco a poco fue deslizando las manos hacia el trasero de la mujer, apreciando la firmeza de su piel y la reacción a su tacto. Sus bocas se separaron brevemente, ella dio un suspiro profundo. Y cerró los ojos.

La mano izquierda de Dominik buscó la cremallera lateral que aflojaría el vestido negro de la joven.

–Déjame a mí –dijo Lauralynn al tiempo que se movía en torno a ellos y dejaba al esposo cautivo, cuyo pelo revuelto potenciaba su consternación, como un espectador impotente esposado a la silla.

En realidad la cremallera estaba en la espalda, por lo que Lauralynn se situó detrás de Liz y le abrió el vestido al tiempo que le mordía la oreja, juguetona, con la boca a tan solo unos centímetros de la de Dominik.

La joven casada se estremeció, apretujada como estaba entre los dos.

Su esposo tenía la mirada fija en el trío con una curiosa expresión de fascinación en el rostro. ¿En qué medida lo habría preparado Lauralynn para aquello?

–¿Los brazos? –sugirió Lauralynn, y Liz alzó los brazos para que ella le quitara el vestido, cuya tela barata pasó rozando entre los rostros de Dominik y de la joven.

Dominik retrocedió. La joven de tez pálida se quedó allí de pie, sonrojada, en ropa interior y medias de liga.

–Deja que te veamos entera –ordenó Lauralynn, y Liz se desabrochó el sujetador y se inclinó de manera insegura sobre sus tacones altos para bajarse las bragas a juego. Se dejó puestas las medias y Lauralynn no insistió en que se las quitara.

Dominik la miró. Tenía unos muslos fuertes pero un torso delgado con unos pechos de pezones hinchados, una franja de vello fino que prologaba su pubis rasurado, un *piercing* en el ombligo y un crucifijo de plata colgando del cuello. Y unos ojos grises rebosantes de preguntas.

Dominik se quitó un peso de encima cuando Liz quedó al descubierto. Los cuerpos de las mujeres tenían ese efecto en él y le provocaban un *tsunami* de ternura. La visión de un cuerpo femenino lo había conmovido desde una edad temprana, desde el momento en que, en la escuela, había cambiado un par de coches en miniatura por una baraja de cartas que mostraba unas voluptuosas nudistas en la playa, en actitud de juego y de reposo, cuyos genitales se habían pintado cuidadosamente con aerógrafo, por lo que más bien parecían estatuas griegas que personas de carne y hueso. Se había excitado, por supuesto, pero la impresión dominante siempre fue, en primer lugar, de asombro y fascinación. Y así seguía siendo.

Sabía, en su fuero interno y en su entrepierna, que siempre sería un esclavo de la desnudez de las mujeres.

Lauralynn lo sacó de golpe de su ensimismamiento cuando agarró a Liz del pelo con brusquedad y la empujó a la cama. Deslizó la mano entre los muslos de la joven.

—Debo decir que está muy mojada, Kevin —dijo al tiempo que dirigía la mirada hacia el esposo inmovilizado y sentado en la silla sin poder hacer nada, a tan solo unos pasos de distancia—. Así pues, ¿es esto lo que querías, eh?

Kevin permaneció en silencio.

Ella bajó la vista a su miembro flácido.

—¡Otro tío se va a follar a tu mujer y a ti ni siquiera se te pone dura! Es penoso…

Dominik se sintió incómodo al presenciar su juego. ¿Se suponía que ahora tenía que desnudarse y actuar sabiendo que estaba siendo observado con mucha atención por el marido de la joven y, por si eso fuera poco, escudriñado también por Lauralynn?

Recordó aquella vez con Summer, cuando, como un tonto, había invitado a Victor a casa. Había cometido el error de exhibir a Summer ante aquel hombre, que luego traicionó su confianza y la sedujo después de que Summer y Dominik se separaran la primera vez, y que se aprovechó, Dominik aún lo creía, del dolor de ella. Pero la sensación había sido distinta en cierto modo, pues entonces él se olvidó por completo de la presencia de otro hombre, de la ferocidad de su deseo por Summer aquel fatídico día.

Lauralynn se levantó, se acercó a él y le rozó la mejilla con la mano con gesto afectuoso.

—Mi regalo para ti, D —le dijo—. Haz que nos sintamos todos orgullosos, ¿quieres?

Dominik empezó a desabrocharse la camisa, consciente de que todas las miradas estaban puestas en él.

–Todo esto fue idea suya, ¿verdad? –le preguntó a Liz. Ella asintió con la cabeza y Dominik hizo que se diera la vuelta para que ya no pudiera ver a su marido ni seguir sus reacciones.

La joven parecía estar perdida y Dominik se sintió embargado por una intensa oleada de deseo hacia ella.

La tomó en sus brazos y volvió a besarla. Lenta, perezosa y ávidamente esta vez. Hizo de toda la ceremonia de la lujuria algo privado, excluyendo la presencia de los demás de la intimidad en la que actuaban.

Dominik terminó de desnudarse. Con el rabillo del ojo, mientras movía a Liz sobre la cama y la situaba en la mejor posición para recibirlo, alcanzó a ver la sonrisa de Lauralynn. Una forma de ánimo sin palabras por parte de la maestra de ceremonias.

Separó las piernas de Liz, descubriéndola, y de manera burlona comprobó lo húmeda que estaba con la punta del pene antes de meterse dentro de ella, un centímetro enloquecedor tras otro, una eternidad cada vez, en un intento por hacer que aquel momento vital durara para siempre, hasta que estuvo completamente dentro. Un interior caliente. Acogedor. Ya percibía sus gemidos, el sonido que surgía del fondo de sus pulmones con cada embestida y que ascendía hasta su garganta. Oyó que alguien tomaba aire detrás de él, Lauralynn o Kevin, ya no importaba.

Las manos fuertes de Dominik sujetaron a la joven por la cintura y la agarraron con firmeza hasta que el ritmo de ambos se unió en uno.

El comportamiento de Liz tenía algo de extraño y pasivo que no lograba excitar a Dominik. Era casi lo contrario a la sumisión y no le daba ninguna sensación de dominio. Había cierta suavidad inerte en ella, cierta falta de pasión y cierta calma en sus reacciones. Lauralynn se acercó a ellos, consciente de la ausencia de chispa, y acarició la cálida mejilla de Liz con la mano.

–Disfrútalo. Déjate ir –le susurró al oído.

El cuerpo de la joven se relajó brevemente y acto seguido dio una sacudida, bien provocada por los ánimos de Lauralynn o por el efecto combinado de su expresión de afecto y las continuas y enérgicas arremetidas de Dominik. Dejó escapar un suspiro y Dominik notó una tensión en la suavidad de la joven, quien por fin dejó que la excitación se adueñara de su cuerpo y de su mente.

Ajena a la situación, al entorno y al marido indefenso que tenía cerca, Liz se arrojó de nuevo contra el pene de Dominik, invitándolo a penetrarla, encastrándose en él con una furia estudiada, como si se le hubiera negado el placer con Kevin desde tiempos inmemoriales y ahora estuviera decidida a aprovechar el momento y satisfacerse.

Tanto Lauralynn como Dominik sonrieron al ver el cambio que se adueñaba de ella.

Empezó a hacer más calor en la habitación.

Inmovilizado en la silla, Kevin observó en silencio a su mujer que se entregaba con entusiasmo a las arremetidas de Dominik, cuyos movimientos se fueron haciendo cada vez más frenéticos mientras se empalaba en él una y otra vez, jadeante y con el rostro crispado por las oleadas de placer que la recorrían y que hicieron que se mojara aún más.

Su creciente entusiasmo excitó a Dominik, que la agarró por la cintura y orquestó el ritmo de sus embates contra su cuerpo, notando que el pene se le ponía aún más duro dentro de ella, invadiéndola, llenándola.

La joven soltó un pequeño grito que se inició en el fondo de su garganta y murió en el umbral de sus labios y se corrió con un espasmo. Kevin palideció. Dominik se preguntó si era la primera vez que había presenciado el placer de su esposa.

Después de correrse y de haberse deshecho del necesario condón en la papelera de mimbre que había en la habitación, Dominik se fijó en lo abatido que estaba Kevin, junto a la pared, esposado aún a la silla sin estar seguro de si aquel era el espectáculo que había soñado –¿o acaso lo había temido?–, y se preguntó cómo viviría la pareja con este recuerdo.

Lauralynn, muy contenida, le quitó las esposas rosas que parecían de juguete y le devolvió la ropa, en tanto que Liz se levantaba de la cama con vacilación, casi aturdida, pero Dominik sabía que no era tanto el resultado del acto sexual con él como la toma de conciencia de lo que acababa de hacer.

La pareja aún se estaba vistiendo en silencio cuando Lauralynn y Dominik salieron de la habitación y se encontraron en la oscuridad lúgubre del pasillo del hotel, con sus paredes descoloridas y su moqueta de color indeterminado.

Fuera, en la calle, los árboles junto al British Museum se agitaban con la suavidad de la brisa y Dominik empezó a buscar la luz de un taxi.

–¡Ay, Lauralynn! –comentó al tiempo que se subía la cremallera de la chaqueta de cuero para protegerse del aire frío de la noche–. Algún día tus travesuras nos van a dar problemas.

–Ya lo sé –repuso ella–. Pero no me digas que esa mujercita no era mona.

–Si pensabas eso, tal vez podrías haber jugado tú con ella en mi lugar –replicó Dominik.

–Ya se me había ocurrido, pero cuando negociaba la escena con su marido, él insistió mucho en que no debía haber interacción femenina.

–¿En serio?

–Ya lo creo. ¿No te fijaste en que cuando le pasé la mano por entre las piernas el tipo casi saltó de la silla? Algunas personas tienen tantos prejuicios…

–Eres mala de verdad, Lauralynn –comentó Dominik mientras un taxi se detenía.

–Siempre digo que es mejor ser mala que aburrida. –Se rio.

Los pequeños interludios de Lauralynn estaban muy bien pero no servían de nada cuando Dominik se encontraba otra vez frente a la pantalla del ordenador intentando evocar las palabras e ideas adecuadas sin verse abrumado por los pensamientos sobre Summer. Su memoria era como un disco duro que estaba sobrecargado de sentimientos e imágenes, a punto de explotar, y era incapaz de procesar más elementos, de redistribuirlos de un modo ecuánime.

Todas las mujeres que había conocido, tanto Summer como las que la precedieron, estaban presentes en su cabeza y se peleaban por llamar su atención, por conseguir una pizca de amabilidad; no había forma de borrar a ninguna de ellas. Formaban parte de él, eran la causa de que fuera aquello en lo que se había convertido.

En cuanto escribía sobre una de ellas con la esperanza de que una improvisación de sus rasgos en un flujo de conciencia, el color de sus ojos o su forma de hablar o moverse pudiera convertirse en la semilla para una historia, ella se transformaba en otra y luego en otra más, hasta que Dominik perdía todo indicio de argumento al que poder aferrarse.

Puso el ordenador en modo de pausa reemplazando su página a medio escribir por la explosión galáctica multicolor del salvapantallas, se levantó y se alejó de la mesa.

Al mirar por la ventana vio que hacía un día gris pero despejado, sin señales de lluvia inminente, por lo que optó por salir a dar un paseo para despejar la mente.

El parque de Hampstead Heath era el mejor destino.

Ya era media mañana y a esa hora los corredores escaseaban. Eran mucho más numerosas las personas que cuidaban niños y que, provistas de cochecitos y sillitas de paseo, seguían de cerca a los pequeños ruidosos, y los jubilados que deambulaban ociosamente junto a los lagos observando a los patos y dándoles de comer a pesar de las advertencias de no hacerlo. Pasado el segundo lago, que se expandía para formar una zona de baños, Dominik tomó el primer sendero y, sumido en un ensueño, fue paseando hasta el puente estrecho que conectaba aquella parte con otras zonas más agrestes del parque.

Eso era lo que le gustaba tanto de Londres: la infinidad de lugares, en casi todas las zonas y situados a pocos minutos a pie de una calle principal, en los que podías adentrarte en un paisaje de árboles que ocultaban el cielo, una confortable jungla de naturaleza y follaje. Era algo casi clandestino que lo atraía profundamente, una sensación de intimidad y aislamiento en el corazón de la jungla urbana. Un lugar para los secretos.

Dominik cambió de dirección y optó de manera instintiva por un tortuoso camino de tierra apenas definido donde un espeso manto de árboles tapaba el cielo. Apareció una mujer que iba corriendo hacia él y Dominik se hizo a un lado para dejarle paso por el sendero estrecho. La mujer le dio las gracias con un leve movimiento de la cabeza. Era una joven con mallas negras que vestía unos estrafalarios pantalones cortos de satén color esmeralda y una sudadera gruesa de un verde oscuro. Una cinta elástica sujetaba su cabello rubio oscuro en una cola de caballo que iba sacudiéndose detrás, acompañando con una sincronía deliciosa el movimiento rítmico de sus pechos a pesar de la evidente constricción de su camiseta corta. Cuando se cruzó con él, Dominik oyó una débil melodía que escapaba de los auriculares de la mujer y que se fue desvaneciendo a medida que seguía corriendo y se alejaba.

Por alguna razón inexplicable quiso saber qué era lo que iba escuchando. Le parecía importante.

Se detuvo, se sentó un momento en un tronco de árbol caído y dejó que el recuerdo fugaz de los pechos de la joven y el ritmo indolente de sus movimientos persistiera un rato más.

¿Sería una enfermera del cercano hospital Royal Free, o tal vez una estudiante, un ama de casa, una banquera, una oficinista, una dependienta? Las posibilidades eran interminables y un millar de fantasías acudieron a su mente.

«Detente», «desnúdate», «revélate a mí»… No solo imaginaba que se desnudaba, sino conseguía que de alguna manera desvelara lo que había bajo su piel, lo que se le pasaba por la cabeza… Tal como intentó hacer con Summer una vez. Todo muy irracional. Enseguida se quitó esos pensamientos de la cabeza.

Se encogió de hombros, se levantó y continuó andando. Pero seguía pensando en Summer. En el recelo de la joven cuando se conocieron. En la proposición que le hizo, el concierto privado que ella dio en ese mismo parque, solo para él. El fuego y la pasión que la consumían cuando sostuvo su violín, saturando el paisaje con su música.

El cenador. Quería volver allí otra vez. El lugar en el que Summer tocó, una imagen profundamente arraigada en su mente que no podía borrar. El paisaje, los colores de la hierba y del cielo, y la expresión de su rostro mientras se abandonaba a la música.

Summer tocando en el cenador de música: la obra maestra perdida de Dominik.

Se adentró en la zona boscosa y percibió un débil toque de color poco natural en la distancia. Movimientos. Figuras más allá de la pared de árboles cada vez menos espesa. Fue avanzando con cautela, con cuidado de que no se le enganchara la ropa en los arbustos y salió a un claro. Se encontró con niños corriendo por allí, bicicletas que pasaban a toda prisa por los senderos y el cenador de música a lo lejos.

Mientras subía por la pequeña colina que llevaba a la construcción de cemento y hierro recibió las primeras gotas de lluvia de un cielo que empezaba a descargar de lo lindo. Bajo el techo del cenador se había congregado un grupo caótico de niñeras, madres agobiadas y chiquillos revoltosos que observaban la tormenta con indiferencia.

Una de las madres se hallaba de pie en un rincón con la blusa desabrochada y le ofrecía el pecho a un bebé. El pequeño carecía de pelo casi por completo, tenía la piel de la cabeza de un delicado tono rosado y el rostro contraído en una parodia de concentración o simplemente de sueño. Dominik los observó con gran fascinación, no podía apartar los ojos hasta que la madre lo vio y le lanzó una mirada reprobatoria. Se vio obligado a marcharse, bajó los escalones y salió a la lluvia, que ya escampaba, enojado consigo mismo y molesto por el hecho de tener que compartir la magia del lugar con todos aquellos desconocidos.

Lauralynn había llevado a alguien a casa la noche anterior.

Aunque el dormitorio que utilizaba se encontraba en la planta baja, Dominik no pudo dormir en casi toda la noche por culpa del ruido inevitable que hacían las dos mujeres: gemidos amortiguados por almohadas, chillidos agudos, gruñidos sofocados de placer o dolor, palabras indistintas medio susurradas o gritadas en momentos culminantes, toda una curiosa sinfonía erótica desatada.

Al día siguiente, cuando bajó a desayunar, ya tarde, Dominik vio a la invitada de Lauralynn cuando esta se disponía a marcharse. Era una mujer muy delgada de aspecto gótico, con el pelo teñido de negro azabache cortado a lo chico de forma inexperta con un par de tijeras romas, un collar con una calavera de plata espantosa que le separaba la cabeza del resto de cuerpo como si fuera un cuello y un borrón de tatuajes apagados que serpenteaban por toda su pierna derecha. Se alegró de que no lo hubieran invitado a unirse a ellas.

Lauralynn, que había acompañado a su amiga a la puerta vestida solamente con unas bragas culote y una camisa de hombre desabrochada, regresó a la cocina y le ofreció una taza de café recién hecho.

–¿Es nueva? –le preguntó mientras tomaba la taza que le ofrecía.

–Sí. La conocí en un concierto –respondió Lauralynn.

–No parecía la clase de persona a la que le gusta la música clásica –comentó Dominik.

–No. Era de rock, hombre. Estaba con unos chicos para los que hice unas sesiones de grabación de algunas pistas. Neopunks o como se llamen. Me invitaron a verles tocar en Camden Town. Ella estaba allí y bueno, ya sabes –dijo Lauralynn con una sonrisa sensual en sus labios carnosos–, una cosa llevó a la otra.

–La variedad de tus gustos no dejará nunca de asombrarme.

–Siempre estoy dispuesta a probarlo todo, al menos una vez –repuso Lauralynn–. Pero sabía que no era tu tipo, por eso no te desperté.

–Te lo agradezco muchísimo...

Dominik casi escupió el café. Lauralynn se había olvidado de ponerle azúcar.

–Ten cuidado...

–Bueno, dime, ¿qué vas a hacer hoy? –le preguntó.

–A mediodía tengo que estar en el estudio de grabación de Willesden. Me han contratado para toda la semana. Parece que los chicos de la banda no saben qué clase de sonido están buscando. La única razón por la que necesitan un violonchelo es que el bajo quiere dar un aire «Eleanor Rigby» a la pista, o algo así.

Dominik asintió, asimilando su torrente de palabras.

–Es dinero fácil –continuó Lauralynn–. No me quejo. Me paso la mayor parte del tiempo leyendo revistas y me pagan la tarifa oficial. ¿Y tú? ¿Has hecho muchos progresos con el nuevo libro?

Hacía una eternidad que Dominik no escuchaba la canción de los Beatles y por un momento no estuvo seguro de que en ella apareciera un violonchelo. ¿O era una sección de cuerda?

–No mucho –admitió con la cabeza en otra parte, tarareando para sus adentros la melodía de «Eleanor Rigby».

Lauralynn se llevó las tazas de café vacías al fregadero y las enjuagó antes de meterlas en el lavavajillas.

–Si tantas dudas tienes sobre lo que estás escribiendo tal vez deberías dejarme echar un vistazo. Podría serte de ayuda, ¿no? –dijo.

–Mmm… –Dominik fingió interés.

–Me gustó la novela de París –añadió ella–. Mucho. Y no lo digo solo porque seamos compañeros de piso, ¿sabes?

Aún no tenía nada decente que enseñarle. Escenas sin terminar, listas inconsistentes de personajes insustanciales, descripciones de lugares y cosas, escenas de sexo tirando a crudas entre protagonistas anónimos en las que ni siquiera él, el autor, podría tomar parte. Se daba cuenta de que todo era un completo desastre. Como si se hubiese perdido el mapa de carreteras del libro, como si el tren en el que viajaba se encontrara todavía a kilómetros de la estación.

–¡Eh!

Lauralynn lo estaba mirando mientras él seguía inmóvil, con la cabeza en otro lado.

–¡Reacciona!

–Lo siento. Me has pillado soñando despierto.

–¿Con el libro?

–Supongo. Sí.

–Podrías hablarme de él, de la historia que quieres contar. Quizá te ayudara a definir tu enfoque.

Dominik contuvo una oleada de irritación. Lauralynn era músico. Sabía interpretar, no crear. ¿Qué sabía ella? Entonces se dio cuenta de lo injusto que estaba siendo con su amiga. Solo intentaba ayudar.

–No tengo ninguna historia. Un esquema en el que colocar los personajes, las ubicaciones –confesó–. Simplemente no sale. Todo lo que se me ocurre es corriente, se ha hecho ya cientos de veces y sin duda mejor. Tengo problemas. Para encontrar una historia.

–¿Con la historia? –repitió Lauralynn, que abrió mucho los ojos como si hasta entonces no hubiera caído en la cuenta de la gravedad de su fracaso.

–Sí –contestó él con un suspiro.

El timbre de la puerta lo salvó. Desde la ventana de la cocina vio una furgoneta roja de Correos. Era un cartero que venía a entregar un paquete. Probablemente fueran más libros que había encargado como parte de su incoherente investigación.

–Ya voy yo.

Bajó las escaleras a toda prisa y firmó la entrega sin molestarse siquiera en mirar al conductor cuando este le entregó el paquete de poco peso. Una guía de la vida nocturna de Berlín y una novela ambientada allí en la década de los años sesenta, que había comprado de forma impulsiva con el clic de un botón la semana anterior, cuando pensaba en situar la novela en la capital alemana. Una idea que, al día siguiente, consideró estúpida puesto que no solamente no había estado nunca en Berlín sino que ni siquiera hablaba alemán.

Dejó la caja de cartón en el suelo, al lado de las zapatillas de deporte embarradas que seguían en el mismo sitio desde que volvió del parque el día anterior.

El estuche alto y pesado del violonchelo de Lauralynn estaba en una esquina del salón, adornado con etiquetas, recuerdos de viaje, de hoteles nacionales y extranjeros, pases de camerino y otros recuerdos que ella había ido pegando con tesón por toda la superficie.

Dominik se fijó en que una de las etiquetas se estaba cayendo; anunciaba los encantos del Royal Golf Grand Hotel en Courmayeur. ¿Dónde estaba eso? Pensó que en Suiza o Italia. ¿Cuándo había estado allí Lauralynn? Era una estación de esquí y no era probable que tuviera mucho ambiente musical. Quizá se lo preguntara.

Se le despertó la curiosidad y continuó mirando la serie de etiquetas que adornaban el estuche del violonchelo.

Las ideas surgen de la nada. No tienen sentido. Se dejan caer en tu regazo sin avisar. No hacen caso de la lógica ni de la cordura.

Fue como si se hubiera accionado un resorte.

El instrumento. Sus viajes. Los sucesos que había detrás de todas esas pegatinas, etiquetas de hoteles, calcomanías y restos rasgados de etiquetas de equipaje de compañías aéreas.

Ya tenía su historia.

La que lo había estado eludiendo. Como si hubiera estado ciego todo el tiempo y hubiese pasado por alto lo evidente.

No tenía que ser sobre los personajes.

En el libro de París había escrito una versión alternativa e imaginaria de Summer. Un mundo del pasado en el que ella no era músico ni tenía un violín.

Esta vez podía escribir sobre su instrumento. El que le había comprado él.

El violín.

La historia de un violín.

3

Solo es rock and roll

–Siempre supe que eras una caja de sorpresas –dijo Fran en tono arrogante.

Iba reclinada en el asiento trasero del coche con la cabeza casi apoyada en el hombro de Chris.

Cruzábamos Londres a gran velocidad en la parte de atrás de un taxi negro, de camino al piso de Camden Town. Yo vivía con Chris de forma temporal hasta que encontrara casa, y Fran compartía mi habitación hasta que se adaptara. Vivíamos un poco apretujadas en comparación al amplio apartamento de Simón en Nueva York, pero hasta el momento no habíamos tenido ninguna pelea importante.

Era primera hora de la mañana de un domingo y volvíamos de celebrar nuestra condición de solteros en el baile de San Valentín del club fetichista Torture Garden, cosa que, sorprendentemente, había sido idea de Fran.

Mientras me ayudaba a deshacer el equipaje apareció una foto que yo había olvidado que tenía, una en la que salía con mi amiga Charlotte en el primer club fetichista en el que había estado.

Dominik fue mi primer amo, pero fue Charlotte quien me introdujo en el mundo del fetichismo. Con ella a mi lado, había experimentado mis primeros azotes y visto a otros fetichistas en acción. Perdimos el contacto después de una fiesta

52

que salió mal. Charlotte intentó ligar con Dominik, yo no pude controlar mis celos y, aunque ya no le guardaba rencor, no había mantenido ningún contacto con ella desde entonces.

La fotografía, que me trajo recuerdos muy agradables, la había sacado uno de los fotógrafos itinerantes del club y Charlotte, en uno de sus momentos más tiernos, imprimió una copia y me la regaló. En la foto ella llevaba puesto un vestido de látex de un amarillo vivo con unos rayos de color rosa que bajaban por ambos lados de su cintura. Más que un vestido era una camiseta larga, con un escote tan pronunciado que dejaba al descubierto la mitad de sus pechos.

Yo iba vestida con más recato, con un corsé de satén azul pálido, unas bragas con volantes y una chistera. Estábamos en la cubierta del barco en el que se celebraba la fiesta, riéndonos las dos de una broma privada; el sombrero, ladeado con soltura, me daba una expresión traviesa.

—Parece que fue una fiesta divertida —comentó Fran al coger la fotografía.

—Oh, nada del otro mundo —contesté intentando no alterar la voz y con la esperanza de que dejara la foto y pasara a otra cosa.

Pero Fran era tan perspicaz como persistente y siguió haciendo preguntas.

Se puso tan insistente que le hablé del club, omitiendo el detalle de que había recibido mis primeros azotes bajo la atenta mirada de Charlotte y del amo de la mazmorra.

—Voy a ir —anunció. Tecleó el nombre en la pantalla de su iPad y entró en la página web del club—. ¡Ooh! —exclamó—. Mañana por la noche hay una celebración de San Valentín. Más bien parece una fiesta anti San Valentín. Es perfecto. Aborrezco ese día.

—Sinceramente, no creo que sea el tipo de fiesta que a ti te gusta —le dije.

–Y tú ¿cómo sabes cuál es el tipo de fiesta que me gusta a mí? –replicó irritada–. Apenas nos hemos visto en cinco años. –Apretó los labios y se pasó la mano por el pelo rubio y corto en un gesto que no admitía discusión.

Chris estaba de pie en la puerta, observando lo que sucedía.

–Pues si vais, iré con vosotras.

–Tendrás que ensayar, ¿no? –le dije. La noche de su gran estreno con los Holy Criminals era el sábado siguiente por la noche.

–Tenemos muchos ensayos. No voy a dejar que salgáis de casa en ropa interior sin guardaespaldas.

–Estupendo, pues –acepté a regañadientes. Conociendo a Fran como la conocía, iría sola si yo me negaba. Al menos, así podría vigilarlos a los dos.

Al día siguiente Fran desapareció en busca de unos conjuntos para Chris y ella en el mercadillo de Portobello. Había regresado con los ojos brillantes y los brazos llenos de bolsas de ropa, y acto seguido comenzó a vestir a un Chris muy renuente con un traje de novio de época de tres piezas que luego cubrió con maquillaje escénico para imitar el efecto de alguien a quien hubieran asesinado en su boda y que salía de su tumba cien años después. Ella iba a juego, con un vestido de novia desgarrado y el pelo con fijador, peinado en un copete que daba un extraño aire punk a su aspecto de zombi de época.

–No me gustan nada las chicas de calendario –dijo con desdén cuando sugerí que se peinara con bucles.

Era la primera vez que me vestía de látex, con un escueto disfraz de marinero que había adquirido a toda prisa en una cadena de tiendas por Internet, que ofrecía un servicio de entrega rápida y me llegó justo a tiempo. Me daba tanta vergüenza pedir ayuda para ponérmelo, que me apliqué lubricante para poder abrocharme el chaleco ajustado y los pantalones cortísimos de rayas azules y blancas. Me sentía pegajosa, incómoda y obsesionada con la posibilidad de engancharme en algo que rasgara la delicada goma y me dejara desnuda en medio de la pista de baile.

Fran parecía sentirse como en casa desde que llegamos, y entraba y salía alegremente de las habitaciones, ansiosa por explorar todos los rincones del lugar, un viejo teatro que, en una de las principales noches de fiesta del año, tenía el aforo completo.

Le dirigió una mirada fulminante a Chris, que contemplaba la multitud con los ojos como platos.

–¡Menuda estrella del rock que vas a ser si esto te escandaliza! –le dijo–. Apuesto a que Viggo Franck tiene un camerino lleno de mujeres desnudas. Y probablemente también de hombres.

–No empieces –se quejó Chris–. Desde que salieron los carteles creo que me han llamado todas las mujeres que conozco para pedirme pases de camerino.

–No es mi tipo –repuso Fran–, pero me parece que es de los que le van a Summer. Ella siempre va directa a los chicos malos.

Me sonrojé. Viggo Franck era medio danés y medio italiano y, los Holy Criminals, una banda consolidada en Europa. Parecían haber surgido de la nada en el Reino Unido, y se convirtieron en un éxito de masas de la noche a la mañana, cuando a Viggo le sacaron una foto en la que aparecía saliendo disparado de un hotel de Chelsea en compañía no solo de una mujer sino de tres, entre las que se contaban la nieta de un político conservador y una joven actriz que se había forrado haciendo comedias románticas para todos los públicos con Disney. A Viggo lo tacharon de inmediato de mujeriego, de héroe, mientras que a las mujeres casi las habían insultado en la prensa, lo que provocó aún mayor escándalo cuando las feministas pusieron el grito en el cielo por el doble rasero de los medios de comunicación.

Como resultado de su éxito repentino, acusaron a The Holy Criminals de ser unos vendidos. Por su parte, Viggo abandonó su estatus de músico *underground* y se convirtió en un cantante de masas que llenaba estadios. Según Chris, se las había arreglado para mantener su credibilidad entre sus compañeros músicos, y utilizaba su fama para promocionar a bandas de poca monta que luchaban por abrirse camino.

Viggo había conocido a Chris en una fiesta que daban los Black Hay, otra banda con la que de vez en cuando solíamos compartir escenario y que acababa de firmar un contrato con la compañía discográfica de los Holy Criminals.

–Bueno –dijo Chris–, a vosotras sí que os he conseguido pases de camerino, de modo que no tardaremos en averiguarlo.

Fran gritó de alegría.

–¡No me extraña que no hayas vuelto a casa, Sum! –exclamó–. Londres es mucho más divertido.

Uno de los fotógrafos del club nos preguntó si podía sacarnos una fotografía y, antes de que pudiera negarme, Chris y Fran ya le habían dicho que sí y ambos se lanzaron a posar como monstruos temibles para la foto.

Me calé el gorro de marinero para taparme la cara justo cuando se disparó el *flash*. El hecho de ser una pequeña celebridad con una base de admiradores conservadores había hecho que me preocupara más por mi imagen pública.

–¿Seguro que te parece bien que te haya sacado la foto? –me preguntó el fotógrafo al advertir mi reticencia.

Se puso a mi lado para mostrarme la fotografía, acercándose para evitar tener que pasarse la correa de la cámara por la cabeza. Tenía una amplia sonrisa y una mirada cordial en sus ojos perfilados con un *eyeliner* oscuro que hacía juego con su disfraz. Iba vestido con una camisa de látex de un púrpura tan oscuro que parecía negro y unas muñequeras del mismo color que le llegaban casi al codo, al estilo gladiador.

–Sí, no pasa nada –dije al tiempo que miraba la imagen. Era una buena foto. Fran y Chris llevaban tanto maquillaje que estaban irreconocibles y yo, con mi traje de marinero y la gorra que ocultaba casi todo mi rostro, podría haber sido una chica cualquiera, puesto que lo único que se veía era la sonrisa de unos labios pintados y un poco de mi cabello pelirrojo que brillaba sobre el hombro maquillado de Fran.

–Mándame un correo electrónico si cambias de opinión –me dijo, y me tendió una sencilla tarjeta de visita de color negro con la única información de su nombre impreso con un tipo de letra sencillo en blanco. «Jack Grayson.» El nombre me resultó vagamente familiar.

–Deja de coquetear, ¿quieres? –se quejó Fran–. ¡Queremos ir a bailar!

Jack ya se había alejado unos cuantos pasos para hacer otra foto, con su cuerpo alto un poco encorvado y la gran cámara réflex que le tapaba un ojo y la mitad de su amplia sonrisa.

Nos dirigimos hacia la zona de baile y de camino pasamos junto a la mazmorra. Fran echó un vistazo rápido dentro, pero no pareció interesarle lo que allí ocurría.

–Cada uno a lo suyo –comentó encogiéndose de hombros, sin volverse a mirar por segunda vez.

Al oír los suaves gemidos y el chasquido de los azotes sobre la piel deseé no estar con mi hermana y mi mejor amigo.

Hacía mucho tiempo que no me ponía un arnés de cuerda ni sentía un manotazo en el trasero aparte de alguna palmadita suave durante el coito y lo echaba de menos. Después de romper con Dominik había hecho un esfuerzo deliberado por alejarme de aquel ambiente y luego empecé a salir con Simón. Pensé que no hubiera sido justo para él mantener viva esa parte de mí si no podíamos hacer que funcionara para los dos. Así pues, había apartado de mí esos sentimientos con la esperanza de que si los ignoraba el tiempo suficiente acabarían por desaparecer.

Resultaba evidente que no había tenido éxito con mis intentos por desterrar el fetichismo y sus efectos sobre mi cuerpo y mi mente. Los sonidos procedentes de los rincones oscuros de la mazmorra –el silbido de un látigo que hendía el aire; el golpe sordo de una palma contra una nalga; el gruñido de los sumisos a los que ponían a prueba– hacían bullir mis pensamientos y que me temblaran las manos. Me sentía sumamente excitada por el entorno y no sabía si podría pasar el resto de la noche fingiendo lo contrario.

Sabía que Fran estaría bien con Chris y yo estaba muy cómoda sola, así que podría escabullirme un rato para divertirme.

–Eh, voy a buscar algo de beber, os veo en la pista, ¿de acuerdo?

–De acuerdo –me respondió Fran a voz en cuello–. ¡Vamos a estar toda la noche aquí!

Desaparecieron entre la multitud y dejaron que me las arreglara sola.

Consideré volver a la mazmorra, pero descarté la idea puesto que todo el equipamiento estaba siendo utilizado y, de hecho, no estaba segura de que mi disfraz resistiera unos azotes ni de que pudiera quitarme los pantalones cortos de látex sin romperlos.

Lo que hice fue subir un tramo de escaleras que llevaba a una habitación grande, oscura y sin nombre. Los tacones se me engancharon de manera peligrosa en los peldaños desiguales, amenazando con hacerme caer a cada paso.

Tardé un momento en acostumbrarme a la luz. Me encontraba en el palco del cine reformado, que aún estaba provisto de las butacas plegables originales. Me dirigí a una de las filas, me acomodé en un asiento y aproveché para quitarme los incómodos zapatos de tacón alto.

Estaban emitiendo un corto por circuito cerrado. En la pantalla aparecían imágenes de cuerpos desnudos en poses fetichistas, a veces extremas, que proyectaban un resplandor sobre los otros asistentes a la fiesta que se hallaban en la habitación.

Al cabo de un momento, una mujer se deslizó hasta un asiento de la fila de enfrente, seguida por su acompañante. Era una de las mujeres más hermosas que había visto nunca, casi seguro que se trataba de una modelo o una actriz. Tenía el rostro ovalado, el cabello rubio corto y liso y unos ojos de un azul tan pálido que casi eran grises. Iba maquillada con discreción y vestida con un disfraz de enfermera de látex que le quedaba como un guante y que no era en absoluto vulgar. Probablemente se tratara de un diseño hecho especialmente para ella y no de confección industrial como el mío.

Su pareja iba completamente vestido de negro, con vaqueros y camisa. A pesar de las estrictas normas de vestir, el único toque fetichista en su atuendo era una máscara que le tapaba los ojos. Podría haber resultado ridículo de no ser por la seguridad que denotaba la inclinación de sus hombros, su pelo despeinado con desenfado y la compañía de una mujer tan hermosa, factores todos que sugerían una actitud despreocupada más que una tendencia a vestir mal.

La mujer cruzó la mirada conmigo al meterse entre la fila de asientos y sus labios carnosos esbozaron una sonrisa. Aunque me encontraba rodeada de asientos vacíos, se sentó a menos de un metro de distancia de mí.

Tomé aire y contuve el aliento mientras me preguntaba qué iba a ocurrir a continuación, por qué se habían sentado tan cerca de mí. Empezaron a besarse casi de inmediato, con besos suaves y dulces, y al principio aparté la mirada de aquella escena que parecía tan íntima. No se trataba de un momento ebrio de pasión, habían decidido compartirlo conmigo.

Al volverme de nuevo vi que él bajaba la cabeza y ella se echaba hacia atrás hasta quedar tendida sobre varios de los pequeños asientos abatibles con las piernas abiertas; una de ellas doblada hacia arriba y la otra apoyada en el suelo, con lo cual dio vía libre a su pareja para que la acariciara bajo la minifalda de goma, cosa que él estaba haciendo, sin pensar en quién podría estar observando.

La cabeza del hombre, hundida entre las piernas de la mujer, no me dejaba verla bien a ella, pero el resplandor de la pantalla de cine me permitió atisbar sus piernas desnudas, unas pantorrillas delgadas que acababan en unos muslos tersos de aspecto sedoso.

Antes de ser consciente, ya me había inclinado para acercarme, preguntándome qué sucedería si la tocaba, si me unía a ellos. No sabía qué debía hacer. ¿Inclinarme más y rozarle el brazo tímidamente? ¿Pedir permiso? Pero mientras me lo preguntaba volví la cabeza al rostro de la mujer y vi que me estaba mirando fijamente con una expresión de absoluta excitación, aunque no estaba tan entregada como imaginé que estaría yo en su lugar sino que más bien parecía estar haciendo un esfuerzo deliberado por mantener el contacto visual conmigo.

El hombre aumentó el ritmo de sus lametazos, lo cual resultó evidente cuando ella empezó a perder el control y me agarró la mano, apretándome la palma y tirando de mí hasta que estuve sobre ellos, lo bastante cerca como para poder besarla, lo bastante cerca como para sentir la suavidad de su piel rozando la mía.

La mujer gimió y se arqueó por debajo de mí cuando un orgasmo recorrió su cuerpo, luego me soltó la mano y se relajó, inmóvil.

Su pareja alzó la cabeza y le acarició la mejilla con un dedo. Yo esperé sin decir nada a que ambos se recobraran, aunque la situación me había excitado tanto que a duras penas podía estarme quieta en mi asiento.

La mujer se volvió a mirarme y me sonrió.

–Gracias –dijo.

–De nada –respondí, aunque me sentí un poco ridícula dadas las circunstancias. No había palabras para reconocer la intimidad del encuentro que no hubieran sonado artificiales o estúpidas al decirlas en voz alta.

El hombre me saludó con un leve movimiento de la cabeza; su expresión era impenetrable debajo de la máscara que llevaba.

Ambos se levantaron y desaparecieron en la noche.

Permanecí en mi asiento sola y sin moverme durante un minuto o dos mientras recuperaba la compostura y me preguntaba qué hacer a continuación. Seguía estando sumamente excitada pero no me parecía bien dejar solos a Fran y a Chris demasiado tiempo. Me estaba decidiendo cuando oí a Fran que subía las escaleras que había a mis espaldas.

–¡Estás aquí! Hemos mirado en todas partes. ¿Qué haces sentada sola? –El tono de su voz era de extrañeza más que de recelo. Dudé que Fran pudiera imaginarse siquiera la clase de escena que acababa de presenciar.

–Estoy descansando un poco. Allí abajo está abarrotado de gente.

–Venga, vamos, te estás perdiendo todos los temas buenos.

Fui tras ellos y volvimos los tres a la fiesta, aunque no podía quitarme de la cabeza la imagen del rostro de aquella mujer y mis fantasías no hicieron más que verse exacerbadas por la atmósfera sexual reinante y por la gran cantidad de gente atractiva que había entre la multitud, particularmente los hombres vestidos para la ocasión con casacas militares, o los que tenían cierto aire de confianza en sí mismos, un porte que me recordaba a Dominik.

Al meterme en la cama después de nuestra salida nocturna, los pensamientos se volvieron aún más persistentes en mi cabeza.

Me acometieron imágenes de hombres con botas altas y fustas de montar que revoloteaban por mi mente, y se volvían más oscuras y feroces, hasta que me vi a mí misma arrodillada en un suelo de piedra con una mordaza en la boca y las muñecas atadas a la espalda, no con cuerda sino con unas esposas metálicas sujetas a una cadena gruesa y larga que se extendía por el suelo detrás de mí y se unía a un perno en la pared de enfrente. Estaba completamente desnuda y toda mi piel parecía de seda. Alguien me había rasurado el vello púbico. Llevaba dos aros en los pezones, que me escocían como si me los hubieran perforado pocas horas antes. Una puerta pesada se abrió y oí unos pasos lentos y deliberados que se aproximaban. No veía a la persona pero tenía la sensación de que se trataba de un hombre. Se acercaba, pero la densa oscuridad me impedía distinguirlo; solo veía frente a mí un par de piernas enfundadas en unos pantalones negros con la raya muy marcada. Oí el sonido de una hebilla de cinturón que se desabrochaba y el de una cremallera que se abría.

En mi sueño estaba desesperada por sentir el miembro de aquel hombre, pero él se mantenía fuera de mi alcance. Retorcí los brazos y moví las manos para intentar soltarme pero no sirvió de nada. Tenía la boca entreabierta y ansiaba sentir cómo el pene irrumpía entre mis labios, me acariciaba la lengua y se perdía dentro de mi boca. Tenía los labios secos y me los humedecí con la lengua. Traté de levantarme pero me di cuenta de que también llevaba grilletes en los pies.

–¿Deseas algo? –dijo una voz en tono burlón.

Era Dominik.

Me desperté con un sobresalto. Aún tenía los labios secos y las manos me temblaron al coger el vaso de agua de la mesita de noche para dar un sorbo, por lo que me derramé el líquido en la camiseta de tirantes. Normalmente dormía desnuda, pero no cuando mi hermana estaba en la habitación. Ella estaba tendida de espaldas con la boca entreabierta, roncando suavemente. Parecía un cadáver, aún tenía el rostro y el pelo un poco manchados de polvos blancos.

Ni Fran ni Chris volvieron a mencionar aquella noche. Eso me molestó. Para mí, asistir a un club fetichista por primera vez supuso un gran acontecimiento en mi vida, como un hito que separaba a la persona que era antes de la que me había convertido. El hecho de que otros lo vieran como una simple salida nocturna me irritaba un poco. Si la parte de mi vida que consideraba mi «secreto oscuro» se había convertido en un fenómeno de masas, ¿qué me quedaba?

Sin las actuaciones que me mantenían ocupada ni la vida social, a menudo frenética, que tenía en Nueva York dentro de los círculos de música clásica, no tenía mucho que hacer. Fran, que siempre había sido incapaz de estarse quieta más de unos minutos, había empezado a buscar trabajo en Londres casi desde el momento en que aterrizó y aceptó un empleo eventual como camarera, de modo que estaba fuera casi todas las noches y dormía durante el día. Chris pasaba la mayor parte de la semana ensayando con su grupo.

–¿Por qué no te acercas? –sugirió–. A vernos tocar. Los chicos han preguntado por ti.

Me dio la dirección de un estudio en Holloway Road. Era un lugar impecable, contaba con un guardia de seguridad, un complejo sistema de alarma y un equipo de alta tecnología. La última vez que fui al local de ensayo que tenían alquilado los Groucho Nights era un sótano mohoso con una puerta cerrada con candado que daba a un callejón de aspecto siniestro cerca de Camden Lock y en el que apenas cabía un alfiler, por no hablar de una banda. Sabía que el tío de Chris había prestado un poco de dinero al grupo para ayudarlos a salir adelante, pero no pensé que fuera tanto como para poder permitirse un lugar como aquel.

–¡Caray, chicos –dije al llegar–, os habéis dejado la piel solo para mí!

Me acerqué a Ted, le di un beso en la mejilla y le alboroté el pelo con la mano.

Él me apartó de un golpe en broma.

–No me toques el pelo.

–Ahora en serio, ¿siempre te vistes así para los ensayos? –le pregunté.

Ted, que tocaba la guitarra y a veces la harmónica o el mirlitón, era de Boston. Chris y él eran primos y se parecían tanto que podrían haber pasado por hermanos. Tenían más o menos la misma estatura, ojos castaños y un cabello abundante y rizado del mismo color. Ted se había dejado crecer el pelo y se le encrespaba de tal modo que parecía llevar un peinado afro. Llevaba unos vaqueros de pitillo de color rojo y un chaleco negro. Chris iba vestido a juego con él, con el mismo conjunto pero a la inversa: chaleco rojo y vaqueros negros de pitillo.

Ella, a la batería, se había teñido el pelo, antes rubio y muy liso, de un rojo como el de los camiones de bomberos o de los buzones, pero aparte de eso no había cambiado nada. Ella era de Hull, la única inglesa del grupo. Era una mujer de extremidades largas, figura masculina y brazos musculosos. La última vez que la vi llevaba un tatuaje en el pecho, una medusa a medio terminar que desde entonces se había completado en tonos vivos de rosa y azul, con unos tentáculos que descendían serpenteantes, como las líneas de un mapa, por debajo del cuello de su camiseta y que hacían difícil no mirarle el pecho. Vestía como un camionero, con vaqueros y camisas de hombre, un aspecto que yo encontraba particularmente atractivo en una mujer.

–Puede que Viggo pase por aquí más tarde –dijo Chris.

–¿En serio? ¿Se mueve con la gente común y corriente? A mí no me parece muy propio de una estrella del rock.

–Quizá eso hace que se sienta normal –terció Ted–. Aunque en realidad yo no lo llamaría normal.

–Es el propietario del local –añadió Chris–. ¿Acaso creías que yo alquilaría algo así?

Me coloqué en uno de los pufs de cuero que había repartidos en el interior del estudio en tanto que ellos empezaban a calentar con un par de temas más bien lentos. Había llevado el violín por si acaso querían improvisar, por los viejos tiempos, pero por el momento lo dejé guardado para que no molestara.

Acababan de terminar con el calentamiento cuando se abrió la puerta. Me fijé en que la mano de Chris vacilaba sobre los trastes de la guitarra, pero siguió tocando.

—No paréis, suena genial.

Viggo sostenía una bandeja con cafés en precario equilibrio con una mano. En la otra llevaba unas gafas de sol, aunque yo no había visto ni un atisbo de sol en una semana. Me levanté de un salto para sujetarle la puerta.

—Oh, gracias, encanto —me dijo con voz ronca—. Te estrecharía la mano pero tengo las dos ocupadas, de modo que tendré que darte un beso.

Se inclinó y me besó en la mejilla, pero al hacerlo me rozó la oreja con los labios con un gesto de descaro y absolutamente inapropiado teniendo en cuenta que acabábamos de conocernos.

—Soy Viggo Franck —se presentó—. Encantado de conocerte. —Tenía una ceja enarcada en un gesto de coqueteo.

—Summer Zahova —repuse con un brusco movimiento de la cabeza—. ¿Puedo ayudarte? —Señalé la bandeja con los cafés. Me moría de sed.

—Claro. No te los bebas todos de golpe.

Con mano temblorosa tomé una de las tazas de cartón, una que no tenía la A de azúcar. Intentaba actuar con normalidad, pero en realidad no estaba muy acostumbrada a tratar con famosos. Había conocido a algunos en el mundo de la música clásica, por supuesto, pero se trataba de un tipo de gente totalmente distinta, la mayoría personas introvertidas que no eran mi tipo.

Ninguna de ellas era como Viggo Franck. Iba vestido con unos vaqueros negros tan ceñidos que pensé que podría haberlos comprado en la sección de *leggings* de señora. Eran de cintura baja y dejaban al descubierto un par o tres de centímetros de carne a un lado del vientre bajo una camiseta blanca desgastada. Era delgado más que musculoso, con una piel sorprendentemente pálida teniendo en cuenta que era medio italiano. Supuse que había salido a su lado danés. Tenía unos pómulos altos y unos labios carnosos rodeados por un vello facial muy bien recortado, entre una barba de dos días y una de verdad. Su cabello era de un color castaño muy oscuro, casi negro, y bastante liso aunque ahuecado para darle volumen.

Enseguida vi claro por qué las mujeres iban detrás de Viggo. Irradiaba energía sexual a espuertas. Aun con las gafas oscuras puestas y aquella ropa basta y anodina, era de esa clase de personas a las que te volverías a mirar en la calle. O al menos yo. Se apoyó de espaldas en la pared con una pierna doblada y el pie de la otra en el suelo. Yo volví a sentarme en el puf e intenté que no se me fuera la vista hacia él.

Chris y la banda tocaban a toda velocidad su tema más rápido, ajenos a nuestra presencia.

Alcé la vista y sorprendí a Viggo mirándome, con los labios alzados en un esbozo de sonrisa. Se acercó a mí con calma.

–¿Te importa si me siento contigo? –Antes de que tuviera oportunidad de decirle sí o no, él tomó asiento junto a mí, revolviéndose para acomodarse en el puf, a pesar de que a nuestro lado había un sofá de dos plazas vacío.

–En absoluto –contesté con un deje frío en mi voz, aunque en realidad el calor de su cuerpo y la fugaz visión de su torso hicieron que me estremeciera.

Al acomodarse en el puf hizo que mi taza se inclinara de repente y di un salto cuando el café caliente se derramó en el brazo.

—Mierda, lo siento —dijo. Tiró del borde de su camiseta para intentar limpiarlo pero la tela no daba de sí; se la quitó por la cabeza y secó el café con ella.

Le miré el pecho. Su piel pálida tenía una delgada línea de vello oscuro que solo le cubría el esternón. Los pezones eran pequeños y oscuros. El pequeño pliegue de carne que había aparecido en su estómago al sentarse, resultado de la posición poco favorecedora en la que ambos estábamos doblados. Me entraron ganas de alargar el brazo y tocarlo, de recorrer su piel suave con la mano.

—Ya está —añadió, tras lo cual volvió a ponerse la camiseta haciendo caso omiso de la débil mancha de café que se había quedado en el tejido.

Me recorrió el cuerpo con los ojos y posó la mirada en el estuche del violín apoyado contra el puf.

—¿Eres una nueva miembro del grupo? —me preguntó.

—No, antes tocaba con ellos de vez en cuando, improvisábamos, pero actualmente soy más bien una intérprete de música clásica.

—Enséñamelo, me gusta ver un instrumento.

—¿El violín? Claro.

Me agaché, saqué el Bailly del estuche y se lo di.

Pasó las manos por el cuerpo del violín, acariciando suavemente la madera pulida.

—¿Sabes tocar? —le pregunté, pues su reacción suscitó mi curiosidad. Su mirada, anteriormente tan coqueta y centrada en mí, pasó a concentrarse por completo en mi instrumento.

—No, el violín no —respondió sin alzar la vista—. Aunque, lo creas o no, estudié piano. ¿De dónde lo sacaste? Es un instrumento especialmente hermoso.

Me sonrojé al recordar a Dominik y el acuerdo no escrito al que había llegado con él para poder quedarme con el Bailly.

—Me lo regaló una de mis amistades —respondí.

—¿En serio? —repuso, y entonces me miró a los ojos—. Debe de ser un amigo íntimo. ¿Y de dónde lo sacó?

–Estás suponiendo que es un hombre.

–Sí, así es. ¿De dónde lo sacó?

–Para serte sincera, no estoy del todo segura. De un tratante, creo. Venía con un certificado. La última propietaria se llamaba Edwina. Edwina Christiansen. Pero no sé nada sobre ella. La busqué en Google, pero no tuve suerte. ¿Eres coleccionista? ¿Estás buscando algo nuevo?

–No, no. Solo era curiosidad. Me gustan los objetos bonitos. –Me devolvió el Bailly y dejó que sus dedos se entretuvieran sobre los míos mientras lo hacía.

–¿Por qué no lo tocas para mí? –me pidió.

–¿Ahora?

Chris estaba llegando a los acordes finales de la última canción que el grupo tenía prevista en su actuación.

–Sí. Toca para mí.

Podría haber declinado su petición, naturalmente, puesto que había traído el violín con la esperanza de tener la oportunidad de tocar uno o dos temas con Chris y la banda. Pero, en esencia, Viggo era el patrocinador de los Groucho Nights. Quería estar a buenas con él por el grupo.

Viggo se puso de pie y aplaudió con ganas cuando Chris y los demás acabaron su último tema.

–¡Es buenísimo! –exclamó–. Bueno, quiero oír el violín. ¿Una pieza más?

Chris estaba sudando por el ejercicio de su puesta en escena, pero tenía una amplia sonrisa en la boca.

–Sí, claro, ven a tocar, Sum.

Me puse a su lado con el violín.

–Tú improvisa y ya está –me dijo, y se puso a tocar una de las melodías tradicionales que solíamos interpretar juntos. Ella abandonó la batería para no ahogarme con su sonido y la cambió por un par de maracas. No fue mi mejor interpretación, pero me acordé del ritmo como si hubiera tocado aquel tema el día anterior.

Al principio me sentí un poco cohibida ante Viggo, sobre todo porque los temas roqueros no entraban en mi repertorio habitual, pero al cabo de unos minutos ya estaba tan inmersa en el ritmo de la música que me olvidé por completo de su presencia.

Hasta que no abrí los ojos no me di cuenta de que tenía los suyos clavados en mí mientras tocaba pero, en lugar de desnudarme con la mirada como había hecho Dominik, tenía la vista fija en el Bailly, como si me estuviera admirando de la misma manera en que admiraría una obra de arte.

Regresamos al apartamento y yo no podía dejar de pensar en la diferencia entre Viggo y Dominik y en sus miradas mientras me veían tocar.

Chris estaba exultante y no pareció fijarse en que yo estaba distraída.

–Quiero hacer eso todos los días durante el resto de mi vida –dijo con el rostro sonrojado mientras nos apretujábamos en el interior de un taxi–. Sobre todo si tú andas por aquí para pagarnos el taxi a todas partes.

En Nueva York me había acostumbrado a desplazarme en taxi y había perdido la energía para ir cargada con instrumentos en el metro. Había ahorrado mucho dinero de mis últimas giras y los discos estaban produciendo cheques de cantidades considerables por derechos de autor. Susan, mi agente, me había enviado unos cuantos correos electrónicos en tono severo para averiguar qué me traía entre manos, aunque estaba segura de que Simón ya le habría explicado que me había mudado y que me estaba tomando un tiempo de descanso.

La verdad es que apenas pensaba en Simón ni en Nueva York desde que me fui. Retomé mi vida de soltera en Londres con tanta facilidad que los dos últimos años parecían un sueño. A veces lo echaba de menos, cuando pensaba en ello.

Echaba de menos tener a alguien en la cama a mi lado y la seguridad de una relación a tiempo completo, pero en general me sentía aliviada por ser libre.

Pensaba mucho en Dominik, tanto despierta como en sueños. Me preguntaba si tendría a alguien, una novia, y si habría abandonado sus inclinaciones dominantes en la cama para mantener una relación más corriente, como había hecho yo, o si habría encontrado otra mujer sumisa a la que atar por la noche.

A finales de aquella misma semana nos encontrábamos en otro taxi, esta vez de camino a la Brixton Academy, donde iba a ser el concierto. Chris, Ella y Ted habían ido con varias horas de adelanto para ayudar con el montaje, que supervisaban los encargados del equipo de la banda de Viggo, y tener tiempo suficiente para una prueba de sonido, de modo que Fran y yo éramos las únicas que acudíamos más tarde.

Chris me había asegurado que ambas estábamos invitadas a la fiesta que, por lo visto, Viggo iba a dar después del concierto para celebrar la noche de estreno de su gira en Londres. Había puesto los ojos en blanco cuando lo interrogué al respecto.

–¿Tú qué crees que dijo Viggo cuando le expliqué que tenías una hermana que había venido de visita?

–¡Uf! –repuse–. Si piensa que va a pasar eso ya puede ir quitándoselo de la cabeza.

–Os estaré vigilando a las dos.

–Estarás demasiado ocupado con las trescientas modelos que probablemente habrá contratado para que le sirvan las bebidas.

–Me conoces demasiado bien como para pensar eso. Las camareras que bailan en bikini no son mi estilo.

Fran se echó a reír y él la miró con una sonrisa burlona.

Chris y yo nos conocimos en la Academy, y ambos le teníamos mucho cariño a aquel lugar. Estaba un poco triste sin público y el espacio era más pequeño de lo que recordaba. Costaba creer que en cuestión de horas habría cuatro mil personas apretujadas allí dentro. El suelo inclinado estaba lleno de manchas y olía a cerveza, pero a pesar de ello el edificio poseía un aire de grandiosidad y tenía solera.

El público, que llevaba horas haciendo cola frente a sus puertas, charlaba con jovialidad, bebía latas de cerveza y fumaba cigarrillos. Me alegré al saber que una cantidad considerable de ellos estaba allí para ver a los Groucho Nights. Chris había acumulado un buen número de fans. Nos miraron con curiosidad cuando Fran y yo mostramos rápidamente nuestros pases a los robustos porteros de uniforme que vigilaban la entrada y que nos indicaron por señas que entráramos. Yo me había vestido con ropa muy corriente, una minifalda vaquera y mis viejas Dr. Martens color cereza, pero Fran llamaba mucho la atención, decidida como estaba a demostrar que el clima británico no iba a derrotarla. A pesar del frío, llevaba unos *shorts* de tela vaquera y cintura alta de los más cortos que le había visto en mi vida. Se le había puesto la piel casi azul del frío.

–Oye –dijo–, pronto cumpliré los treinta y dicen que a partir de entonces todo es cuesta abajo. Más vale que enseñe las piernas mientras todavía pueda hacerlo.

Yo me había llevado el violín a petición de Viggo. No había especificado para qué, pero supuse que querría que tocara para él en su fiesta, después del concierto. La idea se me hacía un poco extraña. Dominik había sido la única persona para la que había actuado de ese modo pero, aunque solo fuera por la banda, accedí a hacerlo. Al menos me serviría de práctica, viendo que no tenía prevista ninguna actuación. Dejé el Bailly en la sala privada, que estaba muy bien vigilada, pero de momento vacía, puesto que los Holy Criminals estaban en sus camerinos y Chris, Ella y Ted se hallaban ocupados comprobando el sonido. Pasamos el rato en el bar de arriba antes de ocupar nuestros asientos frente a la parte central del escenario cuando empezara el espectáculo.

Chris era otra persona en cuanto subía al escenario ante el público. En el día a día tenía un aire tímido y juvenil, pero delante de un micrófono sacaba una segunda piel, la imagen y el porte perfectos de una estrella de rock.

El grupo empezó directamente con una de mis canciones favoritas, «Roadhouse Blues», un tema lleno de *riffs* ondulantes con melodía de blues y las voces roncas de Chris y Ted que surcaban el sonido como la melaza descendiendo lentamente por un barril de whisky. Ted sacó su contrabajo para el segundo tema, «Fire Woman», una canción sobre el amor apasionado con un tono más de swing. Era una pieza que volvía locas a las mujeres, y aquella noche no fue una excepción. Chris sostenía el micro con una mano como si estuviera bailando lento con una amante, con la boca muy abierta para llegar a las notas altas.

–¡Hola, Londres! –gritó dirigiéndose a la multitud–. ¿Cómo estamos esta noche?

La gente brincó y vitoreó a modo de respuesta.

–¿Os gustaría conocer a nuestro invitado especial? –Bajó la mirada hacia mí, en la primera fila.

Más vítores. Quizá Viggo había accedido a hacer una aparición amistosa temprana.

–¿Qué haces? –le grité yo, pero mi voz se perdió entre los gritos.

–Mi chica está aquí, ha venido desde Nueva York –gritó Chris–. Dadle un poco de ánimo, chicos, para que suba al escenario.

Uno de los encargados del sonido salió a toda prisa de detrás del telón con un violín eléctrico y al enchufarlo provocó un súbito acople. Me sentí aliviada de que no fuera mi Bailly, pues su sonido hubiera quedado amortiguado con el micro, pero hacía casi tres años que no tocaba un violín eléctrico.

Me agaché para pasar por debajo de la cuerda que separaba el escenario del foso. Los dos gorilas me alzaron y Chris me agarró de la mano y tiró de mí para subirme a su lado. Me volví de cara a la multitud. En el escenario la energía era mucho más salvaje en comparación con las recatadas actuaciones de música a las que estaba acostumbrada. La sala estaba ardiente y viva, estremeciéndose con el ruido y la electricidad.

—Déjate llevar —dijo Chris, y se puso a tocar una de las canciones que solíamos interpretar juntos, «Sugarcane», una melodía tradicional con un breve solo de violín y punteos de dos cuerdas para enfatizar las voces; un sonido sucio y denso que no había tocado desde que dejé Londres.

Me quedé en el escenario para la siguiente canción de la banda, disfrutando del fluir y refluir de la música, que me recorría como una corriente, y me obligué a dejarlos solos para su final, un tema de rock más duro que alcanzaba un *crescendo* atronador con la batería.

Fran me estaba esperando entre bastidores minutos después de que yo me retirara del escenario. Se había abierto paso entre el gentío a empujones y enseñó su pase de camerino a los de seguridad acompañado de una sonrisa para poder subir a felicitarme. Se quedó mirando a Chris mientras que la multitud se volvía loca. Las luces barrieron a la banda por última vez cuando abandonaban el escenario, unos haces de luz verde y roja que relucían contra el suelo de madera.

—Es muy bueno —comentó Fran.

—¿Chris? Sí, lo sé. Es como si se convirtiera en otra persona cuando toca.

—Tú también.

—¿En serio?

—Se te ve más segura de ti misma, supongo. Y cómo os metéis en la música, como si estuvierais colocados o algo así…

—No lo estamos. Siempre ha sido así de aburrido. Chris está totalmente en contra de las drogas, dice que no quiere perturbar su corriente creativa anulando las células del cerebro.

—Es razonable…

La dejé vigilando nuestras chaquetas entre bastidores y me fui a por un par de bebidas aprovechando la breve pausa entre los dos grupos. En Nueva Zelanda no teníamos muchos grandes conciertos como ese, y cuando los había siempre tenían lugar en las ciudades importantes: Auckland o Wellington, a veces en Christchurch. Ninguna de las dos había visto muchos conciertos en el pueblo. Fran parecía estar contenta empapándose de todo el ambiente y alzando la vista hacia el techo estrellado de la Academy, un lugar que, aun después de varias visitas, seguía haciéndome sentir como si estuviera en un espectáculo al aire libre.

Regresé justo a tiempo de ver cómo las luces del escenario se apagaban por completo salvo por un único foco de luz roja que iluminaba el centro. Se había abierto una trampilla por la que lentamente estaba saliendo una jaula con Viggo Franck en su interior, agachado y agarrado a los barrotes con gesto desafiante. Cuando la jaula llegó a nivel del suelo, Viggo levantó la cabeza, sonrió ampliamente y casi me quedé sorda por los gritos agudos de las mujeres del público. Unas bocanadas de falso humo inundaron el escenario y, al disiparse, la jaula había desaparecido y él estaba allí de pie con las piernas separadas, vestido prácticamente con el mismo atuendo con el que lo había visto el día que lo conocí. Vaqueros negros de tiro bajo, botas de cuero y una camiseta desgastada. Si no fuera por la fama y por el aura de Casanova, podría haber sido un chico cualquiera en un pub de Londres, aunque sin duda no de los que le presentarías a tu madre.

Estuvo en el escenario más o menos una hora y media con su banda, aumentando la intensidad hasta el final que culminó con un tema de su primer álbum, «Underground», una canción con un solo de guitarra chirriante en medio que él tocaba de rodillas, inclinándose hacia atrás hasta apoyar la cabeza en los tobillos. Según se decía, practicaba yoga en una habitación especial con sauna de su mansión y cuando demostró su flexibilidad mi imaginación echó a volar de inmediato.

Al terminar el concierto Fran me dio un codazo y nos fuimos a buscar a Chris y a los demás.

—Sabes que vas a ser una de tantas, ¿verdad?

—Estás dando por sentado que voy a acostarme con él.

—Bueno, está claro. Siempre y cuando sepas que no eres la única. Ni siquiera la única de hoy.

—¿Crees que debería rehuirlo?

—¡No, por Dios! —respondió con una sonrisa de oreja a oreja—. ¿Cuántas oportunidades tiene una chica de tirarse a una estrella de rock? A por ello. Pero asegúrate de que se tapa el instrumento, ¿vale?

—No soy idiota… —repliqué, y recordé que la primera vez que me acosté con Dominik no habíamos utilizado condón. Un error estúpido que no había vuelto a repetir desde entonces. Con nadie.

—Sin casco no hay paseo —añadió Fran, riéndose como una tonta mientras que uno de los técnicos que rondaba cerca de los camerinos la miraba y enarcaba una ceja con expresión burlona.

El ambiente en el camerino de Viggo era más tranquilo de lo que me esperaba. Estaba sentado en un taburete bebiendo una cerveza y Chris y Ted relajados en un sofá de vinilo negro colocado contra una de las paredes. Los demás miembros de la banda de Viggo habían salido a buscar unas copas. La habitación en sí ya era bastante austera. Las paredes pintadas y con folios impresos a modo de letreros que advertían a los ocupantes que no fumaran y que se contradecían con los ceniceros que había en la mesa de centro. Ella estaba inclinada frente al espejo, quitándose el maquillaje con toallitas para bebés.

Aplaudieron cuando entramos. La mirada de Viggo se entretuvo en los pantalones cortos de Fran.

–¡Hombre, nuestra pequeña estrella! –dijo Chris–. Les encantaste.

–Más bien les encantasteis vosotros, chicos. Escuchad lo que se oye ahí fuera.

Un montón de seguidores, la mayoría mujeres, se habían congregado fuera y estaban gritando «¡Viggo! ¡Viggo!» y de vez en cuando «¡Chris!».

–Chris no es un nombre muy *sexy* –le dije con descaro–. Deberías cambiártelo.

–Todo el mundo intenta convencerme para que lo haga –contestó–, pero ya es demasiado tarde. Me sentiría como un idiota.

Viggo dejó la cerveza, me tomó la mano y me atrajo hacia sí hasta que estuve entre sus piernas abiertas. Noté el roce de sus vaqueros contra los muslos sobre mi minifalda. Su tacto me provocó la reacción de un torrente, como si una copa de champán se me hubiera subido directa a la cabeza, y tuve que obligarme a no caer en sus brazos.

–Dime, cielo –me dijo con voz cansina–, ¿has traído tu violín? ¿Tocarás un poco más para nosotros, luego? –alargó la palabra «luego» como si se estuviera refiriendo a algo mucho más íntimo.

–Me encantaría –respondí alegremente, resistiendo el impulso de apretarme contra su cuerpo. Una cosa era enrollarse con un mujeriego patente en privado, pero hacerlo en público era algo totalmente distinto. No quería ser el blanco de las bromas de Chris y Fran durante la próxima década.

–Bueno –dijo–, deberíamos irnos.

Los encargados del equipo lo habían cargado todo en un par de furgonetas aparcadas frente a la entrada trasera y habían quedado en llevar el material de Chris y su banda de vuelta al estudio donde ellos lo recogerían la semana siguiente, cosa que nos permitió viajar en los coches de Viggo, un par de sedanes negros y anodinos con las ventanillas tintadas. Por lo visto, él conducía habitualmente un Buick negro de 1987, pero después de un concierto prefería pasar desapercibido.

Los automóviles se detuvieron en Belsize Park frente a un complejo residencial rodeado por una valla. Cuando llegamos eran alrededor de las dos de la madrugada y el vecindario estaba sumido en una calma sepulcral.

–En esta calle viven muchos famosos –me susurró Chris–. Y sus nombres poco *sexys* no les hacen ningún daño.

–Entiendo lo que dices, pero estoy segura de que mucha gente no estaría de acuerdo.

–Es muy difícil complacer a todo el mundo –me replicó poniendo los ojos en blanco.

El interior de la mansión de Viggo no se parecía en nada a lo que yo me esperaba. No había serpientes en terrarios ni acuarios llenos de mujeres desnudas nadando tal y como se rumoreaba. El lugar estaba más que vacío, era casi espartano, salvo por unas cuantas obras de arte situadas de manera que les diera la luz. Una escultura de un pájaro con las alas extendidas estaba suspendida del techo. En el centro de la habitación había una escalera de caracol de madera blanca y metal que subía en espiral al piso de arriba.

–¿Eso es un Hirst? –preguntó Fran, que miraba un cuadro largo rectangular, un fondo blanco cubierto con manchas de colores perfectamente redondas.

–¡No, por favor! –exclamó Viggo, que de tanto que se acercó a mi hermana me hizo sentir incómoda–. ¿Por quién me has tomado?

Miré el cuadro con más detenimiento y me fijé en que había unas emes diminutas pintadas en el centro de los puntos de colores como si fueran caramelos.

–Ingenioso –comenté.

–Exactamente –repuso Viggo. Me estaba acariciando levemente por debajo de la falda, rozando con sus dedos las medias que me cubrían los muslos. Reaccioné con un estremecimiento–. No me gustan las cosas que no son ingeniosas. Y ahora venid conmigo al piso de arriba, el espectáculo no ha terminado todavía.

El segundo piso se parecía mucho más a lo que yo había imaginado. Parecía un harén, todo amueblado en color rojo intenso y púrpura, con arañas de luces colgando del techo, una alfombra afelpada de color dorado y una serie de sofás de cuero negro de formas inusuales, que me figuré que estaban diseñados para actividades que bien podrían aparecer en el Kama Sutra. En el centro de la habitación había una fuente y en el centro de la misma una estatua de una mujer que parecía viva.

Al menos yo pensé que era una estatua, hasta que la mujer extendió la mano con un movimiento elegante, se quitó un alfiler del pelo y su larga cabellera rubia cayó sobre sus hombros. Se dio la vuelta lentamente hacia nosotros, dejando ver unos pechos pequeños y un pubis completamente afeitado.

Sus movimientos, ejecutados a la perfección, eran sutiles y estaban más lejos de ser los de la bailarina exótica convencional de lo que podía imaginarse. Se había colocado de tal forma que el agua que manaba de la fuente parecía alzarse hasta sus piernas, deteniéndose justo al llegar a la barrera creada por su piel. Junto al pubis tenía una pistola diminuta tatuada.

Un recuerdo vago empezó a resonar en los recovecos de mi mente. El mundo estaba lleno de bailarinas, pero yo solo había visto a una que se moviera de aquella manera, y con un arma idéntica marcada en la piel.

Era la bailarina rusa que había actuado en un club privado de Nueva Orleans al que me llevó Dominik. Con un arrebato de pudor y excitación, recordé que después de haber contemplado su danza increíblemente erótica, Dominik me había ordenado que bailara para él en el escenario. Yo lo hice, desnuda salvo por unos aros de un rojo rubí en los pezones y un dildo anal.

Era Luba.

Nuestras miradas se cruzaron y sonrió.

4

El Angelique

La pequeña tienda de Burlington Arcade donde compró el violín de Summer tenía la persiana bajada, como si ya fuera media tarde. Dominik miró a través del cristal y se fijó en que al otro lado de la estrecha ranura del buzón había pilas de correo acumulando polvo en el suelo. Un aviso en la puerta remitía a los interesados a un número de teléfono que anotó.

Llamó más tarde.

No obtuvo respuesta.

Volvió a intentarlo a intervalos de una hora.

Sobre las diez de la noche realizó su último intento del día y, después de dejar que el teléfono sonara durante varios minutos, estaba a punto de colgar cuando por fin alguien respondió.

Era un hombre que parecía mayor y que hablaba en tono quedo.

—Llamo por la tienda de Burlington Arcade —le explicó Dominik.

—Debería ponerse en contacto con la agencia inmobiliaria que la alquila —respondió el hombre.

—No, no llamo por eso —dijo Dominik—. Fui cliente en una ocasión. Compré un violín en la tienda. Quería hacerle unas preguntas...

–El negocio quebró. Decidí retirarme. Ya no vale la pena molestarse –le contó–. No creo que pueda ayudarlo.

–¿Usted era el propietario? –preguntó Dominik.

La voz del hombre no se parecía en nada a la del ayudante que le había vendido el Bailly.

–Lo era.

–No creo que coincidiéramos. Su dependiente me vendió un instrumento precioso. Estoy interesado en averiguar más cosas sobre su historia, los anteriores propietarios…

–¿No se le proporcionó un certificado de procedencia? Debería haberle dado uno.

–Sí, me lo dieron. Pero la información resultó bastante escasa.

–¡No pretenderá que recuerde con pelos y señales todos los instrumentos que pasaron por nuestras manos!

–Lo sé. Pero me preguntaba…

–¿Por qué?

Dominik tuvo un breve momento de vacilación. ¿Cómo podría explicarlo? ¿Que se estaba agarrando a un clavo ardiendo? ¿Que quería que Summer regresara a su vida? ¿Que se había convertido en un escritor sin nada sobre lo que escribir?

–Es difícil de explicar. La persona para la que compré el violín…

El hombre lo interrumpió.

–¿Fue el Bailly? –le preguntó.

–Sí –admitió Dominik sorprendido.

–Ah…

–Entonces…

–Oiga, es tarde. ¿Por qué no me llama mañana por la mañana? Pero no demasiado temprano. Tal vez podamos arreglarlo para vernos.

–¡Desde luego! Me encantaría.

El propietario de la tienda vivía cerca de Dominik, en el norte de Londres, en una casita destartalada a la que se llegaba por un camino privado cerca de Highgate Village. El jardín delantero estaba descuidado, el césped salpicado de malas hierbas y había unos rosales que hacía una eternidad que no se podaban. El timbre de la puerta principal estaba roto y Dominik tuvo que llamar con los nudillos repetidas veces hasta que oyó señales de vida en el interior.

Dominik reconoció al hombre en cuanto este abrió la puerta y lo miró. Por algún motivo, la voz suave por teléfono le había hecho pensar en un hombre mucho más viejo de lo que era en realidad. Tendría unos sesenta años, como mucho. Ya lo había visto antes. Dos veces, de hecho. Y tenía ambas ocasiones grabadas en las profundidades de su mente.

El hombre había estado presente en dos de las fiestas más excesivas a las que Dominik asistió durante sus meses salvajes en el ambiente londinense. Más que un participante era un voyerista y siempre se esfumaba tras su disfrute inicial de la mujer que se había prestado voluntaria para ser el centro de atención, luego pasaba el resto de la noche dando sorbos a una copa de vino blanco y observando a los demás, entre ellos a Dominik, que continuaban jugando y regocijándose con la mujer. Al principio a Dominik aquellas situaciones siempre le resultaban un tanto violentas, pero luego lo que ocurría en la estancia acababa acaparando su atención.

El tratante de instrumentos lo miró con ojos legañosos. No dio muestras de reconocerlo. Estaba claro que no se acordaba de Dominik. Al fin y al cabo, los espectáculos que se exhibían durante las veladas en aquella habitación de hotel particularmente infame habían sido muy entretenidos y más notables por los cuerpos que por los rostros.

—Hablamos por teléfono… Soy Dominik —se presentó.

—John LaValle. Pase.

Lo condujo a la sala de estar. En el centro de la habitación había un piano de cola enorme cuya tapa estaba sembrada de un revoltijo de periódicos viejos y amarillentos, separadores y libros con el lomo roto.

LaValle le indicó un viejo sillón de cuero y él tomó asiento en el taburete del piano frente a Dominik. Le ofreció una copa, que Dominik declinó, y se sirvió un poco de whisky escocés del mueble bar adyacente.

–Me mantiene alerta, ¿sabe? –dijo LaValle señalando el vaso y el líquido ámbar que removió en su interior antes de tomar unos cuantos sorbos lentos.

–Usted no estaba en la tienda el día que compré el violín –comentó Dominik.

–No. Una verdadera lástima. Mi colega, que se despidió poco después, tuvo la sensación de que podría ganarse cierta reputación y de que me complacería vendiéndolo. De hecho, yo no tenía intención de deshacerme de aquel instrumento.

–Vaya. ¿Por qué?

–Es una pieza de coleccionista. Estrictamente hablando, vale mucho más de lo que usted acabó pagando por él –dijo LaValle–. Hacía pocas semanas que lo había adquirido a través de un abogado en Alemania que se estaba deshaciendo de los bienes de una finca, ignorante del valor o la importancia del violín, y mi intención era quedármelo, traerlo aquí. Tenía la sensación de que estaría más seguro bajo este techo...

–¿Más seguro?

–Es un instrumento que tiene la costumbre de perderse.

–Cuénteme más.

LaValle hizo caso omiso de su petición.

–Pero tengo entendido que ya no está en su posesión. ¿Lo adquirió a propósito para otra persona?

–Fue un regalo –confesó Dominik.

–Para Summer Zahova. Un regalo un poco caro, ¿no?

–¿Cómo lo sabe? –preguntó Dominik.

El anciano se levantó, se inclinó sobre el piano y de entre la gran cantidad de papeles que había allí sacó un cartel plegado, lo desplegó y, con una floritura, se lo enseñó a Dominik.

Era el cartel del primer concierto en solitario de Summer. La fotografía estaba recortada justo por debajo del mentón y del vientre, aunque dejaba margen para que una cascada de rizos pelirrojos surgieran como tentáculos del espacio ausente de la parte superior, y mostraba su torso y su estómago, con los pechos ocultos de forma artística tras el cuerpo del Bailly, cuyo bruñido naranja intenso contrastaba con la palidez de su piel.

La imagen era erótica e intrigante y, sin duda, había jugado un papel importante para que su actuación fuera un éxito de taquilla, atrayendo a una multitud al lugar en el que se revelaría el rostro de la violinista misteriosa.

Dominik cayó en la cuenta de que nunca trató de conseguir un ejemplar del cartel en su momento.

–Entiendo –dijo.

–Resulta sorprendente el hecho de que entonces nadie pareció fijarse en que el violín que aparecía en la fotografía era el Angelique –observó LaValle–. Es muy peculiar.

–¿El Angelique? Su colega me dijo que lo había fabricado un lutier francés llamado Bailly. Su nombre aparecía en el clavijero, debajo de las cuerdas.

–Sí, Bailly fue el hombre que creó el instrumento. Pero fabricó muchos violines como aquel. Lo que ocurre es que este del que hablamos tiene una gran historia detrás. Era un hombre interesante, nuestro señor Bailly. Muy interesante, ya lo creo. En un principio, la mayoría de los fabricantes de violines, o lutiers, como ha dicho usted, eran italianos, pero Bailly fue uno de los pocos artesanos franceses que se labró una reputación particular en este delicado comercio.

LaValle tomó otro sorbo de whisky.

–Teniendo en cuenta que le entregó el violín a la señorita Zahova, supongo que no es coleccionista de instrumentos antiguos, de modo que me preguntaba qué interés tiene en él –quiso saber.

–Lo único que colecciono son libros –repuso Dominik–. Me basta como pasatiempo. Solo tenía curiosidad. Estaba pensando en escribir algo sobre instrumentos musicales. Una novela. Y al haber estado hasta cierto punto implicado con este violín, pensé que podría ser un punto de partida en mi investigación.

–¡Qué interesante! –asintió LaValle.

–Me encantaría saber más. Sin duda, usted me ha despertado el apetito –comentó Dominik–. ¿Ha dicho algo sobre que el instrumento se perdía?

–Más concretamente, lo robaban –dijo LaValle–. De hecho, durante la quincena que tuve el instrumento bien guardado en la tienda de Burlington Arcade hubo dos intentos de robo. Más de los que habíamos sufrido en los veinte años que llevábamos en el negocio. Es muy sospechoso. Y no es que alguien supiera que estaba allí. No lo anunciamos, ni en la tienda ni en nuestros catálogos. Apenas había tenido tiempo de identificarlo cuando llegó de Alemania. Quienquiera que fuera el que manipuló nuestro sistema de alarma rompió unas cuantas vitrinas y forzó algunas cerraduras pero no localizó la caja fuerte en la que tenía guardado el Angelique. Por desgracia, los robos afectaron a nuestras primas del seguro, otra razón más para cerrar la tienda a los pocos meses, aunque para entonces usted ya había adquirido el instrumento. Llevaba demasiado tiempo dirigiendo el negocio y ya me estaba hartando del trabajo. Pero no deje que lo aburra charlando sobre tasas e impuestos…

–No, estoy fascinado.

–Y la señorita Zahova lo habrá asegurado, espero, y lo guardará en lugar seguro siempre que no lo esté utilizando.

–Supongo que sí. No nos vemos mucho últimamente.

–¡Qué pena! Parece una mujer imponente.

–Oh, sí.

–Pero sé que usted es un hombre que aprecia profundamente a las mujeres. Algo que tenemos en común –sonrió y le dirigió a Dominik una mirada cómplice. Por supuesto que lo había reconocido. Sabía quién era desde el principio.

–Lo sabía…

–¿Si sabía quién es usted? Naturalmente. Recuerdo bien las caras.

–¿Por qué no me lo dijo?

–Todos tenemos nuestros secretos, nuestro lado oscuro –repuso LaValle con desdén–. Nadie resultó herido y se disfrutó de mucho placer. Que juzguen otros…

–¿Todavía está… en contacto con el grupo, con las mujeres? –quiso saber Dominik.

–No, al cabo de un tiempo todo el mundo tomó direcciones distintas. No quiero ofender, pero la señorita Zahova hubiera supuesto una magnífica incorporación a nuestras fiestas. ¿Alguna vez pensó en traerla? Siempre me ha parecido que los músicos son los mejores sumisos… No aplican la lógica, tienen más instinto visceral, y…

–Entonces aún no la conocía. Nos conocimos más tarde –lo interrumpió Dominik.

–Una lástima.

–Bueno –Dominik se apresuró a cambiar de tema–, hábleme del Angelique.

Nacido en 1844, Paul Bailly era un hombre que adolecía de una terrible pasión por viajar. Aprendió el arte de fabricar violines en su ciudad natal de Mirecourt, en los Vosgos, y más adelante en París con el famoso lutier Jean-Baptiste Vuillaume y el legendario Jules Galliard.

Bailly, de espíritu inquieto y romántico, tuvo una vida amorosa especialmente turbulenta e hizo numerosos viajes por Francia y posteriormente por Inglaterra. En París conoció y se enamoró perdidamente de una joven *au pair* inglesa, Lois Elizabeth Hough, que estaba allí trabajando para una familia francesa rica.

Cuando Lois regresó a Londres él la siguió, pero su relación no salió bien y no tardó en mudarse a Leeds. Allí trabajó para una empresa local que fabricaba instrumentos musicales, aunque nunca se ha visto un violín de esa época que llevara su firma, lo cual llevó a especular que había trabajado realizando tareas de baja categoría y que descuidó su arte.

Al cabo de un tiempo, lo siguiente que se supo fue que Bailly volvió a París en la década de 1880, su época más prolífica y que se ve reflejada en una serie de instrumentos exquisitos con los que se afirmó su reputación. Fue también en París donde conoció a Angelique Spengler, una mujer casada con un famoso empresario teatral, Hughes Caetano.

Angelique era una mujer de una belleza extraordinaria, a diferencia de su tosco marido que controlaba varios teatros parisinos y de quien se decía que tenía relaciones estrechas con el comercio sexual clandestino de París. Con toda probabilidad, los contactos políticos ayudaron a Caetano a suprimir cualquier información ilegal de los registros, pero tenía fama de hombre violento y celoso. Corría el rumor de que había conseguido a Angelique, directamente salida del convento en el que se educó, como pago de una deuda de juego que tenía con el empobrecido padre de la joven.

No se sabe con certeza cómo se conocieron Bailly y Angelique. Es posible que fuera en un concierto. Pero cuando se vieron saltaron chispas y enseguida se convirtieron en amantes. Entre lo posesivo que era el marido de Angelique y su posición social, era inevitable que la aventura acabara por descubrirse, y así fue. Unos matones contratados por el marido atacaron a Bailly y le dieron una paliza terrible. La historia cuenta que le rompieron la muñeca derecha y que, a consecuencia de ello, a partir de aquel día no volvió a fabricar ningún otro instrumento. Lo cierto es que no se tiene constancia de que existan violines con su nombre desde entonces.

Indignada por las acciones de su esposo, Angelique consiguió forzar su caja de seguridad y, con el dinero robado, ella y Bailly huyeron a Norteamérica.

Caetano reaccionó con rapidez en cuanto descubrió dónde se encontraba la pareja fugada y envió a Nueva York a algunos de sus acólitos que no tardaron en localizarlos. A Angelique la secuestraron mientras Bailly estaba fuera de casa trabajando y ya nunca se la volvió a ver. Hay quien dice que fue ejecutada y que arrojaron su cadáver al Hudson, en tanto que otros cuentan una historia de venganza y degradación en la que aquella joven, antes hermosa, se vio obligada a la servidumbre sexual, primero en Chinatown y posteriormente en Tijuana, México. Pero, como explicó LaValle, este tipo de historias van pasando de boca en boca a lo largo de los años y en ocasiones pueden estar sujetas a mucha desinformación, y a menudo la primera que sufre es la verdad.

En cualquier caso, y tal vez esta fuera también una forma de castigo en la mente del vengativo Caetano, a Bailly lo dejaron ileso, aparte de la angustia terrible por haber perdido a Angelique y la preocupación por la suerte que habría corrido. A su debido tiempo, Bailly regresó a Francia pero nunca volvió a involucrarse en el negocio de la fabricación de violines.

–Es fascinante –dijo Dominik cuando LaValle terminó su historia–. Pero ¿qué pasó entonces con el violín al que llama el Angelique?

–Ah –repuso LaValle–. Ahí es donde se vuelve aún más interesante…

Años más tarde, en la primera década del siglo XX, un violín con el nombre de Bailly, pero sin año de fabricación visible, apareció en una subasta en Christie's. Los expertos quedaron desconcertados. Lo reconocieron como una manufactura de Bailly, pero la madera utilizada parecía ser de una procedencia distinta a la de todos los demás instrumentos de los que se sabía que había sido responsable. Además, las curvas del violín en cuestión eran ligerísimamente distintas, más sutiles, redondeadas y sensuales, así lo afirmó un experto, como si la manera en que se había dado forma a la madera se hubiera inspirado en el cuerpo de una mujer. En aquel punto alguien afirmó que los motivos de la discrepancia eran que aquel instrumento en concreto se había empezado a fabricar durante la época de la relación de Bailly con Angelique y que había recibido la influencia de su amor por ella. Se decidió de forma unánime que aquel era el último violín fabricado por Paul Bailly. Y así, a falta de pruebas que indicaran lo contrario, nació una leyenda y el violín adquirió un nombre.

Y es cuando la historia da un giro más siniestro.

El coleccionista que ganó la subasta por el Angelique se convirtió posteriormente en uno de los primeros oficiales ingleses que murió en las trincheras en la Primera Guerra Mundial. No sería un suceso insólito de no ser por el hecho de que los dos siguientes propietarios del instrumento, el primero al heredarlo y el otro al adquirirlo de la familia del fallecido, correrían una suerte similar. De momento, mala suerte durante el transcurso de un período sangriento de la historia. Sin embargo, después, al finalizar la guerra, el violín cayó en manos de una familia británica cuyos miembros murieron todos en un incendio en su finca rural, en tanto que el instrumento permaneció a salvo en su casa de Londres. Pero cuando los beneficiarios de la herencia fueron a recuperarlo no lo encontraron. Lo habían robado.

Lo siguiente que se supo del Angelique es que estaba en Francia. Para colmo, la casualidad quiso que el siguiente propietario fuera un político y coleccionista parisino que murió en brazos de su amante a las pocas semanas de haber adquirido el instrumento. Parece ser que para compensar la pérdida de un benefactor, la cortesana en cuestión se hizo rápidamente con el violín y otros artículos portátiles de la colección de su amante y se los llevó antes de informar de la muerte. Se desconoce el paradero del violín durante los siguientes diez años, pero luego apareció en Alemania, propiedad de un oficial de alto rango del ejército que se involucró en una de las raras conspiraciones para derrocar a Hitler y acabó colgado de un gancho para carne. Las autoridades confiscaron sus pertenencias y el violín fue a parar a manos de la autoridad gubernamental. Se guardó en el almacén de un museo cerca de Hamburgo que acabó siendo saqueado por el ejército ruso.

La próxima vez que se tuvo constancia del violín fue en una época más pacífica, en la década de 1950, cuando era propiedad de los Christiansen, una familia acomodada de Hannover cuyos miembros murieron de causas naturales durante el transcurso de tres generaciones. El violín fue pasando de un hijo a otro hasta que pasó a manos de Edwina Christiansen.

Dominik recordaba el nombre de la última propietaria del violín según su certificado de procedencia.

Edwina era la oveja negra de una familia burguesa y una mujer de belleza extraordinaria a decir de todos. Durante la década de 1960 había caído bajo la influencia de un hombre mayor que ella, un norteamericano al que conoció en San Francisco. Mantenían una relación poco convencional que distaba mucho de ser respetable. En resumen, Edwina se había convertido en su mantenida.

-Quizá pueda escribirlo todo en su novela –había sugerido LaValle.

–¿Y qué pasó con el violín? –preguntó Dominik.

–Se quedó en Alemania mientras Edwina estaba en Norteamérica. Ella lo tenía por casualidad, porque se lo había legado su padre. Lo cierto es que nunca tocó ese ni ningún otro instrumento.

–¿Qué le ocurrió a Edwina?

Acabó matando a su amante norteamericano. Las circunstancias fueron turbias y Edwina, en su juicio, se había negado con firmeza a responder a las preguntas del tribunal y la sentenciaron a cadena perpetua. El caso ocupó los titulares de los periódicos durante unas cuantas semanas, aunque solo fuera por la sórdida historia de fondo que la fiscalía sacó al descubierto, así como por la tristeza y belleza espectacular de la acusada.

Repudiada por su remilgada familia y sola en un país extranjero, Edwina no pudo hacer nada.

Murió en prisión unos diez años después. En Alemania, sus familiares, avergonzados por todo el escándalo, corrieron un tupido velo sobre el episodio y las pertenencias de Edwina se almacenaron sin que nadie prestara atención al violín Bailly. No fue hasta al cabo de unas décadas, cuando el edificio en el que se guardaban sus cosas se vio amenazado con la demolición. Se encontraba en una zona que se iba a reconstruir y los familiares lejanos contrataron a un abogado para que dispusiera de todas las cosas como mejor le pareciera.

–Así fue como adquirí el violín –concluyó LaValle–. Aparecía en el catálogo de los bienes que se vendían como un Bailly, sin ninguna indicación de sus características, pues el abogado involucrado desconocía su historia y su valor.

–¿Y se dio cuenta de que era el Angelique cuando lo vio por primera vez? –preguntó Dominik.

–Al principio no. Adquirí otros muchos instrumentos como parte de la transacción a sabiendas de que ya tenía compradores para la mayor parte de ellos, por lo que de entrada no le presté mucha atención al Bailly. Pero cuando lo hice, me di cuenta de que se trataba del instrumento sobre el que tanto se había hablado en este negocio por su insólita historia. Yo no creo en maldiciones ni nada por el estilo, y en realidad estaba pensando que podría quedármelo y no ponerlo a la venta, pero antes de poder hacerlo ese idiota de ayudante que creía que estaba siendo muy listo lo vendió. A usted.

–El Angelique.

–Sí. –LaValle sonrió abiertamente–. De modo que, ¿puedo preguntarle si el instrumento ha traído mala suerte a la señorita Zahova?

Dominik consideró su respuesta con detenimiento.

–Bueno, se ha hecho muy famosa desde entonces. Aunque quizá se hayan visto afectadas otras personas...

LaValle lo miró a los ojos.

–Espero que no sea supersticioso. No son más que coincidencias, ¿sabe? Aunque sí es cierto que todas estas ridículas historias le dan una reputación interesante al instrumento. Y hoy día los objetos hermosos atraen a los ladrones. Si quisiera venderlo, estoy seguro de que podría sacarle al menos cinco o seis veces lo que usted pagó por él.

–No creo que sea una cuestión de dinero, señor LaValle –dijo Dominik, al tiempo que se ponía de pie–. Pero ha sido una historia de lo más interesante. Gracias por su tiempo.

–Espero haber satisfecho su curiosidad –dijo.

–Desde luego. Me ha dado mucho en lo que pensar. La verdad puede ser más extraña que la ficción, ¿no es cierto?

–Sin duda –coincidió LaValle–. ¿Ha conseguido material suficiente para su novela?

–Un punto de partida, creo.

Fuera, el repiqueteo de la lluvia parecía tatuar los tejados de Highgate Village, pero Dominik supo que necesitaba un poco de aire fresco para reconsiderarlo todo y decidir cuál sería su siguiente paso, y si debía advertir o no a Summer sobre el violín. También sabía que el hecho de aparecer de repente con historias ridículas sobre maldiciones, robos y amantes muertos, probablemente no le haría ganarse su simpatía ni que lo dejara acercarse de nuevo a ella.

Esa noche tuvo sueños confusos.

Con la historia que LaValle le había revelado y el reflujo automático de recuerdos de Summer, la noche se convirtió en una complicada maraña de emociones e imágenes irracionales que la aguda y fuerte migraña que lo aquejó de repente y sin previo aviso no contribuyó a mitigar.

Vio a Summer como Angelique. Con una ropa anticuada que nunca le había visto puesta, en imágenes evocadas por películas antiguas al estilo de *Lo que el viento se llevó* y de los dramas de época de la productora Merchant Ivory. Llevaba un vestido blanco con miriñaque, de cintura ceñida y con lo que parecía un corsé debajo que le oprimía los pechos, apretándoselos hacia arriba para que parecieran más abundantes de lo que eran en realidad. Iba paseando con sus galas por el césped recién cortado de Hampstead Heath y, a través de los muros del sueño, Dominik pudo incluso oler el aroma inconfundible de la hierba. Su visión pasó al claro y al cenador de música vacío bajo un cielo de un azul puro, con la mancha blanca de Summer que, vestida como Angelique, subía por los escalones de piedra. Él se encontraba a unos cien metros de distancia, un espectador invisible, paralizado e incapaz de moverse.

En el centro del cenador había un taburete de piano cubierto de terciopelo sobre el cual descansaba un estuche de violín de color negro. En su sueño, Summer-Angelique corría hacia el violín, pero de una cortina de oscuridad aparecieron dos hombres que le impidieron seguir avanzando y la rodearon, cortándole el paso. Iban vestidos de negro. Uno de ellos tenía bigote, el otro una cicatriz. Villanos de opereta melodramática en los que confluían todos los tópicos que se habían escrito.

Summer chilló, pero Dominik, encerrado en un caparazón de silencio, intentando desesperadamente correr hacia el cenador, hacia ella, no podía protegerla.

Uno de los hombres la abofeteó y el otro le arrancó la parte superior del vestido con violencia, dejando al descubierto sus pechos, orgullosos y frágiles, con los pezones oscuros sobresaliendo del corsé que los cubría. Debía de ser una mañana fría porque, incluso desde donde estaba, Dominik vio que a la joven se le ponía la piel de gallina.

El otro hombre tomó el estuche del violín y le dio el Bailly a Summer. El llanto sacudió su cuerpo mientras que poco a poco se llevaba el instrumento al mentón, se enderezaba y se lo colocaba bien. Cuando empezó a tocar, el primero de los hombres, el que llevaba el bigote mexicano, sacó un cuchillo afilado de la nada y rápidamente cortó el vestido por la cintura, dejando desnuda a Summer salvo por unas medias blancas sujetas por un liguero también blanco que rodeaba su delgada cintura.

Ella empezó a tocar bajo la mirada de sus raptores.

Aunque el sueño era mudo, Dominik imaginó la música que se alzaba de las manos de Summer y de la madera naranja oscuro del instrumento. Fluía como riachuelos de lluvia, danzando, cobrando vida, flotando hacia lo alto en grupos de nubes minúsculas hasta formar un halo sobre el cenador, un arcoíris de sonidos que se extendía como un manto primero por encima de Hampstead y luego sobre todo Londres.

La visión de Summer en su sueño −desnuda salvo por el liguero y las medias blancas, con la selva de fuego intenso de su vello púbico en el paisaje pálido de su cuerpo y tocando su Bailly con los ojos cerrados, sumida en el silencio de la música−, hizo que Dominik se excitara. Se llevó la mano al miembro para comprobarlo. Como en respuesta a ello, los hombres que estaban a ambos lados de Summer en el cenador se desabrocharon los pantalones y avanzaron hacia ella con un brillo de malas intenciones en la mirada.

Dominik quiso correr hacia ella, para ayudarla, pero en un instante toda la escena desapareció de su vista y se encontró de nuevo en su cama, con los ojos abiertos de par en par, despierto. El cuello de la camiseta con la que dormía estaba empapado de sudor.

Era un sueño. O una pesadilla. Dominik dio un sorbo al vaso de agua que había junto a la cama. Eran las tres de la

93

madrugada y en la oscuridad de su dormitorio su mente se inundó con las visiones de Summer perseguida por unos hombres, perdida, sola y violada, su precioso violín hecho añicos contra el suelo.

Dominik y Lauralynn bebían café sentados a la mesa de la cocina.

–¿Estás bien? –le preguntó ella.

–Sí, ¿por qué no debería estarlo?

–Anoche pensé que tenías compañía. Hacías mucho ruido.

–¿Ah, sí?

–Juro que hasta te oí gritar –dijo Lauralynn–. Desde luego me despertaste. Tuve que contenerme para no subir a tu dormitorio a echar un vistazo.

–No, estaba solo, es probable que fuera una pesadilla.

–Pues armabas un buen escándalo…

–Lo siento.

–También debo mencionar que esta mañana tienes mala cara.

–Es que he dormido mal. Aún tengo una fuerte migraña.

–¡Pobrecito! –dijo Lauralynn con rostro inexpresivo.

–Gracias por tu compasión.

–De nada.

Lauralynn se terminó el café, fue a llenarse la taza otra vez y se la llevó arriba, a la habitación que había hecho suya, y dejó solo a Dominik, preso de los recuerdos y de un terrible presentimiento.

Le había mencionado a LaValle que no era supersticioso, pero los vestigios de la pesadilla que permanecían en los rincones oscuros de su mente y las imágenes que habían seguido al despertar lo dejaron preocupado. Por Summer y el violín. Las maldiciones eran algo que sucedía en los libros, no en la vida real, seguro.

Pero, ¿y si le ocurría algo? Sabía que se sentiría responsable y que sería incapaz de vivir con ello.

¿Debía advertir a Summer?

¿Ponerse en contacto con ella después de tanto tiempo? ¿Alterar su vida?

Oyó sonar el teléfono de Lauralynn en la distancia. Como tono de llamada tenía una música disco machacona, muy reñida con las melodías comedidas que tocaba con el violonchelo. Intentó recordar si aquel día trabajaba o se quedaría en casa. Le apetecía tener compañía.

Se dirigió a su estudio del piso de arriba para revisar las notas que había tomado el día anterior después de su reunión con el tratante de instrumentos. No iba a poder utilizar la historia del Angelique, el violín Bailly, entera en su novela. Tendría que adornarla, reunir gran cantidad de detalles históricos y entretejer un conjunto de personajes interesantes en torno a la trama. Pero sabía, sin ningún género de dudas, que el violín podía ser la base, el anclaje de un libro. Él disfrutaba investigando y era consciente de que habría mucho que hacer si abordaba varios períodos, pero eso también suponía un reto al que se enfrentaría de buena gana.

Lo único con lo que tendría que tener cuidado era con evitar personajes demasiado parecidos a Elena, la que había sido la inconfundible homóloga de Summer en su novela parisina.

Por mucho que hubiera querido hacerlo.

Escribir sobre ella no solamente era una forma de exorcismo sino también una manera de mantenerla viva en su mente. Su pasión, sus rasgos, su piel, su olor, recuerdos que no podía dejar escapar. Aun cuando todo ello estuviera teñido de dolor.

Suspiró, revolvió las hojas de papel y se acercó el portátil. Creó un nuevo documento y mantuvo los dedos inmóviles sobre el teclado mientras intentaba encontrar un título apropiado para la carpeta.

Al cabo de media hora estaba tecleando, ajeno al resto del mundo, cuando oyó unos golpecitos en la puerta de su estudio. Estaba abierta, pero Lauralynn era considerada.

–¿Dominik?

–Sí, ¿qué pasa? –Alzó la vista con rapidez.

–No quería molestarte. Pero es que ha surgido algo.

Dominik echó la silla hacia atrás.

–¿El qué?

–Acabo de recibir una llamada –dijo Lauralynn–. Se trata de mi hermano…

–¿El soldado?

Se le hizo un nudo en el estómago. Tras las historias del violín del día anterior, ya nada le hubiera sorprendido. Pero sabía que Lauralynn y su familia no habían tenido nada que ver con el Angelique. Las coincidencias no van más allá.

–Sí, lo han herido. No es muy grave. Puede que pierda un dedo, pero le han salvado la mano. Una bomba al borde de la carretera en Afganistán.

–Lo siento mucho. –Dominik se levantó y se acercó a ella.

–Me llamó una de mis tías desde el hospital de veteranos, donde lo repatriaron. Está en Virginia. Mi tía estaba junto a su cama y he podido hablar con él un momento. Está animado.

–Debe de ser un alivio.

–Lo es. –Lauralynn se adentró más en la habitación y se apoyó en la mesa–. De todos modos, creo que sería mejor si volviera a Estados Unidos una temporada. Al fin y al cabo, él es el único familiar cercano que tengo.

–Lo entiendo perfectamente. ¿Hay algo que pueda hacer yo?

–No, la verdad es que no. He conseguido un vuelo para mañana. Voy a dejar la fecha de vuelta abierta. Podría ser que me quedara allí unas cuantas semanas.

–Siempre serás bienvenida cuando regreses. No voy a instalar a nadie en la habitación libre. Te lo prometo –intentó sonreír.

–El vuelo sale temprano de Heathrow. ¿Puedes llevarme en coche? –preguntó Lauralynn.

–Por supuesto. Es lo mínimo que puedo hacer.

–Gracias. Eres un buen amigo. Encontraré la forma de corresponderte… Que no sea con dinero, claro –le centellearon los ojos, llenos como siempre de manifiesta astucia.

–Estoy seguro de que lo harás.

Lauralynn se inclinó y le dio un beso en la mejilla.

–Bueno, tengo que ir corriendo a la ciudad para cancelar algunas de mis sesiones y ver si los chicos del cuarteto se las pueden arreglar sin mí durante un tiempo. No tenemos ningún concierto en un futuro próximo, de modo que no tendría que haber ningún problema.

–Todos te estaremos esperando cuando vuelvas –dijo Dominik, que ya pensaba en cómo sería estar otra vez solo en la casa.

No era una perspectiva que le hiciera mucha ilusión.

5

Un cuchillo amargo

Tuve la sensación de que todos los presentes conocían mi secreto. Viggo, Fran, Chris. Y quizá lo supieran, si Luba decidía mencionarlo, pero ella apartó la mirada y siguió adelante con su danza, sus movimientos se ralentizaron y volvió a quedarse inmóvil, hasta que la luz del foco desapareció, la fuente quedó sumida en la oscuridad y Luba con ella.

–¡Caray! –exclamó Fran–. Tal vez no sea tan hetero como creía. Esto ha sido muy excitante.

Aguardé a que Viggo dijera algo, esperaba que me invitara a seguir con algún tipo de recital, pero estaba de espaldas a nosotros, mezclando unos cócteles elaborados en una barra casi tan larga como la habitación.

–Chris –le pregunté–. ¿Has visto mi violín? ¿Lo han traído los encargados del equipo?

–Sí. Creo que vi a uno de los muchachos metiéndolo en la parte de atrás de la furgoneta. Y tienen más cuidado con los instrumentos que si fueran niños. Estará con el resto de nuestro equipo en el estudio. No te preocupes.

–Es que me siento muy rara sin tenerlo conmigo. Desnuda. Como si llevara zapatos sin calcetines.

–Cuando estaba a punto de acusarte de ser melodramática vas y me lo estropeas con una imagen como esta –repuso Chris en broma.

–Y ni siquiera hubiera hecho falta traerlo.

Estaba empezando a sentirme un poco sola sin la compañía del Bailly. Tocar el violín eléctrico me había resultado un poco incómodo, no era lo mismo. Tenía un sonido casi mecánico, carente de calidez. Tal vez llamara a Susan para ver si conseguía organizarme algunas actuaciones en Londres. No podía esconderme eternamente.

–Íbamos a sacarlo para que tocaras, por eso te pedí que lo trajeras. Pero fue una idea estúpida. El sonido se hubiera perdido del todo en la mezcla, de modo que sacamos el eléctrico. Pero estuviste genial, ¿sabes? Deberías tocar con nosotros más a menudo.

–Bueno, supongo que así tendría algo que hacer.

Miré a Fran que, tumbada en un diván negro que tenía unas zarpas por patas y un reposabrazos en forma de cabeza de pantera, se encontraba enfrascada en una conversación con Dagur, el batería de los Holy Criminals, que estaba sentado frente a ella. Él no era tan popular como Viggo entre las seguidoras del grupo, pero poseía cierto aire mundano y una mirada intensa que parecían haber cautivado a mi hermana.

Chris suspiró. Yo ya me había percatado de su interés por Fran y de la chispa que saltó al instante entre ellos desde el momento en que los presenté, pero aún no sabía cómo me sentía al respecto. Mi mejor amigo y mi hermana.

–¡Anímate! –le dije–. Siempre te queda Luba.

–¿Luba? –me preguntó, confuso.

–La bailarina –contesté como si nada, y al instante caí en la cuenta de mi error.

–¿Cómo es que sabes su nombre?

Intenté fingir despreocupación pero me hubiera dado de tortas por el lapsus.

Como por arte de magia, Luba apareció en la puerta por detrás de nosotros.

–Nos presentaron en Nueva York –le dijo ella a Chris en un tono suave y tranquilizador como el de una canción de cuna que era casi un ronroneo–. Asistí a uno de sus conciertos. Me halaga que te acuerdes de mí –añadió al tiempo que me dirigía una sonrisa afable–. Sobre todo con un vestuario tan diferente.

Ella llevaba un vestido negro suelto que estaba hecho de una tela tan fina que más hubiera valido que se quedara desnuda. Aunque en cierto modo tenía un aspecto más *sexy* así, con esa tela que hacía que te fijaras en la sutil curva de sus pechos y caderas. Poseía una elegancia poco común, era más bien un cisne que un ser humano. Tomó asiento a mi lado en el sofá y cruzó las piernas a la altura de los tobillos. Tenía el cabello casi blanco de tan rubio y los ojos de un azul claro que casi era transparente. Y sus cejas, tan pálidas y delicadas, eran prácticamente invisibles y daban a su rostro un aspecto un tanto extraño, no carente en absoluto de atractivo.

–Soy Luba –se presentó a Chris al tiempo que se inclinaba sobre mí para estrecharle la mano.

–Chris –contestó él.

–Oh, lo siento –dije–. Olvidé presentaros.

La piel de Luba rozó la mía cuando retiró el brazo.

Normalmente las mujeres como Luba no me excitaban tanto como los hombres. Mis predilecciones, por regla general, iban siempre a favor de la testosterona. Apreciaba la buena estatura, el vello corporal y los músculos, y si me hubiera visto inclinada a experimentar creía que mi tipo sería más bien una chica del tipo lesbiana marimacho. Lauralynn había sido la excepción, la rubia alta que tocó el violonchelo en el cuarteto de cuerda de Dominik la noche en la que tuvimos relaciones sexuales por primera vez, después de que yo tocara desnuda para él en la cripta que había alquilado para la ocasión. Ella y yo estuvimos a punto de tener una especie de aventura, o al menos eso me imaginaba. Ella era una dómina, y los dominantes, fuera cual fuera su sexo, siempre me atraían.

Luba no parecía ser una dómina, pero poseía un no sé qué que me provocaba estremecimientos y me aceleraba el pulso. Me sentía excitada y exaltada.

Chris no parecía sufrir los mismos efectos. Empezaba a parecer aburrido y se dirigió al bar donde Viggo todavía estaba preparando bebidas con gestos extravagantes.

Luba se acercó a mí y me apartó el cabello para poder susurrarme al oído.

Su proximidad hizo que se me pusiera la piel de gallina.

–Tu secreto está a salvo conmigo –me dijo.

–Gracias. Te lo agradezco.

–Pero te pido una cosa a cambio –añadió.

–¿Sí?

–Quiero oír la historia, sobre cómo terminaste en un lugar como aquel. Y sobre el hombre con el que estabas.

Se refería a la villa de Nueva Orleans, donde había bailado desnuda para Dominik nada más empezar el Año Nuevo, después de que Luba hubiera dado en el mismo escenario una actuación profesional.

–¿Dominik?

–Supongo que sí, si es así como se llama.

Me sonrió mostrando su blanca dentadura. Tenía los incisivos un poco puntiagudos, como colmillos poco pronunciados. Me entraron ganas de sentirlos arañándome la piel.

–¿Te pidió que bailaras para él? –continuó diciendo.

–Sí –contesté–, aunque sería más exacto decir que me lo «ordenó». –Me moví en el asiento mientras buscaba un modo de desviar la conversación. No me sentía cómoda hablando de ese tema, pero tampoco quería apartarme de Luba.

Viggo apareció entre las dos, con un mojito en cada mano.

–Veo que ya has conocido a mi chica favorita –me dijo al tiempo que me ofrecía una de las copas. Se había esmerado al máximo y había decorado el borde con azúcar moreno y una rodaja de lima. El vaso estaba tan lleno de hielo picado que no había espacio para que tintineara, y tan frío que casi dolía sostenerlo. Inmediatamente pensé en Dominik, en lo mucho que detestaba que le pusieran hielo en la coca-cola.

Luba emitió un extraño gruñido gutural y acarició la pierna de Viggo con la cabeza.

Aquella mujer poseía cierta energía animal, desde la forma en que se movía hasta la manera de hablar, con aquel ronroneo suave. En ocasiones, sus movimientos eran como los de un pájaro, otras veces felinos.

–¿Has visto mi Bailly? –le pregunté a Viggo de repente. El hecho de pensar en Dominik me recordó el violín de inmediato.

–¿Tu violín?

Asentí con la cabeza.

–Creo que los encargados del equipo estaban cuidando de él antes. –Le rascaba la barbilla a Luba como si estuviera acariciando a un gato. Ella tenía los ojos cerrados y sonreía de placer–. Estará en mi estudio, no te preocupes. Con el resto del equipo. Si quieres tocar algo puedo dejarte uno; tengo toda clase de instrumentos de recambio en el sótano.

–No, da igual, es que echo de menos tenerlo cerca. Suelo llevarlo siempre conmigo. Incluso en mis actuaciones. No sé por qué pero no me gusta perderlo de vista.

–Eso es muy dulce –repuso él–. ¿Luba? –añadió en tono de pregunta.

Ella respondió con un gruñido.

–¿Quieres ir a buscar a Eric y comprobar si el violín de Summer iba con las otras cosas?

Ella asintió, se despegó de su pierna y desapareció en busca del encargado del transporte de todo el equipo.

–Gracias –le dije, sintiéndome estúpida y excesivamente paranoica.

–No me des las gracias –repuso al tiempo que se inclinaba hacia mí–. Lo que quería era deshacerme de ella.

Me rozó suavemente la nuca con los dedos y los fue subiendo hasta mi pelo, los enredó con fuerza entre mis rizos y me atrajo hacia sí. Sus labios sabían a la lima azucarada de los mojitos. Fue subiendo una mano poco a poco por debajo de la falda, buscando la cinturilla de las medias. Mi cuerpo reaccionó de inmediato, invadido por un placer ardiente que me humedeció de deseo a medida que su mano seguía subiendo.

Me aparté.

—Delante de mi hermana no —le dije entre dientes, aun cuando ella parecía estar la mar de a gusto apretujada entre Chris y Dagur que rivalizaban por su atención. No había duda de que Fran podía cuidar de sí misma y sabía que Chris la vigilaría como un halcón si yo desaparecía. Ted y Ella parecían haberse desmayado, pues estaban los dos repantingados en una alfombra de imitación de piel mirando al techo decorado con estrellas luminosas y planetas, como un sistema solar en miniatura.

—¡Vaya, qué lástima! —me susurró al oído—. Esperaba que fueras más liberal.

Se levantó con rapidez, me tomó de la mano para tirar de mí y salimos por la puerta, subimos otro tramo de escaleras hasta otro piso que parecía ser todo él su dormitorio. La cama era del tamaño de cuatro juntas y la habitación estaba decorada en color blanco, desde el suelo al techo, incluyendo los cuadros que parecían ser solo lienzos en blanco. Era como entrar en un sueño.

El cabello de Viggo y sus vaqueros negros desentonaban de forma brusca con aquella combinación de colores pálidos. Su cuerpo sobresalía claramente en la decoración.

Se volvió hacia mí y me sostuvo el mentón entre las manos, luego me tiró del pelo hacia atrás hasta que gemí.

—Esto te gusta, ¿no es verdad? —preguntó sin dejar de tirar, hasta que el cuero cabelludo empezó a hormiguearme de manera agradable.

—Sí —susurré.

–Bien –dijo, y me empujó contra la pared, con la mano metida otra vez debajo de mi falda.

–Las medias resultan mucho más fáciles para esto –dijo.

–Hace demasiado frío –protesté.

–No si yo estoy contigo, entonces no hará frío. No te muevas.

Retrocedió un par de pasos, abrió el cajón de la mesita y cogió un objeto en la palma de su mano. Me figuré que sería un condón.

Regresó conmigo e inclinó la cabeza junto a la mía de modo que sus labios me rozaron la oreja. Exhaló profundamente y su aliento cálido y suave como una pluma me acarició la piel.

–No tengas miedo, ¿vale? –me dijo–. No voy a hacerte daño.

Sentí que se me formaba un nudo de preocupación en el pecho, pero me relajé de nuevo.

Abrió la palma y mostró una navaja pequeña de marfil. Realizó un rápido movimiento de muñeca y apareció la hoja. Relucía de un modo muy bonito a la luz de la lámpara de la mesita de al lado.

El miedo borboteó en mi interior y me preparé para gritar o para echar a correr hacia la puerta.

–Shhh –dijo, y me pasó el dedo por los labios.

El corazón me latía con fuerza en el pecho pero me sentía inmovilizada contra la pared, aprisionada por mi propio deseo de averiguar qué iba a hacer a continuación. Quizá era una idiota por confiar en él, pero aun así lo hice. Era un excéntrico, un chico malo, pero no peligroso.

Se agachó y me pasó la punta de la hoja por las piernas, desde el tobillo hasta el refuerzo de las medias. Luego la apretó contra el tejido ejerciendo un poco más de presión, la justa para hacer un pequeño desgarro sin dañar la piel. Una vocecilla en mi cabeza se preguntó qué sensación me provocaría si apretaba más fuerte, si dejaba una marca, un rasguño, o incluso si me hacía sangrar. Tuve una visión del interior de mis muslos, de la piel pálida, suave y pura salvo por dos cortes largos y superficiales que descendían por el centro de cada pierna, una raya roja que dolería durante unos días pero que enviaría un torrente de endorfinas a mi cerebro junto con el dolor.

Otra parte de mi mente retrocedió horrorizada ante las imágenes que se me pasaban por la cabeza, pero a pesar de ello había mojado las bragas.

Viggo metió el dedo por el agujero para hacer el desgarrón más grande, a continuación sujetó las medias con ambas manos y dio un fuerte tirón, con lo que hizo un agujero que dejó al descubierto la ropa interior y la parte superior de los muslos. Apartó las medias y pasó la hoja de la navaja con mucha delicadeza por los labios húmedos de mi sexo.

El tacto del cuchillo era como un beso metálico, frío y sólido. Tenía el pulso tan acelerado que me sentía al borde del desmayo, sumida en una mezcla embriagadora de terror y lujuria. Era como estar en una montaña rusa, esa combinación de miedo, emoción y adrenalina que me daba la sensación de tener el corazón latiéndome en las yemas de los dedos.

Oí un débil chasquido cuando devolvió la hoja a su sitio y a continuación percibí de nuevo una sensación fría cuando insertó el cuerpo del cuchillo dentro de mí. Me estremecí y dejé escapar un gemido suave, pero el mango era demasiado pequeño y no hizo más que provocarme. Necesitaba más.

Hundí las manos en su pelo y le moví la cabeza para acercarlo a mis piernas.

—Lámeme —dije.

Él me complació soltando el cuchillo, que repiqueteó contra el suelo, y moviendo luego la lengua contra mi clítoris con movimientos largos y lentos. Era la primera vez que recordaba haber dicho a un hombre lo que quería por propia voluntad, sin que me hicieran suplicar, y la emoción de dicho descubrimiento me inundó con una descarga aún mayor que la sensación que Viggo producía con su boca.

Aunque el ritmo que había elegido era regular, la sensación rítmica de su lengua contra mí conduciéndome, lenta y calmadamente, al orgasmo era más de lo que yo podía soportar. Al notar que mi deseo aumentaba él se retiró con aire juguetón para hacerme esperar, prolongándolo.

Hice que se levantara otra vez y le di un beso lento y profundo. Tenía unos labios extraordinariamente suaves que contrastaban de un modo agradable con el roce de la barba incipiente. Su lengua se enredaba con la mía con suavidad. Viggo sabía no exagerar con los besos. Atrapé su labio inferior entre los dientes y se lo pellizqué.

–Ah… –dijo al tiempo que apartaba la cabeza–. Me gustas mucho. Ven a la cama.

Me tomó de la mano y me condujo hasta el colchón, se sentó en el borde, se volvió hacia mí, me pasó las manos por los brazos y los hombros, me rodeó la cintura y cerró las piernas sobre las mías como unas tenazas.

–Quítate la ropa para mí.

–¿Es que no me la vas a cortar? –pregunté en tono provocador.

–La tela vaquera es mucho más dura que el nailon –afirmó a la vez que entrecerraba los ojos de una forma que sugería que no le importaría intentarlo de todos modos. Sin embargo, yo no tenía ganas de que me cortaran la ropa en pedazos, aunque solo fuera porque la necesitaba si no quería volver a casa desnuda.

Apresuradamente, empecé a quitarme la ropa tal como me había pedido de aquella manera tan provocadora.

–No –dijo él–. Hazlo despacio. Quiero mirarte.

Se le iluminaron los ojos y me observó con la misma mirada fija que yo ya había notado cuando estuve tocando el Bailly.

El corazón empezó a palpitarme en respuesta a sus órdenes. Me temblaban tanto los dedos que a duras penas podía agarrar el botón de la minifalda y pasarlo por el grueso ojal de la tela vaquera.

Me alegré de haberme puesto un conjunto de ropa interior, un culote azul pálido y el sujetador a juego, lo bastante bonito para que quedara bien pero no tan subido de tono que resultara evidente de inmediato que había salido de casa pensando en sexo.

Me desabroché la blusa despacio, sintiéndome un poco boba y cohibida al pensar que estaba haciendo un *striptease*, pero mi confianza aumentó al darme cuenta de que la expresión de Viggo se iba intensificando con cada botón que me desabrochaba.

Tomó aire de manera visible y contuvo el aliento cuando me desabroché el sujetador y, a continuación, con los pechos desnudos, metí poco a poco un dedo en las medias y empecé a bajármelas por la cadera.

–Déjatelas puestas –me ordenó–. Y las botas también. Es muy excitante. –Yo llevaba mis Dr. Martens de charol rojo cereza. Viggo no tenía ningún espejo en su dormitorio, aunque supuse que probablemente tenía un cuarto de baño lujoso lleno de ellos o quizá un vestidor allí cerca. Yo no podía verme, pero imaginé que debía de parecer una de las Suicide Girls, desnuda salvo por unas medias rotas y unas Dr. Martens rojas.

Me arrodillé en el suelo para poder desabrocharle los pantalones y quitárselos. Cuando logré bajar la ajustada tela vaquera hasta los muslos descubrí que no llevaba calzoncillos.

Su miembro apareció de repente, completamente erecto. Era largo y delgado, como el resto de su cuerpo, y muy recto, como si estuviera tallado en mármol. Se había recortado el vello púbico en torno a la base y tenía la piel totalmente lisa. Esto me decepcionó un poco porque yo prefería que un hombre tuviera vello. Me gusta pasar los dedos por él cuando chupo un pene, o sentirlo al meter la mano por debajo del cinturón, como una promesa de secretos ocultos.

Dejé de intentar quitarle los pantalones.

–¿Cómo te pones esto? –me eché a reír en tanto que él se deslizaba sobre la cama con los vaqueros aún puestos.

–Doy saltos y tiro de ellos –me contestó–. Es todo un arte.

Me agarró las muñecas, tiró de mí hacia la cama y apoyó las manos en la cintura con firmeza para indicarme que quería que me diera la vuelta.

–De rodillas –me ordenó.

Para entonces yo ya estaba tan desesperada por sentirlo dentro de mí que me puse en posición casi antes de que la orden saliera de su boca.

Se deslizó hacia abajo y noté que su lengua húmeda me rozaba el tobillo. Empezó a lamerme y fue subiendo con lentitud y firmeza.

–Shh –dijo cuando yo empecé a moverme al notar el cosquilleo–. Relájate.

Me concentré en dejar la mente en blanco, apartando todas las demás distracciones y centrándome en las sensaciones que surgían de mi cuerpo. Sus movimientos eran firmes y concienzudos. Su boca viajó por mi pantorrilla, se detuvo para lamerme la corva, continuó por el interior del muslo y estuve segura de que allí tuvo que notar la humedad que entonces ya sentía escurrirse entre mis piernas. Se me aceleró la respiración cuando su lengua se acercó a mi sexo, donde yo quería con desespero que se entretuviera, pero en lugar de detenerse en el lugar obvio continuó subiendo y empezó a lamerme el ano.

Dominik lo había hecho una vez, en Nueva Orleans, poco después de que bailara para él en el escenario al día siguiente de haber presenciado la actuación de Luba. Recordé que me sentí incómoda ante aquella caricia, la más íntima de todas, y que había intentado escabullirme pero él me había colocado la mano en la base de la espalda para sujetarme.

Me quité de la cabeza los pensamientos sobre Dominik. Hacía mucho tiempo que se había ido y Viggo estaba allí, un hombre atractivo con una boca aún más atractiva y que además era una estrella de rock. Tal vez yo fuera una más de los cientos de mujeres a las que habría hecho el amor, pero no me importaba. Al menos tenía mucha práctica.

Me acerqué hasta quedar contra él y separé más las piernas.

–Buena chica –dijo–. He de entender que te gusta mi estilo, ¿no?

Recordé la forma de su pene, largo y delgado, perfecto para el sexo anal.

–Sí –respondí–. Si empiezas despacio.

–Tendré cuidado, te lo prometo. Pero lo reservo para más tarde.

Alargó la mano para abrir otra vez el cajón de la mesita de noche y sacó una caja de condones, un bote de lubricante y el juguete erótico más grande que había visto jamás. Era blanco, tendría unos treinta centímetros de largo y un aro azul en torno a un dispositivo en forma de bola que había en la parte superior; además, iba unido a un enchufe y a un adaptador.

–¡Oh! –exclamé–. ¿Qué es esa cosa?

–¿Nunca has visto uno de estos? –sonrió con malicia–. Vas a llevarte una agradable sorpresa. Es una varita mágica Hitachi.

–Es imposible que eso entre dentro de mí –dije con una inquietud que empañaba mi creciente excitación.

–No te preocupes, cielo. No va dentro de ti.

Salió de la cama y lo enchufó en un alargador, este a la pared y a continuación lo puso en marcha. Hacía un ruido entre el de un cortador de césped y el de un molinillo eléctrico, y la bola de la punta vibraba tan fuerte que se sacudía visiblemente.

–Relájate –dijo riendo al ver mi reacción.

Retomó su posición detrás de mí y con la cabeza de la varita rozó suavemente los labios de mi sexo. Una oleada de placer me recorrió el cuerpo como un relámpago. Tuve la sensación de que iba a correrme en cuestión de segundos, un efecto que yo, y aun con los amantes más habilidosos, normalmente tardaba unos treinta minutos de caricias estimulantes como mínimo en conseguir. Solté un grito ahogado y la impresión me hizo dar una sacudida.

—¿Estás bien? —me preguntó con una risa sofocada.

Me volví a mirarlo. Aún llevaba los vaqueros en torno a las piernas que impedían sus movimientos, y una firme erección con la que hasta el momento no había intentado complacerme. Llevaba el pelo peinado hacia atrás donde formaba una greña desmarañada y con unos cuantos mechones que le caían sobre los ojos. Tenía una expresión lobuna, simpática y pícara. Me costaba creer que hacía tan solo unos minutos se hubiera mostrado tan salvaje, cuando me había hecho un agujero en la ropa con su navaja.

—Sí, es que pensé que iba a correrme. Nunca llego al orgasmo tan deprisa.

—No es que haya una moratoria sobre los orgasmos, querida. Se te permite tener más de uno.

—Nunca he tenido más de uno. Más de uno cada vez, quiero decir.

—Bueno, pues todos tus demás amantes deberían avergonzarse de sí mismos.

—No tengo ningún otro amante.

—¿Una chica como tú? Me cuesta creerlo.

No tuve ocasión de responder porque volvió a encender la varita mágica y la presionó contra mí. Al principio lo hizo levemente, hasta que me relajé y entonces fue aumentando la presión gradualmente. En un primer momento sentí un calor que se incrementaba, como si todas mis terminaciones nerviosas se hubieran vuelto radioactivas, y luego un orgasmo surcó mi cuerpo como un reguero de pólvora, una ráfaga enorme de energía que penetró en mí por los dedos de los pies y me salió por la cabeza. Fue el clímax más intenso que había tenido jamás.

No podía ni hablar. Me desplomé sobre la cama como un fardo, bañada por un cálido resplandor, mi piel consciente de cada soplo de aire o movimiento leve en la habitación.

–Tienes un minuto de descanso –me anunció–, luego voy a encenderlo otra vez.

Me quedé en silencio unos momentos hasta que pude recuperarme lo suficiente como para responder.

–¿Qué eres, mi entrenador personal?

–Si es lo que hace falta… Me da la impresión de que tienes que recuperar trabajo atrasado.

Se puso a acariciarme las nalgas con suavidad, deslizando las uñas sobre mi piel.

Viggo fue fiel a su palabra. En cuestión de un minuto, aunque parecieron solo unos segundos, el zumbido de las vibraciones de la varita inundó la habitación con tanta fuerza que creí que el ruido debió de interrumpir la fiesta del piso de abajo.

Presionó la cabeza del juguete contra mí y otra vez, en unos momentos, un segundo orgasmo me recorrió el cuerpo. Sin embargo, esta vez el placer estuvo al borde de ser demasiado intenso y di un brinco con el que casi me golpeé la cabeza contra la pared en mi intento de escapar.

–No te muevas. O tendré que atarte. –Su tono de voz era divertido, pero con un deje de dureza.

–En serio –le rogué–, no puedo soportarlo más.

–Sí, sí que puedes. Agárrate al cabecero.

Apreté los dientes y puse las manos en torno al borde de metal blanco que enmarcaba la cabecera de la cama. No me ató, pero la fuerza de su orden y mi orgullo formidable, que se negaba a dejarle ganar, prevalecieron y me aferré al barrote mientras él hacía que me corriera una y otra vez.

Cuando me dejó descansar, el cuerpo se me crispaba y tenía el sexo hinchado y magullado. Estaba cubierta de sudor y unos mechones de pelo se me pegaban a la cara. Me embargó una oleada de agotamiento. El cielo empezaba a clarear. Viggo no tenía persianas en su habitación blanca; debía de gustarle la luz. Se estaba alzando un sol carmesí. Imaginé que debían de ser alrededor de las siete de la mañana, lo cual implicaba que habíamos pasado unas cinco horas allí arriba disfrutando de nuestra fiesta para dos. No habíamos dormido ni un minuto. En circunstancias normales, Fran ya estaría despierta a esas horas, pues siempre había sido de las que se levantan temprano, pero desde que había empezado a trabajar en el bar se había vuelto más nocturna. El resto de miembros de la banda eran como murciélagos, pasaban la noche despiertos y dormían durante el día. Así pues, disponíamos de unas cuantas horas más para relajarnos antes de que nadie esperara vernos.

Viggo estaba tendido a mi lado, y me acariciaba suavemente con el dedo desde el lóbulo de la oreja hasta la mandíbula para luego seguir por la curva de mi cuello. Se entretuvo en mi garganta y aumentó la presión de las yemas de los dedos como si estuviera midiendo mis latidos. Reaccioné estremeciéndome sin querer. El viaje de su mano continuó y se deslizó sobre cada uno de mis pechos y en torno a los pezones. Su tacto era tan leve que apenas me rozaba la piel, pero yo estaba tan acelerada por nuestros esfuerzos anteriores que el más mínimo contacto me provocaba estremecimientos.

Llegó a la base de mi ombligo, hasta donde le permitía alcanzar el brazo estirado. Se acurrucó contra mi espalda, me atrajo hacia sí y su pene, que seguía estando tieso como una piedra, se pegó a mis nalgas. Traté de darme la vuelta hacia él.

–Lo siento –le dije–. Debería hacer algo al respecto.

–Ya habrá tiempo de sobra más tarde para eso –contestó–. Solo estoy entrando en calor. –Su voz se fue apagando hasta convertirse en un suspiro y noté que su miembro se iba ablandando poco a poco contra mí. Se quedó dormido pasados unos instantes.

Al poco lo seguí al país de los sueños, pero no antes de ver, con el rabillo del ojo, la navaja que estaba en el suelo cerca de la puerta. La hoja estaba plegada en el mango y la franja plateada del dorso del cuchillo relucía bajo la luz. Tenía aspecto inofensivo, un arma bonita, abandonada. Pero mis últimos pensamientos mientras me sumía en el sueño fueron inquietantes, y al cabo de unas horas me desperté con la firme sensación de que algo iba mal.

Mi teléfono vibraba en el bolsillo de la falda vaquera que estaba en el suelo en un montón con la blusa y las medias rasgadas, que me quité junto con las botas antes de echarme a dormir.

Estaba lleno de mensajes de Fran y Chris.

De Chris: «¿Ya te has levantado? Estamos haciendo tortitas».

De Fran: «¡Despierta, guarrilla!».

Los dos me hicieron sonreír.

Salí de la cama y abrí unas cuantas puertas con cuidado hasta que encontré un baño adjunto. Viggo aún dormía profundamente, con los zapatos puestos y los pantalones estrechos bajados hasta media pierna. Su pelo, enmarañado y apelmazado, formaba un halo oscuro.

Recién duchada volví a ponerme la ropa del día anterior, sin las medias, y me dirigí al piso de abajo en busca de la cocina, guiada principalmente por el olor de la mantequilla caliente al fuego.

Dagur se hallaba frente a una sartén volteando con destreza las tortitas para dorarlas por ambos lados antes de depositarlas en una fuente en la que ya había una pila bien alta. Iba sin camiseta, vestido únicamente con unos vaqueros con unos cortes deshilachados bajo cada una de sus nalgas que dejaban al descubierto un atisbo de piel cuando se inclinaba hacia delante, sugiriendo que no llevaba nada debajo. En la espalda tenía tatuada una hermosa cabeza de caballo bastante femenina, una obra de arte realizada con delicadeza y que contrastaba con su prominente musculatura de piel morena. Tenía un cuerpo muy tonificado. La noche anterior no me fijé. No era de extrañar que mi hermana lo hubiera encontrado atractivo.

Fran danzaba a su alrededor por la cocina como un duendecillo mientras abría armarios y cajones buscando platos, cubiertos, sirope de arce y demás cosas que iba disponiendo sobre la barra de la cocina.

Chris, Ella y Ted estaban sentados en los taburetes, tenedor en mano, listos para atacar la comida.

Después de haber dormido parecían mucho más frescos que yo.

–Buenos días. Veo que todos encontrasteis una cama, ¿eh? –pregunté con una alegría forzada.

–Algunos de nosotros sí –contestó Ted, se rio entre dientes y miró de forma significativa a Fran, que parecía estar como unas pascuas y sin el más mínimo atisbo de rubor en sus mejillas.

Chris estaba sentado con los hombros hundidos, con la pose de un hombre derrotado.

Yo prefería ignorar qué había estado haciendo mi hermana, siempre y cuando fuera feliz, pero tampoco quería ver triste a mi mejor amigo.

Me puse a su lado, le pasé el brazo por los hombros y le di un apretón.

–¿Qué planes tienes para hoy? –le pregunté con la esperanza de distraerlo para que no viera a Fran coqueteando con el guaperas del batería.

114

–Volver al estudio –respondió–. Tengo que ordenar nuestras cosas, acostumbrarme a la idea de llevar otra vez una vida normal, y esperar que las críticas sean buenas. O que al menos nos mencionen en alguna.

–¡Por supuesto que os mencionarán! Estuvisteis fantásticos, a la gente le encantó.

–Gracias, Sum –dijo, y me rodeó con el brazo–. La semana que viene tenemos un concierto en Brighton, si quieres venir.

–Claro que sí. Me encanta Brighton. –Solo había estado una vez, un fin de semana. Quizá un par de días junto al mar fuera justo lo que necesitaba para salir de mi reciente crisis creativa.

–¿Alguien ha visto a Luba? ¿La bailarina? –pregunté en cuanto nos hubimos terminado el desayuno. Quería saber si había localizado a Eric, el técnico encargado de trasladar todo el equipo.

–Hoy no –contestó Dagur–. Pensaba que había acabado en la cama contigo.

Me ruboricé al caer en la cuenta de a qué se refería y de que lo estaba diciendo completamente en serio. Habría notado el efecto que aquella chica tuvo en mí.

–No –repuse–. No la he visto desde anoche.

–Comprobaré dónde está tu violín, Sum –terció Chris, que se anticipó a mi preocupación antes de que tuviera ocasión de expresarla.

Viggo aún no se había movido de la cama cuando la banda se marchó para ir a recoger el equipo y Fran se apresuró a tomar el relevo en la barra de la cocina. Estuve a punto de irme con Chris, pero una inquietud inconsciente hizo que me quedara. Les dije a los demás que no quería marcharme sin despedirme de Viggo y tanto Chris como Fran me miraron con recelo.

–No es propio de ti mostrarte sentimental –comentó Fran–. ¿Estás enamorada?

Protesté enérgicamente, por supuesto, pero lo cierto es que Viggo me gustaba mucho. Tenía sentido del humor y un aire travieso que me resultaba atractivo, por no mencionar su habilidad y su deseo de provocarme orgasmos. Eso y una vena arrogante que lo hacía impredecible, y a mí me gustaba que me tuvieran en ascuas.

Me acomodé en la sala de estar amplia y vacía para comprobar el correo electrónico y navegar por Internet con mi teléfono mientras esperaba a que él se despertara, o a que apareciera Luba.

Tenía dos correos de Susan; en ambos me preguntaba en qué andaba y me aconsejaba en términos muy claros que me pusiera en contacto con ella para que pudiéramos planear mi futuro. Uno de Simón, que en tono amistoso me ponía al día de sus circunstancias del momento. Había prolongado su estancia en Venezuela y la orquesta había contratado a un sustituto temporal. Sentí nostalgia de él, de Nueva York, de la vida que compartimos. No fuimos la persona adecuada para el otro pero aun así yo lo quería y echaba de menos su afecto, su compañía y su comprensión instintiva de mi carrera y del duro trabajo de un músico clásico.

Éramos tal para cual en tantos aspectos que a veces me preguntaba si no hubiéramos podido resolverlo de habernos esforzado más, pero él me quitó de las manos esa decisión. En cierto modo yo me sentí aliviada. Significó que no tuve que tomar la iniciativa, ni reconocer ante mí misma ni ante Simón que encontrar a la persona adecuada con la que tener relaciones sexuales era más importante para mí que todas las demás cualidades que él traía a nuestra relación. El sexo convencional a corto plazo era delicioso, y satisfacía la necesidad, pero yo no deseaba comprometerme a largo plazo con alguien que no quisiera lo que yo ansiaba. Deseos oscuros, peligrosos y a veces dolorosos. La clase de situaciones con las que Dominik y yo habíamos disfrutado tanto.

Los pensamientos recurrentes sobre Dominik me incomodaban e inquietaban y empecé a recorrer la habitación pasando las manos por las paredes y los muebles para acariciar sus texturas, rugosas, contra mi piel. Repetí mentalmente mi recuerdo del baile de Luba y, a pesar de los incontables orgasmos de la noche anterior y de que me notaba los labios del sexo magullados e hinchados, me excité otra vez. Pero lo que más echaba de menos era mi violín. Quería sentir el Bailly en las manos, dar salida con una canción a las emociones encontradas que abrumaban mi mente.

Viggo había dicho que tenía varios instrumentos en el sótano. No me parecía del todo correcto ir a investigar sin su permiso. Nunca he sido una fisgona. Pero me dije que no iba a curiosear, sino solo a tomar prestada una cosa que hacía tan solo doce horas él me había dicho que podía utilizar si quería.

Tras unos cuantos minutos, encontré la puerta que conducía al sótano y descendí por la escalera de caracol con cierto temor. Se diría que hubiera podido haber un ascensor, pero no vi ninguno. Había dos pisos más debajo de la entrada, el espacio lleno de obras de arte y la zona de la cocina en la que habíamos desayunado. El primero era sorprendentemente luminoso y estaba ventilado, considerando que era un sótano. Pensé que debía de tener un sistema para llenarlo de oxígeno, quizá una forma de conservar las obras de arte. La habitación era como una galería con unas cuantas piezas distribuidas con mucho gusto en las paredes y un par de esculturas modernas en el centro que más bien parecían instalaciones. Yo sabía muy poco de arte e ignoraba si las piezas eran originales o imitaciones, si eran caras o no. Algunas de ellas parecían una broma, pensé, un ejemplo del peculiar sentido del humor de Viggo. Una de ellas consistía en una bola pequeña pintada suspendida en el aire por un ventilador que echaba aire, de modo que daba la sensación de que flotaba suelta en el espacio. Estaba situada de forma que el espectador se sentía tentado de cogerla, pero existía una norma estricta en mi cabeza –el hecho de saber que el arte se admira pero no se toca– que me hizo observarla con detenimiento desde un educado paso de distancia sin alterar su trayectoria.

El piso inferior era una habitación mucho más oscura con una piscina en el centro. Parecía más bien un arroyo. Daba la impresión de que era de agua dulce sin cloro. En lugar de la caja rectangular tradicional de una piscina normal, la de esta era curva, tenía un lecho de piedras y estaba rodeada de helechos; en un extremo había una cascada.

Así pues, los rumores de que Viggo tenía espacios en su casa para que las mujeres fingieran ser sirenas eran ciertos después de todo. Luba estaba sentada en una piedra junto a la cascada, y cualquiera hubiera dicho que era precisamente una sirena, vestida con un traje de baño metálico resbaladizo por el agua y que se le pegaba a la piel de forma que sus pezones duros resultaban claramente visibles a través del tejido. Tenía la melena mojada y pegada a los hombros.

Me sonrió pero no dijo nada, como si ya se esperara desde el principio que la encontrara allí abajo y no estuviera en absoluto sorprendida.

Mi vista se adaptó a la luz tenue de la habitación y me fijé en que allí las paredes estaban también decoradas con obras de arte. En su mayor parte estaban distribuidas por la pared o colgaban del techo aparentemente al azar; eran unas piezas mucho más descabelladas y siniestras que las de la planta superior. Viggo había colgado los huesos de un cráneo de animal, unidos a una larga cornamenta, encima de la puerta. Había figuras talladas de ninfas y grutescos, algunas sensuales, otras aterradoras. Alcé la cabeza y al mirar hacia arriba vi que había una serie de esculturas de metal, supuse que con algún tratamiento antióxido, sujetas al techo encima de la piscina, de manera que alguien que flotara boca arriba en el agua podría verlas. Al fondo de la habitación había otra puerta de aspecto sólido, la primera que había visto hasta el momento, pero parecía cerrada. Imaginé que debía de ser allí donde guardaba las cosas caras de verdad, y no podía culparle por ello. Las medidas de seguridad parecían sorprendentemente laxas, considerando la cantidad de personas que debían de rondar por allí en las fiestas de Viggo. Sus primas de seguro debían ser enormes.

Una de las paredes de aquella habitación estaba cubierta por una vitrina de cristal, y en la vitrina se encontraba lo que había estado buscando. Viggo tenía guitarras, instrumentos de viento, violas y violines. Algunos eran más modernos y bastante corrientes mientras que otros eran inmensamente hermosos al parecer de mi ojo inexperto. No había mucha luz y no podía acercarme lo suficiente para poder distinguir alguna marca distintiva o comprobar el sello de los pocos violines que había.

Vi que la vitrina de cristal no estaba cerrada con llave y tuve que alejar de mí el deseo casi abrumador de abrirla, coger uno de los instrumentos y tocar algo, pero la presencia de Luba hacía que pareciera imposible. No podía sacar nada de la vitrina mientras ella estuviera mirando, aunque Viggo me hubiese dicho que podía hacerlo. En aquel momento él no sabía que yo estaba allí.

Luba se puso de pie con la misma gracia que un helecho desplegándose, bajó de la piedra junto a la cascada y se dirigió hacia mí, acercándose con paso suave.

—A él no le importará, ¿sabes? —dijo—. Si quieres tomar prestado algo.

Abrió la puerta donde estaban colgados los violines y los señaló con un gesto de la mano.

—Le gusta coleccionar cosas hermosas, pero es muy desprendido con ellas. ¿Quieres tocar algo para mí?

Tomé uno de los instrumentos y un arco, lo sujeté contra la barbilla y me puse a tocar. Al principio sonó fatal y tardé unos minutos en afinarlo. Pero el violín tenía un tono muy bonito y un tacto agradable. De todos modos no era el Bailly, y la idea me recordó por qué estaba buscando a Luba para empezar.

—¿Hablaste con Eric? —le pregunté—. ¿Te dijo si había recogido mi violín anoche?

Antes de que pudiera obtener respuesta, Luba llevó un dedo a mi boca y recorrió con él mi labio inferior. Su tacto hizo que mi corazón se pusiera a palpitar como loco. Su piel era suave y sedosa, y tenía un olor dulce como el azúcar. Retiró el dedo y lo reemplazó con su boca, juntando sus labios con los míos en un beso lento. Nuestras lenguas se enredaron, ella se apretó contra mí y me mojó el cuerpo con su traje de baño húmedo. Deslizó las manos por detrás de mi cuello y me sostuvo la cabeza mientras me besaba.

Luba era hipnotizante, como una estatua desnuda que hubiera cobrado vida pero con todo el calor de un ser humano. Su tacto en mi piel era eléctrico, y por primera vez en la vida tuve muchas ganas de acariciar sus formas de mujer, no solo por la curiosidad de saber qué se sentía siendo bisexual por una vez, sino porque ella hacía que todo mi cuerpo se sintiera vivo.

—Vamos —me susurró al oído—. Hay sitios más cómodos para esto. —Me tomó de la mano y tiró de mí, salimos por la puerta y subimos los cinco tramos de escaleras hasta el dormitorio de Viggo. Lamenté por segunda vez que no hubiese ascensor, pero la idea se me olvidó ante el espectáculo de su trasero que se meneaba de manera atractiva, enmarcado por la tela húmeda del traje de baño de corte alto que, o bien era una talla demasiado pequeña o estaba diseñado a propósito para dejar al descubierto la mitad de sus nalgas.

Viggo estaba en la ducha cuando llegamos al quinto piso.

—Ven —dijo Luba, que se acercó con aire pícaro a la puerta del baño adjunto—. Démosle los buenos días.

Lo cierto es que él pareció contento, si no sorprendido, cuando nos desnudamos, abrimos la puerta de su ducha enorme y nos metimos allí con él.

Era un cubículo amplio, pero aun así estábamos un poco apretados. Luba se movió como pudo para apartarse y me apretó con firmeza entre Viggo y ella.

Él me dio la vuelta y agachó la cabeza para darme un beso, sus labios se encontraron con los míos y al mismo tiempo enredó sus dedos en mi pelo en tanto que Luba recorría nuestros cuerpos con las manos enjabonadas, apretando sus pechos contra mi espalda.

Viggo no hizo ademán de ir a cerrar el agua de la ducha y la dejó correr sobre nosotros, por lo que tuve la sensación de que me estaba ahogando en su beso. Movió las manos para tirarme con fuerza de los pezones y yo solté un grito ahogado por la impresión del dolor repentino que tanto contrastaba con las suaves caricias de Luba.

Ella se rio en voz baja.

—No siempre es delicado —me susurró al tiempo que se inclinaba para poder hablarme al oído. Me abstuve de decirle que lo prefería de ese modo.

Su pene me presionaba el muslo y me moría de ganas de sentirlo dentro de mí.

Gemí, fue un sonido lleno de ansiedad porque a duras penas podía contenerme para no forzarlo a que me penetrara sin protección.

Fue Luba la que alargó la mano por detrás de nosotros dos y cerró el grifo, tras lo cual nos hizo salir de la ducha y nos condujo hasta la cama, haciendo caso omiso del agua que chorreaba sobre toda la colcha.

Luba metió la mano en el cajón de la mesita de noche y le tiró un condón que él agarró con un movimiento de muñeca tan experto que me pregunté con qué frecuencia actuaban en pareja.

–Haz que esta chica deje de sufrir –dijo Luba con su voz cansina, lenta y seductora.

–Siempre me alegra complacer –repuso él.

Ya era de noche cuando me di cuenta de que aún no había hablado con Chris. Viggo volvía a estar dormido, enredado en la cama con Luba. Su cabello rubio, y entonces ya seco, contrastaba vivamente con los mechones negros de él.

Pensé que debía de ser una buena señal. Chris me hubiera llamado de inmediato si no hubiera encontrado mi violín con el resto de instrumentos. Me había estado preocupando sin motivo. Pero entonces se me cayó el alma a los pies al recordar que me había dejado el teléfono en la sala de estar donde estaba la fuente, cuando había ido a explorar la casa, y de eso hacía ya horas.

Bajé por la escalera con paso suave y una sensación de terror cerniéndose en torno a mis hombros como una nube siniestra.

Mi teléfono estaba en el reposabrazos del diván de pantera, justo donde lo había dejado.

Introduje la contraseña.

Era Chris. Tres llamadas perdidas, un mensaje de voz y uno de texto.

–«Tu violín. Ha desaparecido.»

6

La playa de Brighton

Cuando todavía daba clases, Dominik podía contar con la comodidad de una especie de rutina, un patrón de horas divididas entre preparar sus charlas, las clases en sí, los seminarios, las calificaciones y la peregrinación habitual desde el verdor de Hampstead, en la Northern line, hasta el punto donde se mezclaba con las multitudes grises y atareadas del centro de la ciudad.

Ahora que había renunciado al ámbito académico para escribir, se sentía a la deriva, sin ningún punto fijo en medio de un mar de dudas, un esclavo de su teclado y del brillo desdeñoso de la pantalla del ordenador mientras se esforzaba por encontrar no tanto la inspiración como las palabras adecuadas.

Tenía un largo día por delante cuyo vacío era como un pozo profundo de tentaciones desde el momento en que lograba cumplir su objetivo diario de páginas. En algunas ocasiones todo fluía y, como siempre había sido madrugador, llegaba a ese punto de liberación a media mañana y entonces se permitía un desayuno tardío como recompensa por un trabajo bien hecho. Sin embargo, otros días el trabajo resultaba una tarea laboriosa más llena de palabras borradas que de líneas nuevas.

Pero siempre había sido una persona muy disciplinada y se concentraba en la tarea que tenía entre manos mientras que el oasis, al final del largo esfuerzo, suponía la perspectiva de relajadas playas de tiempo libre en el que podía leer, ver películas en DVD sin sentirse culpable o, por regla general, explorar los recovecos de Internet con una mezcla de recreo indiferente y cierto interés por las mujeres con las que se topaba.

Con cada nombre que aparecía en la pantalla Dominik recordaba los episodios en los que habían aparecido otras mujeres con el mismo nombre, o con otro nombre –todas se habían difuminado en su memoria–, y que lo habían convertido en el hombre que era ahora. Christel, la *au pair* alemana que vivía en una buhardilla, que era al menos diez años mayor que él y por la que había suspirado desde el momento en que se duchó en su presencia sin importarle que él mirara (ni tampoco su erección), y el fin de semana en que había corrido como un loco en su busca, yendo y viniendo de su residencia en el albergue juvenil a través del Vallée de Chevreuse. O Catherine, quien había tenido el privilegio de ser la primera en romperle el corazón cuando averiguó que se había acostado con otro, la primera de una seductora procesión de Catherines, Kats, Cats, Kates y Kathryns. Y también estuvo Maryann, la estudiante de intercambio norteamericana a quien podía hacerle lo que quisiera siempre y cuando no le tocara los pechos, seguida de Danielle, cuyos apetitos sexuales lo habían asustado al principio y a la que había abandonado vergonzosamente cuando ella más lo necesitaba. Aida, que se la chupaba como nadie, con un apetito insaciable... La lista era larga. Rhoona, que quería que la azotaran. Parvin, que insistía en dejarse la blusa puesta porque se avergonzaba de la redondez de su vientre. Rebecca, que siempre se echaba a llorar cuando se corría y se sumía en una depresión profunda y prometía que la próxima vez no le ocurriría, pero siempre pasaba lo mismo, cómo no.

Y luego estuvo Kathryn, por supuesto.

Después de ella todo había cambiado.

La forma en que sus ojos verdes le habían rogado que la agarrara con fuerza del cuello mientras hacían el amor. Las súplicas para que actuara con dureza y la llevara al límite, para que le sujetara los brazos hasta que sus dedos le dejaban marcas en las muñecas, que le tirara del pelo sin compasión mientras la penetraba por detrás, que le mordisqueara los pezones juguetonamente. La petición constante y silenciosa de explorar nuevas fronteras.

Había un antes y un después de Kathryn.

Y él había empezado a imponerse en el dormitorio, o allí donde tuviera lugar el sexo. Dominaba a sus amantes por instinto, y descubrió, para su gran sorpresa inicial, que eran muchas las mujeres que no sentían rechazo y que incluso agradecían esa nueva faceta suya, como Claudia.

Todo ello le había conducido a Summer.

Dominik suspiró y empezó a hacer clic distraídamente en algunos de los perfiles de la página web de contactos en la que había entrado por la fuerza de la costumbre al desplegar la larga columna de marcadores del ordenador.

¿Víctimas dispuestas o depredadoras? ¿O personas normales como él, sujetas a una telaraña de compulsiones que seducían sus mentes con fantasías inconfesables y obsesiones?

Hacía mucho tiempo que aprendió a guiarse por las palabras y los pensamientos que aparecían entre las líneas de los perfiles y se había vuelto un experto en reconocer a los bichos raros, impostores y bromistas. También había adquirido por costumbre –una costumbre un tanto esnob, era consciente de ello, pero la regla rara vez lo había defraudado– pasar de largo cualquier perfil o anuncio que estuviera mal escrito o que presentara una gramática particularmente mala. Él prefería que sus polvos supieran leer y escribir, y si esa faceta elitista de su carácter excluía a una buena proporción de las mujeres sumisas en busca de dominación, podía vivir con ello sin lamentarlo demasiado.

Absorto en sus pensamientos, Dominik estaba a punto de abandonar los callejones misteriosos y sombríos de la web cuando se abrió una ventana en su pantalla indicando que tenía un correo proveniente de su página en Facebook.

Por lo visto, era una admiradora a la que le había gustado su novela y que le enviaba una nota elogiosa. Aunque la novela había disfrutado de un éxito mínimo, recibir cartas de los lectores era una cosa poco común y apeló a su vanidad.

Decía los tópicos habituales sobre lo mucho que le había gustado la historia y que se identificaba con la protagonista femenina principal, en la que veía mucho de sí misma. Dominik sonrió. Era un consuelo que la gente aún leyera la novela. Él la sentía ya muy lejana en el tiempo.

A la izquierda de la pantalla había un punto verde que indicaba que quien lo enviaba no solamente tenía el mismo proveedor de correo sino que además todavía estaba conectado. Dominik tecleó un mensaje.

«Gracias por tus amables palabras, Liana.»

La respuesta le llegó de inmediato.

«De nada, la historia me encantó, de verdad. La encontré muy conmovedora. ¡Y ahora estoy hablando contigo...!»

Dominik quedó intrigado y pronto una cosa llevó a la otra. Consideró brevemente la cuestión ética y decidió que la relación entre un escritor y una lectora era legítima y no tenía ninguna similitud, ni moral ni de otro tipo, con la relación entre profesor y alumna. Se tranquilizó diciéndose que era todo lo contrario.

Era una joven que a juzgar por la fotografía del perfil tendría unos veinticinco años. Eso si la imagen era reciente, claro está. Le dijo que trabajaba de oficinista en Brighton. Las últimas fotografías que se había ofrecido a enviarle tras unos días de conversaciones, por regla general inocentes, habían pasado a ser coquetas y provocadoras, explícitas y comedidas, y carecían de vulgaridad a pesar de no ser profesionales. Un indicio de pecho, una media luna de trasero con señales de magulladuras o marcas antiguas, una composición borrosa casi abstracta que, tras examinarla con más detenimiento, resultó ser un primer plano de unos rizos púbicos pelirrojos tomado desde un ángulo que a primera vista les daba la apariencia de un paisaje extraño y seductor. Ella sacaba a relucir continuamente el hecho de que tenía muchas cosas en común con Elena, su heroína, a pesar de las diferencias de nacionalidad, época y circunstancias. Cuando Dominik le preguntó si estas claras insinuaciones significaban que era sumisa sexualmente, su respuesta iluminó la pantalla.

«Sí.»

El corazón le dio un vuelco. ¿Podría ser una oportunidad de volver a empezar? ¿De hacer las cosas bien esta vez?

«¿Y tú, eres amo?»

«Tal vez», respondió él, coqueteando.

Cuando una mujer daba demasiados detalles sobre sus gustos, necesidades y deseos, normalmente recelaba. Cuanto más escribían sobre prácticas sexuales fuera de lo corriente, desde el *bondage* y las ataduras a la asfixia, cuerdas, collares, degradación, humillación o cualquiera que fuera el deseo del día, más indicaba eso que en realidad era poco probable que lo llevaran a cabo llegado el momento. A él le parecía que un menú más limitado tenía más clase, era más auténtico y acorde con la vida real.

Liana era interesante. Seguía dejando caer insinuaciones manifiestas, pero también contenían un matiz de humor y la capacidad de reírse de sí misma. Presentaba todos los elementos adecuados para atraer su atención.

Llevaban ya un par de semanas chateando amistosamente *online* e intercambiándose correos y a Dominik empezaba a apetecerle la idea de tener una aventura. En cierto modo no esperaba que aquello pudiera resultar el amor de su vida, sino que lo ayudara a desterrar el fantasma y los recuerdos de Summer de una vez por todas.

«¿Tienes alguna foto en la que se te vea la cara, por favor?»

Dominik se había abstenido a propósito de publicar su fotografía en la contra del libro y en Facebook tenía una imagen ambigua porque en aquel momento se decantó por una forma de anonimato misterioso.

Quizá fuera en ese punto cuando la perdería. A Dominik nunca le había gustado que lo captaran las lentes fotográficas y resultaba sorprendente las pocas fotos que tenía de él.

Descargó una de esas imágenes poco frecuentes, una fotografía que se había hecho unos años atrás para adjuntarla a su solicitud del puesto de becario en Nueva York, y pulsó Enviar.

Una vez más, había un cincuenta por ciento de posibilidades de que ella se desconectara si Dominik no encajaba en su criterio por alguna razón que él no llegaría a saber jamás. En cuanto ella viera al hombre que había tras el escritor.

Aguardó con los dedos inmóviles sobre el teclado y la mirada fija en la imagen que había abierto de la nalga magullada de la chica, del moratón que había ampliado a pantalla completa y en cuyas manchas amarillas, pardas y púrpuras, colores que se fundían unos con otros, buscaba despreocupado algún patrón. En aquel momento parecía una obra de arte moderno. Enigmática, aleatoria. Como una nube borrosa que se descompusiera y volviera a formarse. Un salvapantallas.

Llegó la respuesta.

«Estás bueno. ¿Y debería llamarte "señor"?»

«Me halagas. Pero no es necesario que me llames "señor". No soy de esa clase de amos. Lo que importa no son las palabras.»

«Bien. Siempre me ha parecido ridículo que muchos tíos exijan que te dirijas a ellos de esa forma cuando solo has chateado con ellos unas cuantas líneas y ni siquiera los conoces en persona.»

«Una chica que comparte mis gustos.»

«Quizá esto podría ser el comienzo de una gran amistad.»

Dominik sonrió.

El tren cruzó a toda velocidad los South Downs y al aproximarse a la caverna de acero de la estación de Brighton, Dominik olió el mar y oyó las gaviotas plateadas aleteando en lo alto. Había pasado una eternidad desde la última vez que estuvo allí con la excusa de una conferencia. La única ocasión en la que Kathryn había podido escapar de casa y de su marido y pasar con él un par de noches excepcionales. Tal vez fuera ese el motivo por el que no había vuelto. Los recuerdos. No es que hubieran visto gran cosa de la ciudad más allá del mundo privado de la habitación de hotel, aparte de algún recorrido por el paseo marítimo y la zona de las Lanes, y comidas apresuradas en marisquerías.

Tenía lugar una gran convención en la ciudad y la mayoría de los hoteles importantes estaban llenos, pero había conseguido una habitación en uno de los modernos «hotel boutique» que se llamaba El Pelirocco, situado en Regency Square. Cada una de las habitaciones tenía un tema distinto y a él le habían asignado una cuya decoración evocaba una alcoba de mujer en la que dominaban los tonos rojos y rosados y con un estampado de ropa interior femenina, un surtido de formas, tamaños y géneros que adornaba las paredes en lugar de los tradicionales cuadros o grabados. Resultaba un tanto abrumador y en absoluto incongruente, pero hizo que una sonrisa asomara a su rostro, teniendo en cuenta la naturaleza de su visita a Brighton.

Habían acordado encontrarse primero en territorio neutral, junto a un puesto de pescado y patatas fritas a la entrada del malecón. Cuando le preguntó cómo la reconocería dado que su cara no siempre se distinguía con claridad en las fotos que le había enviado, ella repuso en broma que no le resultaría difícil. Esto, por supuesto, le brindaba la oportunidad de no establecer contacto con él si al verlo en persona por primera vez no le gustaba.

Dominik llegó con unos minutos de antelación y estaba pensando si darse el gusto de unas patatas cuando una voz alegre lo saludó.

—Hola, ¿Dominik?

—Liana, supongo.

—¿Acaso esperas a alguien más? —pareció divertida.

—¿Tienes un nombre verdadero? —le preguntó.

—Liana.

—Bien.

Era menuda, casi flacucha a primera vista, pero con un porte erguido y decidido bajo el peso de una mochila descomunal que llevaba sujeta a los hombros y que mantenía su equilibrio, con una melena castaña despeinada, casi de chico, que coronaba sus rasgos delicados. Llevaba una gargantilla fina de seda en torno al cuello. En otra mujer hubiera parecido un signo de afectación o un intento inapropiado de ir a la moda; en ella sugería mucho más. Solo un indicio. Dominik supo entonces lo que ella había querido decir. Sin embargo, y contrariamente a lo que se esperaba, no iba vestida con cuero negro ni con vaqueros desgarrados para exacerbar un espíritu punk, sino con una blusa de algodón beis sorprendentemente recatada y una falda plisada marrón más oscuro que le llegaba justo por debajo de las rodillas. En las muñecas lucía unos brazaletes finos de plata idénticos. Y estaba claro que se sentía segura con su baja estatura puesto que calzaba unas bailarinas planas.

Tenía unas facciones pícaras que le daban un aspecto mucho más joven de lo que probablemente era, una nariz pequeña y respingona, un mentón poco pronunciado pero unos labios carnosos y colorados, unos ojos profundos verde oscuro y unos círculos naturales de rubor escarlata, como los de Blancanieves, que resaltaban sus pómulos prominentes. A Dominik le pareció que tenía una figura bonita, aunque la blusa suelta ocultaba sus curvas.

Liana lo miró.

–¿Te gusta lo que ves? ¿De momento? –le preguntó.

–Sí.

Durante los últimos días Dominik había ensayado mentalmente la situación muchas veces, e imaginado algunos de los juegos con los que podrían deleitarse y cómo podía sacar lo mejor de la innegable naturaleza de Liana, hacerla suya como era debido. Nunca había sabido cuál era el protocolo en aquellas situaciones en las que siempre se sentía desconcertado. ¿Debía ofrecerle algo de beber, un café o algo más fuerte, y entablar una conversación inofensiva para retrasar el momento inevitable de cruzar la frontera de la intimidad? ¿Caminar por el paseo marítimo como una pareja de verdad? ¿O acaso deberían dirigirse directamente al hotel, situado a apenas ochocientos metros siguiendo la costa en dirección a Hove? Quizá alguien debería escribir un libro algún día sobre lo que hay que hacer y lo que no en los encuentros BDSM.

La habitación.

Liana estaba apretujada contra él en el estrecho ascensor que los llevaba al último piso y la mochila que llevaba a la espalda restringía sus movimientos.

–Bésame –le ordenó Dominik.

Ella se puso de puntillas y él bajó los labios para encontrar los suyos. Sabía a chicle de menta.

–La habitación no la elegí yo; era la única que quedaba. Sé que es un poco ridículo –se disculpó mientras abría la puerta y dejaba pasar a Liana, que al entrar vio la llamativa decoración.

–¡Vaya! –exclamó mirando el despliegue de sujetadores y tangas enmarcados que rodeaban las paredes de la pequeña habitación como una hilera de objetos expuestos en un museo–. ¡Qué chulo! Aunque me temo que la mayoría no parecen ser de mi talla…

Se quitó de los hombros las correas de la mochila y la dejó caer en el suelo.

–¿Qué llevas ahí dentro, todas tus pertenencias mortales? –preguntó Dominik.

–No –contestó ella–. Son cosas, ya sabes. Unos juguetes…

–Un poco presuntuoso por tu parte, ¿no? ¿Dije yo que tenías que traer algo?

–Por nuestras charlas supuse que seguramente tú no tendrías…

–Puede que no los necesitemos.

–Ah… –sonrió.

Dominik dejó las llaves de la habitación en la mesita de noche y se volvió a mirar a la chica.

–Bueno, déjame que te vea. Desnúdate.

–¿Ahora?

–Ahora.

Ella le dirigió una mirada vacilante y se dio cuenta de que habían llegado a un punto de no retorno.

–Tal como acordamos –dijo la mujer con firmeza, reforzando su determinación–. Nada de marcas permanentes, ¿eh?

–Entendido. ¿Y tú recuerdas la palabra de seguridad?

–Por supuesto.

Liana se quitó la ropa hasta quedarse solo con la fina tira de seda en torno al cuello y las pulseras a juego en las muñecas.

Era delgada y frágil pero de proporciones hermosas. El valle que conducía a sus pechos pequeños estaba salpicado de pecas, al igual que sus antebrazos; sus pezones eran de un sutil tono rojizo, sus muslos blanquecinos y se había rasurado el pubis desde la foto que le había enviado, por lo que pudo distinguir una serie de *piercings* genitales. Un anillo minúsculo le brotaba del mismísimo clítoris y, debajo, otros dos aros de acero más grandes parecían separarle los labios del sexo.

Dominik contuvo el aliento.

Era consciente de que podía haberse pasado horas enteras contemplando la intrincada geometría de su vulva y su paisaje privado ciberpunk de carne y acero, presa de fascinación.

–Date la vuelta –le ordenó.

Ella giró sobre un pie como una bailarina que ensayara los movimientos en el escenario.

Los glúteos estrechos de la mujer ya estaban libres de magulladuras antiguas.

–Inclínate.

Liana siguió las instrucciones, movió los pies arrastrándolos por la fina alfombra de la habitación y se inclinó hacia delante formando un ángulo de noventa grados, con el pecho paralelo al suelo y el trasero expuesto de forma prominente, con la línea oscura que separaba las nalgas como una frontera cortada a cuchillo, recta e inviolable.

–Separa las piernas.

Ella obedeció.

Dominik se acercó a Liana, le pasó la mano entre los muslos y notó el calor, extendió un dedo para apreciar lo húmeda que estaba, lo deslizó dentro de ella para probar su ardor, rozó los aros y tiró suavemente de uno de los adornos. Al hacerlo, oyó y notó que Liana contenía el aliento.

Sintió el impulso de azotarle las nalgas con mucha fuerza pero resistió. Tenía todo el tiempo del mundo. No había prisa. Ella ya se había sometido. Una parte de él se preguntó por qué; aún era un desconocido. Lo mismo que ella para él. Ansiaba oír la historia de esa mujer, todos los pequeños pasos que la habían llevado hasta aquel momento y aquel lugar. La historia de todos los hombres que la habían tocado y la habían convertido en quien era. Cada uno de los grados que aumentó su sumisión en un camino con destino desconocido.

–Ábrete con las manos –le indicó con voz áspera.

Liana permaneció inclinada y se llevó las manos atrás para separarse las nalgas, con lo cual proporcionó a Dominik una vista perfecta de su ano, de las líneas concéntricas y los pliegues que lo rodeaban como un objetivo y de su vagina rosada como el coral.

Era un espectáculo del que sabía que nunca se cansaría.

–¿Quién es tu amo ahora? –le preguntó a la joven que permanecía de espaldas a él totalmente expuesta.

–Tú eres mi amo.

–¿Y ahora qué quieres? –le preguntó.

–Quiero que me utilices, que me folles.

–¿Por qué?

Por un breve momento quedó desconcertada, como si no hubiera estado preparada para la pregunta.

–Porque hace que me sienta viva –dijo al fin.

–¿Viva? –preguntó él.

–Sí –contestó–. No puedo explicarlo. Es la forma en que me siento cuando un hombre me desea de esta manera. Sé que para algunos no tiene sentido. Supongo que soy así y ya está… –Se le fue apagando la voz.

–Levántate.

La joven se incorporó y abandonó la posición expuesta en la que había estado. Se volvió hacia Dominik con las piernas todavía muy separadas.

Dominik la miró a los ojos. Se trataba de la misma combinación curiosa de vergüenza, anhelo, orgullo y excitación que con tanta frecuencia había visto en los ojos de Kathryn. Y en los de Summer.

–Ven.

Liana se acercó a él. Tenía los pezones duros y notó su roce en la camisa. Dominik bajó las manos y le tocó el trasero. Para ser una mujer tan delgada su blandura era exquisita. Volvió a pasarle la mano entre las piernas, sujetó el pequeño aro que le atravesaba el clítoris y lo presionó con fuerza. Liana se estremeció.

–¿Cuánto tiempo hace que llevas estos aros? –le preguntó.

–Menos de un año.

–¿Fue decisión tuya?

–No en el sentido estricto… –Vaciló, como si fuera reacia a confirmar las sospechas de Dominik.

–¿De quién entonces?

–Estuve con un amo durante unos meses. Lo conocí en un club fetichista de Londres.

–¿Y?

–Me ordenó que me hiciera los *piercings*. Primero los labios y por último el clítoris.

–¿Te dolió?

–El del clítoris muchísimo. El chico del salón de tatuajes que me lo hizo me dijo que solo iba a pasar la aguja a través de la capucha del clítoris, solo un inofensivo colgajo de carne, y me causó mucha impresión. Estuve a punto de desmayarme de dolor.

–Uf…

–Mi amo quería ir aún más lejos. Quería que me perforara el periné, y entonces él me pondría una chapa metálica de identificación, ¿sabes? Como las placas de los soldados. Grabaría su nombre en ella o, por lo menos, algo que indicara que yo era de su propiedad. Pero rompimos antes de hacerlo.

–Pero te dejaste los otros *piercings*, ¿eh?

–Sí. Soy lo que soy –dijo Liana con un firme deje de orgullo.

Pensativo, Dominik bajó la mirada a la cabeza de la joven.

En aquel momento la deseaba muchísimo, aunque sabía que ella ya estaba a su servicio y que solo tenía que decir una palabra y el sexo sería otra transacción entre adultos que consienten. Pero una sensación remota y persistente le decía también que quería algo más que sexo. Liana era del tipo de mujer sumisa a la que él, más que tener o utilizar sexualmente, quería poseer por completo, en cuerpo y mente. Comprender su forma de ser. Por qué la esencia de su sumisión era también, precisamente, la belleza que lo atraía. ¡Maldición!

¿Por qué se complicaba tanto la vida?

Al menos estaba el sexo. Suspiró.

–De rodillas –le indicó.

Ella se arrodilló, comprendió sus instrucciones y llevó la mano al cinturón para empezar a desabrocharle los pantalones.

Dominik cerró los ojos al sentir que ella le sacaba el pene de los calzoncillos y lo introducía en el ardiente calor de su boca.

La chica tenía talento y Dominik se corrió enseguida. Sin aguardar más instrucciones, Liana se tragó su semen con avidez.

Apartó la cabeza de la entrepierna de Dominik y se hizo un momento de silencio tumultuoso mientras ambos consideraban lo que estaba a punto de suceder a continuación. La ventana de la habitación del hotel estaba entreabierta y el sonido de las gaviotas argénteas, que volaban como locas por la línea de la playa, estalló en una bulla ensordecedora.

–Ponte en la cama. A gatas –ordenó Dominik.

Liana se levantó del suelo. Tenía las rodillas sonrosadas por la posición en la que había estado. Se dirigió a la cama y se colocó en ella de espaldas a Dominik, tal y como él esperaba que hiciera, mostrándole el trasero.

Dominik se desnudó y dejó la ropa en el suelo de cualquier manera.

Tenía la mirada fija en el capullo de rosa que era el ano de la joven.

Se preguntó brevemente si tal vez sería demasiado grueso para ella, demasiado grande, considerando lo menudo que era su cuerpo, la forma en que le sobresalían los huesos pélvicos en aquella postura.

Se puso un condón y subió a la cama, que crujió bajo su peso. Se situó en cuclillas encima de Liana, con el pene semierecto rozando la parte baja de su espalda en una parodia de caricia amorosa. No había llevado lubricante y, a regañadientes, se obligó a romper la naturaleza tensa del momento preguntándole a ella si tenía alguno en su mochila de delicias desconocidas. Sí tenía. Se puso un poco en los dedos y en la prieta abertura de la joven y los acercó para extender la humedad por su esfínter anal.

De repente sintió el impulso irresistible de besarla otra vez, de notar el sabor de su aliento en la boca. Se inclinó para acercarse pero, en la posición en que estaba, listo para penetrarla, no llegaba a sus labios. En lugar de besarla deslizó la lengua por el lóbulo de su oreja izquierda, y estaba a punto de mordisquearla con afecto cuando percibió la fragancia de su cabello. Fue como si le clavaran un puñal en el corazón.

No era un perfume en concreto, más bien la reminiscencia del champú que había utilizado para lavarse el corto cabello castaño antes de salir para su encuentro. Aquel vago perfume estaba sazonado con su propio aroma natural, una mezcla sutil de especias, almizcle y notas florales verdes, el olor de una mujer.

Un olor que Dominik reconocería en cualquier parte.

El mismo olor que Summer.

Un millón de recuerdos afluyeron a él como un torrente, arrastrando consigo emociones encontradas.

Si ahora cerraba los ojos podría fingir que estaba follando con Summer.

Pero no quería fingir.

Se dio cuenta de que su pene se había quedado flácido y que el condón pendía de un hilo de su miembro marchito.

Notó que Liana se tensaba bajo él, como si su propio cuerpo se hubiera percatado del cambio en las circunstancias.

–¿Qué pasa? –le preguntó.

–Nada –respondió Dominik, pero sabía que sería incapaz de seguir–. Es que no va a salir bien –se disculpó y se apartó de ella y de la cama.

–Por favor… –Liana empezó a rogarle mientras observaba a Dominik que se vestía a toda prisa, ajeno a la desnudez y al estado de excitación de la joven.

–Lo siento, lo siento mucho –fue lo único que pudo decir. ¿Cómo podía explicárselo sin empeorar las cosas?

Más tarde, tras haber apaciguado a la desconcertada Liana y de haberle pagado un taxi que la llevara a casa a modo de disculpa, Dominik tuvo la necesidad de respirar aire fresco, aunque solo fuera para disipar la densa nube de confusión que rodeaba su mente, y se dirigió hacia la playa. Todavía era media tarde. Aquel día el tiempo había pasado muy despacio.

El mar tenía un aspecto plomizo, se extendía hacia un horizonte gris y unas líneas blancas salpicaban su superficie, las ruinas del viejo muelle oeste que emergía de las olas durmientes como el esqueleto de algún animal prehistórico oxidado.

Turistas y asistentes ociosos al congreso compartían el paseo marítimo con niños y corredores, esquivando a los ciclistas que circulaban a toda velocidad por un carril mal señalizado como si fuera suyo. Dominik sintió un vacío en el estómago y cuando le sonaron las tripas recordó que no había comido nada en todo el día, pues salió a toda prisa de casa para tomar el tren en Waterloo sin desayunar. Se acordó del puesto de pescado con patatas fritas situado en la entrada del muelle del Palacio y se encaminó en esa dirección. Anduvo con paso enérgico junto a la serie de hoteles, dejó atrás el Metropole, la mole de cemento del Centro de Conferencias de Brighton y el Old Ship antes de cruzar hacia el muelle.

Las patatas lo reconfortaron y lo hicieron entrar en calor tanto física como psicológicamente, fueron un alimento para el alma, un reconstituyente poco sofisticado pero necesario. Las engulló con rapidez sin dejar ni las migas y estuvo tentado de subir dando un paseo por West Street en busca de una pequeña librería de segunda mano que visitó en una ocasión diez años atrás. Había decidido que se quedaría a pasar la noche allí dado que la habitación en el Pelirocco ya estaba pagada y no tenía ninguna prisa por volver a Londres.

Estaba a punto de doblar la esquina cuando le llamó la atención una multitud de carteles expuestos a las puertas del Brighton Centre. Además de acoger conferencias y convenciones, el edificio de aspecto laberíntico también era un importante centro de conciertos e incluso se podía patinar sobre hielo en verano.

Allí había visto a los Arcade Fire una vez que no pudo conseguir entradas para su actuación en Londres porque se agotaron. Quizá escuchar un poco de música aquella noche sirviera para aclararle las ideas. Sin embargo, ninguno de los carteles expuestos fuera parecía ser para aquella noche. Entró en el local y buscó la taquilla.

Sí, había un concierto programado para esa noche, pero no estaba muy anunciado, aunque le dijeron que había entradas a la venta. Le señalaron que eran bastante baratas puesto que la banda que tocaba consideraba su actuación como una especie de calentamiento, el ensayo de una posible gira lejos de las miradas entrometidas de la prensa y los fans.

—¿Tienen nombre al menos? —le preguntó Dominik a la cajera.

—Sí, por supuesto —respondió ella, una mujer desaliñada de mediana edad, que sacó un pequeño folleto y se lo entregó. La mujer le leyó lo que ponía—. Se llaman Groucho Nights. No puedo decir que haya oído hablar del grupo. Tienen a una violinista clásica que toca con ellos. —Miró la letra menuda con ojos de miope—. Tiene un nombre extranjero...

Dominik agarró el folleto.

«Con la colaboración de Summer Zahova.»

Se quedó un momento inmóvil, en silencio, atónito.

—Groucho Nights, con la colaboración de Summer Zahova. Una única noche, primer concierto en el Reino Unido antes de su gira europea.

—Su primera actuación conjunta.

—Entonces, ¿quiere una entrada? —La voz de la cajera lo devolvió a la realidad.

—Sí, sí, claro.

Le dio el dinero.

El concierto empezaba a las ocho y media. Faltaban casi cinco horas.

Estaba a punto de salir otra vez a la calle cuando se le ocurrió una idea.

Volvió sobre sus pasos y preguntó a la cajera, que en aquel momento estaba leyendo una revista del corazón, si la banda había llegado ya y si sabía si estaban haciendo pruebas de sonido.

—¿Cómo quiere que lo sepa? —Fue su respuesta desganada—. En el primer piso hay un encargado. Tal vez él pueda ayudarlo.

Dominik subió por las escaleras a toda prisa y buscó la oficina en la que podrían responder a su pregunta.

Lo fueron mandando de un funcionario cuadriculado a otro hasta que al final encontró a un tipo que parecía saber de lo que hablaba, pero a quien le habían advertido que los ensayos eran estrictamente privados y no se permitía que ningún miembro del público los presenciara.

–Pero ¿ya están aquí los músicos? –preguntó Dominik.

Y justo en aquel momento llegó a sus oídos el sonido amortiguado de un violín amplificado, o quizá solo fuera una guitarra, que subía con las alas invisibles de una canción desde las profundidades lejanas del edificio.

–¿Son ellos? Ya han empezado a ensayar, ¿verdad?

El otro hombre asintió.

–Necesito ver a uno de los músicos, a la violinista, se llama Summer Zahova –insistió Dominik.

–No se les puede molestar –le explicó.

–Ella me conoce. Vendrá, ya lo verás. Te lo prometo.

–Escucha, amigo, sencillamente no es posible.

Dominik sacó un billete de veinte libras de la cartera y se lo ofreció al empleado del centro con la sensación de ser un cliché andante.

–Dile que soy Dominik y que necesito hablar con ella. Si vuelve contigo te daré otro billete.

El joven pareció dudar pero se guardó el dinero en el bolsillo.

–Quédate aquí –dijo–. No te prometo nada. Solo espero que no se quejen si los molesto durante el ensayo. Pero veré qué puedo hacer. –Se dirigió a las escaleras dando saltitos.

Dominik se quedó allí plantado y los sonidos de la música llegaban a sus oídos con fuerza, amortiguados, rotos, dominados por el golpeteo sordo de la batería y el bajo que ahogaban cualquier sentido de melodía.

Tuvo la sensación de que pasaba una eternidad esperando.

La música distante finalizó, o tal vez se hubiera ido desvaneciendo, resonando hasta apagarse.

Tenía la mirada fija en las escaleras que llevaban al vestíbulo del centro y a espacios subterráneos para actuaciones, pero no subía nadie.

Dominik estaba de espaldas al ascensor y percibió el sonido de una ráfaga de aire cuando la cabina llegó al piso en el que se encontraba. Se dio la vuelta. La puerta se abrió.

—Ya está.

El empleado salió con una sonrisa en la cara. Seguido por Summer.

Llevaba unos vaqueros estrechos y ceñidos y una sencilla blusa de seda blanca, su cabello era la habitual jungla de rizos encendidos. No había cambiado ni un ápice. Lo miró sin decir nada.

El empleado del centro también lo miró con aire expectante. Dominik salió bruscamente de su ensueño, recordó su promesa y metió la mano en el bolsillo interior de la chaqueta, sacó otro billete y se lo dio al muchacho.

—Gracias, amigo.

El hombre se alejó y los dejó solos.

Ninguno de los dos había pronunciado aún una sola palabra.

Se miraron en silencio, vacilantes, indecisos, como si compitieran para ver quién hablaría primero. Los pensamientos chocaban en la mente de ambos, como un reactor nuclear precipitándose y girando desbocado fuera de control.

Fue Dominik quien al fin cayó en la cuenta de que tenía que tomar la iniciativa.

—Hola.

—Hola. —Lo dijo en voz baja, en tono inquisitivo.

—Resulta que estoy en Brighton y por verdadera casualidad me enteré de que tocabas aquí esta noche…

–Sí, no se ha anunciado mucho. Es lo que queríamos. Lejos de miradas entrometidas. Para ver cómo encajaríamos como grupo.

–Entonces, es un adiós a la música clásica, ¿no?

–No, no, en absoluto –protestó ella, preocupada por si se llevaba una impresión equivocada y desaprobaba sus acciones de algún modo–. Solo es un período sabático, ¿sabes? Me estaba quedando un poco estancada y pensé que salir de gira con el grupo de Chris podría venirme bien.

–¿Chris es Groucho Nights?

–Sí. Se cambiaron el nombre. Tenían la sensación de que Brother & Cousin sonaba demasiado folk y necesitaban un cambio de dirección… –Se le fue apagando la voz al darse cuenta de que no era ese el rumbo que quería que tomara la conversación.

–Tienes un aspecto magnífico –dijo Dominik–. ¿Qué tal estás?

–Bien. ¿Y tú?

–Espero que no esté interrumpiendo vuestro ensayo.

–No pasa nada. Estábamos a punto de terminar con las pruebas de sonido. Era hora de tomarnos un descanso. Pero tengo que volver a entrar pronto. Los técnicos me necesitan para probar la iluminación.

–Ah… ¿Tienes tiempo para tomar un café al menos?

–Supongo que puedo tomarme media hora. No estoy con el grupo durante toda la actuación. Solo la segunda parte. Muchas de las canciones son demasiado fuertes para el violín. Ya las tenían dominadas antes de que yo me presentara. Como ellos dicen, solo soy la artista invitada. Sea lo que sea lo que signifique.

–Parece divertido.

–Creo que hay un bar en alguna parte del edificio. Deberíamos ir a ver dónde está.

Fueron en busca de cafeína.

Un muro de silencio se alzó de nuevo entre ellos dos mientras sorbían lentamente los cafés insípidos de la máquina expendedora que había en la cafetería desierta.

Fue Summer quien reinició la conversación.

–Nueva York… Lamento mucho lo de Nueva York.

–Yo también –repuso Dominik a regañadientes.

–No debería haber ido; ahora lo sé. Pero ocurrió. No quiero justificarme, Dominik.

–Sí, son cosas que pasan. Yo tampoco tendría que haber estado allí.

–Pero estabas.

–Estaba.

–Pasé unos días conmocionada. Pero cuando fui al *loft* de Spring Street te habías ido. Habías regresado a Londres…

–Esperé un poco, luego pensé que era lo mejor que podía hacer.

–Lo comprendo.

–Bueno, dime, ¿qué tal es Nueva York? –preguntó–. En un artículo de una revista leí que ahora estás con Simón. Tiene sentido. Muchas cosas en común. Musicalmente hablando…

–He dejado Nueva York –comentó Summer mirándolo directamente a los ojos–. Regresé a Londres hace apenas unas semanas.

–No lo sabía.

–Necesitaba cambiar de aires. Quedé otra vez con Chris y los chicos y decidimos que tocaríamos juntos una temporada. El concierto de hoy no es más que un calentamiento extraoficial para una breve gira europea. Nuevas ciudades, nueva música. En cierto modo es un experimento.

–¿Y qué opina Simón al respecto? –inquirió Dominik.

–No está involucrado. Rompimos.

Se hizo un momento de silencio mientras Dominik asimilaba la noticia.

Al notar lo impasible de su reacción, Summer se sintió obligada a seguir hablando.

–Aunque desde hace poco tengo una relación con otra persona. Otra de esas cosas. Yo no andaba buscando nada, ni a nadie, pero nos encontramos y conectamos, por así decirlo. Es Viggo Franck. El cantante y guitarrista. Es probable que hayas oído hablar de él, ¿no?

Dominik asintió.

–Y tú –continuó Summer–, ¿estás con alguien ahora mismo?

Dominik sabía que no tenía que haber dicho eso, pero lo dijo de todos modos. Aún estaba procesando las implicaciones de Viggo Franck y el demonio que llevaba dentro parecía tener el control de su lengua.

–Lauralynn vive conmigo. Te acuerdas de ella, ¿verdad?

–Es un encanto –comentó Summer con una sonrisa forzada–. Me cae muy bien.

–Bien –dijo él. Y añadió en tono sarcástico–: Me alegro de que lo apruebes.

Ella pasó por alto su comentario mordaz.

Ahora los dos sostenían las tazas de plástico vacías de café. Ninguno de ellos quería hacer otro viaje a la máquina expendedora.

–Y esta gira europea, ¿dónde empieza? –preguntó Dominik al fin.

–En París. Dentro de dos semanas.

–¿Tienes ganas?

–Sí, pero Chris y yo aún no estamos del todo satisfechos con el sonido que tenemos. Falta algo. No sabemos exactamente el qué. Viggo dice que más brío.

–¿Ahora es vuestro asesor musical?

–Ha tomado a Chris y al grupo bajo su protección. También consiguió que firmaran un contrato con su sello discográfico. ¡Ah! ¿Te acuerdas de Fran?

–De tu hermana, sí. La mencionabas a menudo.

–También ha venido a Londres. Ahora vivimos juntas. Nos alojamos en casa de Chris, en Camden Town, mientras busco algo más permanente para mí. De momento la cosa funciona bastante bien.

–Asombroso –admitió Dominik con una falta de entusiasmo visible, indiferente al tono anecdótico con que se desarrollaba el encuentro–. ¿Aún tocas el Bailly? –le preguntó.

A Summer se le ensombreció el semblante.

–No.

–¿Por qué?

–Me lo han robado.

–¡Qué! ¿Cuándo, dónde?

–Desde que estoy en Londres. Desapareció en un concierto de un vestuario estrechamente vigilado. Me quedé destrozada. Lo siento muchísimo. Sé que también significaba mucho para ti…

Dominik suspiró. No fue tan solo por la noticia de la desaparición del violín sino al oír que hacía una concesión a la vida de antes.

Entonces Dominik no pudo controlar lo que dijo por impulso, pero le salió del corazón.

–Tú también significabas mucho para mí, Summer…

Sus miradas se encontraron.

Summer se vio incapaz de sostenérsela y parpadeó primero.

–Ya lo sé… –repuso casi en un susurro.

–De todos modos me alegro de verte. He querido ponerme en contacto contigo muchas veces, pero nunca conseguía reunir la fortaleza mental necesaria para hacerlo.

–Yo también.

–Pero me alegro de que todo te vaya tan bien. Aparte de lo del Bailly, claro. Debió de ser un golpe terrible.

–Fue espantoso.

–Me lo imagino. Desde entonces averigüé un montón de historias curiosas sobre el Bailly. ¿Sabías que también se llama el Angelique?

–No. ¿Y eso?

–Mucha superstición y leyendas urbanas, sin duda. Encontré la información investigando en otro libro… –Al decir esto, Dominik cayó en la cuenta de que aún no se había mencionado la novela de París en su vacilante conversación.

–Me gustó tu novela, Dominik. De verdad –dijo Summer.

–No te importó…

–¿Que me utilizaras como inspiración para el personaje? En absoluto. Fue una idea encantadora. Aunque no es que yo hubiera hecho todas las cosas que hace Elena en tu historia.

Dominik sonrió y se sintió embargado por una oleada de alivio.

Ella, la batería de los Groucho Nights, entró en la cafetería y los interrumpió.

–Ah, estás aquí, Sum. Te he estado buscando por todas partes. Te necesitan abajo, los técnicos dicen que no pueden terminar con la iluminación si no estás en tu sitio.

–En el foco de atención, ¿eh? –comentó Dominik.

Summer se levantó de la mesa tambaleante.

–Deberíamos estar en contacto –dijo–. Sé que ahora los dos tenemos vidas distintas. Nuevas parejas, amantes. Pero seguro que podemos ser amigos. Otra vez, ¿no?

–Me gustaría –repuso Dominik.

Summer ya se estaba alejando cuando se dio la vuelta y añadió:

–Y quizá puedas ayudarme a encontrar el violín. ¿Cómo se llamaba?

–El Angelique.

–Dices que existen muchas historias sobre él. Tal vez nos den una pista sobre su paradero, ¿no?

–Si puedo ayudarte lo haré. En todo lo que esté en mi mano.

–Tengo algunas sospechas. Pero es un tanto delicado, ¿sabes? La verdad es que ahora no puedo explicártelo. Escucha… llámame, mi número sigue siendo el mismo. Podemos hablar de ello.

Su cabello pelirrojo se perdió de vista cuando bajó por las escaleras, meneando el trasero redondo bajo la tela vaquera en perfecta armonía mientras su perfume flotaba en el aire. Dominik inhaló profundamente e intentó calmar su corazón palpitante.

–*Ciao* –dijo entre dientes, aunque sabía que ella ya no podía oírlo. Y no fue un adiós, daba la sensación de que era un hola una vez más.

7

De violines y cámaras

Perder el Bailly fue como desprenderme de la mitad de mi alma.

Durante unos días tuve la sensación de que no volvería a ser capaz de tocar la misma música.

No era solamente por el sonido único que con tanta facilidad había logrado arrancar de sus cuerdas, sino por todas las asociaciones que el instrumento tenía con mi pasado reciente en Londres y Nueva York.

Viggo dijo que estaba furioso por la pérdida del violín y se culpaba por no haber dispuesto más medidas de seguridad en la Academy, que era donde suponíamos que lo habían robado en algún momento entre nuestra llegada, cuando como una idiota lo dejé en la sala privada junto con el resto del equipo de la banda, y cuando abandonamos el local para ir a la fiesta de Viggo.

Yo me sentía muy culpable por haberlo dejado y me reprochaba mi falta de cuidado.

Pero en los períodos oscuros de la noche, en las horas en que las sombras rondaban mi mente y mi dormitorio, no podía evitar preguntarme qué era lo que guardaba Viggo detrás de aquella puerta cerrada del sótano, la única habitación bien asegurada de la casa.

Parecía una proposición descabellada. Aquel hombre tenía dinero suficiente para comprar un centenar de Baillys. Podría haber empapelado la casa con ellos si quisiera. No era capaz de imaginar por qué iba a querer mi violín por encima de todos los demás, aun cuando este tuviera una historia inusual tal como había sugerido Dominik.

Sin embargo, la idea persistía en lo más profundo de mi mente y podría haber sido una de las razones por las que entablé, lo que podría llamarse, una especie de relación con la estrella de rock y con Luba, su seductora y etérea compañera.

Mantener una relación con dos personas al mismo tiempo no resultaba tan extraño como podría suponerse. Pasábamos la mayor parte del tiempo dentro de casa sin salir, porque me aterrorizaba que nos fotografiaran a los tres juntos y aparecer en la prensa del corazón como parte de un *ménage à trois*.

Viggo tenía un tiempo de descanso entre el trabajo en el estudio para el nuevo álbum de su banda y la próxima gira, y Luba no parecía tener ningún empleo habitual ni nada por el estilo, aparte de ser la asistente personal improvisada de Viggo. Era como una versión menos remilgada de Pepper Potts en las películas de Iron Man, siempre a mano para complacer sus caprichos. Tenían una relación que nunca supe definir con exactitud.

Luba era una mujer sumamente segura de sí misma y no parecía mostrar el más mínimo indicio de celos; yo tampoco, lo cual resultaba sorprendente. La cama de Viggo era enorme y eso resolvía el primer problema que por norma general surgiría, el de que cupiera más gente con comodidad. La casa era inmensa, de modo que cada uno de nosotros teníamos espacio de sobra si nos cansábamos de los demás, o si dos querían una intimidad especial.

Este arreglo se adecuaba particularmente bien al temperamento de Viggo. Mientras que yo creía que muchos hombres podrían oponerse a la perspectiva de mantener entretenidas a dos mujeres, él parecía tener un deseo casi inagotable de hacer que ambas nos corriéramos repetidas veces, y un aguante peculiar tanto para hacer el amor como para manejar juguetes sexuales. Luba era como un niño en una tienda de chucherías; me trataba como si yo fuera un nuevo juguete que había que explorar, posiblemente para desecharlo en algún momento futuro cuando apareciera otra cosa más excitante. Y yo me limitaba a disfrutar de verme satisfecha físicamente de un modo casi permanente.

Casi permanente, porque aún había una pequeña parte de mí que anhelaba a Dominik. Apareció de improviso antes de nuestra actuación en Brighton. Yo había aguantado el tipo, pero cuando se marchó tuve que tomarme un descanso de quince minutos antes de poder incorporarme a los ensayos, porque las manos me temblaban de tal forma que no hubiera podido ni sostener el arco. Dominik se veía con otra persona, con Lauralynn, la rubia alta con quien en una ocasión yo hice de dómina en su piso del oeste de Londres. Tanto Lauralynn como yo nos habíamos puesto un dildo con un arnés y mantuvimos relaciones sexuales con un hombre sumiso en la cama de ella. Ambas íbamos completamente vestidas y él estaba desnudo. La experiencia me había resultado educativa, aunque no precisamente excitante.

Le hablé a Dominik de Viggo sin pensar, incluso cuando en realidad no veía esa relación a tres más que como una diversión pasajera. Si él podía seguir adelante, yo también.

Pero eso no impedía que pensara en él. En su olor particular, a jabón y nada más, sin colonia. En sus expresiones educadas y anticuadas que en ocasiones resultaban exasperantes. Su acento, a veces difícil de ubicar –tenía dejes de su infancia en el extranjero de la que nunca hablaba– y otras veces sumamente británico, hasta resultar esnob. Su postura erguida y sus hombros anchos fruto de años de un entrenamiento atlético que le había proporcionado una firmeza que no había perdido, a pesar de que no parecía esforzarse en absoluto por mantenerse en forma. La marcada línea de la mandíbula y la boca sensual. La suavidad de su piel. Su pene, que para mí era perfecto. Tan recto y grande, con un tono uniforme.

Lo que más echaba de menos era su imaginación perversa y esa forma que tenía de mantenerme siempre en ascuas, de modo que nunca sabía qué tenía reservado. Eso hizo que nuestra relación, a pesar de todos sus defectos, pareciera muy viva. Dominik era un reto. Me hacía hacer cosas que no pensaba que podía o querría hacer. Me hacía sentir completa, de alguna forma conseguía unir mi mente a mi cuerpo de un modo que solo lo había hecho la música; estando con él era consciente de todas sus palabras y de todas sus caricias.

Además, parecía comprenderme como ninguno de los hombres con los que había salido. Yo sabía que Simón quiso hacerlo, y tal vez lo hiciera, pero nuestros caminos eran distintos y teníamos unos planes de futuro cuya combinación no hubiera resultado. Probablemente Viggo estaba más cerca de conseguirlo, pero aunque era de muy buena pasta, carecía de empatía. En ocasiones me miraba igual que podría contemplarse a un pez de colores en una pecera y yo me preguntaba si en realidad pensaba en mí como en una persona o como lo hacía Luba, como su nuevo juguete, una cosa bonita y nueva que añadir a su colección, con la que entretenerse durante un tiempo.

Aquella mañana había quedado con Fran. Como ella trabajaba por las noches y yo pasaba la mayor parte del tiempo en casa de Viggo, no nos habíamos visto mucho.

Nos encontramos en Verde & Co., un café diminuto en el mercado de Spitalfields en el que hacían el mejor café de la zona y que, sin duda, era comparable con los que yo consideraba los mejores de Londres. Semejantes etiquetas eran objeto de un debate encarnizado por parte de otros neozelandeses y australianos que conocía y que parecían olvidar que los italianos ya habían creado el *espresso* mucho antes de que nosotros inventáramos el *flat white*, el capuchino de las antípodas.

Fran ya estaba allí cuando llegué, sentada en uno de los taburetes de madera admirando los tarros de cristal de mermelada, apilados e iluminados desde atrás de manera que la mezcla de su interior brillaba en unos tonos cálidos de rojo, naranja y amarillo dependiendo de la fruta que contenían.

Todas las superficies de la tienda estaban cubiertas de toda clase de productos: pastas italianas especiales, secadas en formas inusuales para quienes estaban acostumbrados a las variedades más corrientes de los supermercados; cestos de mimbre llenos de cerezas, melocotones o lo que fuera propio de la temporada; una fuente de plata con terrones de azúcar y pinzas para cogerlos. Y por supuesto, la vitrina llena de los dulces más hermosos: bombones Pierre Marcolini de todas las formas y sabores expuestos de una forma que prometía que cada bocado sería más sabroso que el anterior.

Era uno de mis lugares favoritos en Londres y siempre me había gustado mirar los bombones a través del cristal sin llegar a comprar ninguno. Disfrutaba de la emoción de un placer imaginado y negado pero siempre al alcance de la mano. Me gustaba aquella sensación de deseo, aun cuando este nunca se materializara.

–Bonito lugar –comentó Fran. Me había visto venir y ya había pedido y pagado los cafés en el mostrador.

–Gracias por el café –le dije–, pero deja de comprarme cosas, tú cobras diez libras la hora y yo estoy forrada.

–Sabía que dirías eso –repuso ella al tiempo que iba cogiendo terrones de azúcar y echándolos en la pequeña taza, lo cual me recordó la costumbre que tenía Dominik de endulzar sus bebidas al máximo. Últimamente cualquier detalle me recordaba a él.

–¿Desde cuándo tomas azúcar?

–Desde que vi estos terrones tan bonitos. Esto es azúcar de lujo. No existe en Te Aroha.

–Pero sabe igual. Bueno, ¿cómo estás?

–Igual que hace quince días. El bar es muy divertido. El trabajo es duro, pero es una buena manera de conocer gente.

–¿Sigues buscando un sitio para vivir?

–La verdad es que no. Estoy muy a gusto con Chris… A fin de cuentas, me buscará una sustituta si tú no vuelves. ¿Vas a volver? ¿Cómo es la vida con una estrella de rock? Chris me ha dicho que sales también con la bailarina. ¿Cómo funciona eso?

–Decir que salgo con ella quizá sea demasiado. No voy a llevarlos a casa a los dos por Navidad ni mucho menos.

–¿Te lo imaginas? Nuestros padres estarían muy orgullosos –dijo con una risa tonta.

–La gente lo hace… Un trío no es algo tan raro.

–Lo es en el lugar del que venimos.

–Yo no estaría tan segura. Lo que pasa es que en las ciudades pequeñas la gente se cuida más de esconder lo que hace.

Regresó la camarera con una porción grande de tarta de limón que Fran había pedido y dejó el plato entre las dos.

–Tiene una pinta deliciosa –dije. La llegada de la tarta había desviado el hilo de mis pensamientos–. Así pues, ¿no te preocupa «el exceso de equipaje de Heathrow»? –El aumento de peso era un problema común para los viajeros que llegaban al Reino Unido, y que con aquel clima más frío se sentían tentados a abandonar los deportes al aire libre, que practicaban antes de llegar, en beneficio de las pintas de cerveza y las comidas en los pubs.

Fran se burló de mí.

–Cómete la dichosa tarta –dijo, y empujó la cucharilla hacia mí–, y cuéntame más cosas sobre la vida roquera. Quiero saberlo todo. ¿No te has fijado nunca en que yo vivo mi vida indirectamente a través de ti? Hazme esta concesión al menos.

—¿Indirectamente a través de mí? ¿No te estás acostando con Dagur, el batería?

—Por desgracia no. Sí que acabamos en la cama juntos pero para entonces ya estábamos comatosos después de los cócteles. Me desperté a su lado con la ropa puesta.

—¿Y no le pediste el teléfono?

—Él me lo pidió a mí. Pero no me interesan los músicos de rock.

—¿En serio? ¿Ni siquiera Chris? —le dije en broma.

—Bueno, no me interesan la mayoría.

Se había ruborizado.

Hice caso omiso del sonido de mi teléfono cuando empezó a sonar y Fran aprovechó la oportunidad para cambiar de tema sacándomelo del bolsillo y dándomelo.

—Es una llamada internacional, siempre son importantes. Contesta.

Era un número de Nueva York, lo cual implicaba que era Simón o Susan. Lo más probable es que fuera ella, puesto que la última vez que supe de Simón todavía estaba en Venezuela y Susan ya debía de estar en pie de guerra porque aún no había respondido a sus correos electrónicos para explicarle mi paradero.

Bajé del taburete, salí afuera apresuradamente y contesté a la llamada justo antes de que saltara el buzón de voz.

—¿Diga?

—Summer, ¿dónde diablos estás y qué estás haciendo?

Era Susan.

—Sigo en Londres. Me estoy tomando un respiro, nada más.

—Eso era lo que yo creía, hasta que me enteré por un pajarito de que tus actuaciones de rock improvisadas en Londres y Brighton han suscitado críticas entusiastas. La prensa se ha enterado y va a salir un artículo sobre tu supuesta rebelión roquera. La niña mimada de la música clásica que se vuelve salvaje y todo eso…

—Solo estaba tocando con un amigo.

—Bueno, pues necesito dar la vuelta a estas cosas, a menos que quieras que te etiqueten como una intérprete clásica que está sufriendo un colapso en su carrera.

—Me robaron el violín —dije con un hilo de voz, al borde de las lágrimas.

—Lamento oír eso. Pero seguro que con el dinero de los derechos de autor tienes suficiente para comprarte uno nuevo, ¿no? Si te has gastado todo el dinero en zapatos es probable que pueda llegar a un acuerdo con un patrocinador.

—Para la música clásica no es lo mismo. No puedo afrontar la perspectiva de volver al escenario sin el Bailly.

—Bueno, supongo que no es necesario que sea un escenario clásico. ¿Qué me dices de esta banda con la que estás tocando?

—Groucho Nights. Fueron teloneros de Viggo Franck y The Holy Criminals. Es probable que hayas oído hablar de él. Los está ayudando a organizar una gira europea.

—Por supuesto que lo conozco. Según dice la prensa, se acuesta con la mitad de las famosas del mundo. Estupendo. Puedes tocar con ellos. Pero por lo que más quieras, que no te saquen una foto saliendo de un bar con Viggo Franck, al menos antes de que haya empezado a promocionar tu paso al estrellato del rock. De hecho…, ¿todavía estás en contacto con ese fotógrafo que te hizo la foto para el concierto de Nueva York?

Habían pasado más de dos años desde que Simón organizó lo del cartel en el que salía desnuda de cuello para abajo, con el violín tapándome los pechos y el pubis, y que hizo que se agotaran las entradas de mi primer concierto. Susan tenía buena memoria.

—No, se fue a vivir a Australia, creo. —Me acordé del fotógrafo que me hizo la foto en el Torture Garden con Fran y

Chris hacía unas semanas. Al menos él sería discreto–. Pero puede que conozca a otro.

–Bien. Entonces ya está decidido. Ahora voy a llamar al mánager de Franck. Deja que yo lo organice. Si también quieres ser una estrella de rock hay que hacer las cosas bien.

Colgó antes de que tuviera oportunidad de protestar.

Volví a sentarme al lado de Fran un poco aturdida. A fin de cuentas, quizá fuera una suerte que aún no hubiera encontrado piso, pues por lo visto iba a volver a irme de gira.

–¿Y bien? ¿Qué pasa? –me preguntó Fran con mirada inquisitiva.

–Mi agente quiere que vaya de gira con Chris y la banda.

–¡Pues es una gran idea! A Chris le encantaría que tocaras con él. No deja de hablar de ello. Se lleva bien con Ted y Ella, por supuesto, pero tú eres su mejor amiga, Sum. Deberías considerarlo.

–¿Considerarlo? No creo que dependa de mí, en realidad. Mi agente ya está llamando a la agente de Chris, y Susan es capaz de acosar a quien haga falta hasta conseguir lo que quiere. Pero puede que sea demasiado tarde, se van dentro de unos días. Tendrían que hacer declaraciones de última hora, organizar el equipo para mí, la promoción, de todo...

–Tampoco es que sean los Rolling Stones. Son unos cuantos conciertos en Europa, sí, pero no es el fin del mundo. Estoy segura de que podrán arreglarlo, y si Viggo les dice que lo hagan no tendrán alternativa.

–Supongo.

–Aunque me quedaré un poco colgada si los dos estáis fuera. Me pregunto qué hará Chris con el piso.

–Siempre podrías venir con nosotros. Voy a necesitar un mánager para la gira y, por lo que yo sé, los Groucho Nights también. Podríamos ponerte en nómina. Y así conocerías un poco Europa. Y me harías compañía. Estás capacitada para hacer este tipo de cosas, has trabajado en la banca. Podrías hacerlo.

A Fran se le iluminó el rostro como si le acabara de dar un billete de lotería premiado y gritó tanto que sobresaltó a la camarera.

—¡Oh, sería fantástico, me encantaría!

—Cálmate… A veces juraría que tienes veintiún años. Y todavía no hay nada confirmado. Para empezar, ni siquiera tengo instrumento.

—¡Cielos, es verdad! ¿De modo que todavía no ha aparecido? ¿Y de qué va esto de no contárselo a la Policía?

—A Viggo le preocupa que investiguen a los miembros de su equipo. No quiere perder a su gente si se molestan por el hecho de que los acusen de robo. Y eso afectaría mucho su prima del seguro. Antes preferiría pagarme lo que vale el Bailly.

—Vaya mierda que lo robaran. Si hay alguien a quien no le haga gracia que lo investiguen, puede que sea el culpable.

—Pero es que a mí me da igual el dinero. Lo único que me importa es el violín. Era un regalo.

—Ah, sí. Chris me habló de ese tipo.

Fran enarcó una ceja con expresión recelosa.

—Vosotros dos habláis mucho. No sé si me parece bien.

—¿Sabe él que te lo han robado?

—¿Dominik? Sí. Por extraño que parezca, me lo encontré en Brighton. Estaba allí, vio los carteles de nuestro concierto y vino a saludarme. Ahora sale con otra persona. Pero mencionó algo sobre el violín. Me dijo que tenía una historia extraña. Está investigando sobre él para una novela. Le pedí que si se enteraba de algo me lo dijera, pero es muy poco probable.

—Llámalo.

—¿Qué? ¿Ahora?

—Ahora. Averigua si sabe algo. Conozco tu relación con los teléfonos, si no te obligo a hacerlo no lo harás nunca. Y no trates de fingir que borraste su número.

–Está bien.

Saqué el teléfono de nuevo, esta vez un poco ofendida, y no me molesté en abandonar mi asiento con la esperanza de que la conversación fuera corta.

El número de Dominik dio señal de llamada.

–Buzón de voz –dije con un deje triunfal.

–Bueno, pues deja un mensaje.

–Hola… Soy yo, Summer. –Me sentí ridícula, primero por dar por sentado que reconocería mi voz de inmediato y, segundo, por suponer que no lo haría y decir mi nombre. Hubo una pausa incómoda mientras volvía a centrarme y continué hablando–. Solo quería saber si había alguna novedad sobre el violín. Llámame. –Pulsé el botón de finalizar la llamada.

–¡Vaya, qué delicadeza!

–Cierra el pico.

Cuando llegamos de vuelta al apartamento, Chris ya se había enterado de la noticia y estaba exultante. Por lo visto, ni Susan ni Viggo habían perdido tiempo en tocar las teclas necesarias para que ocurriera. A primera hora de la tarde ya habían actualizado casi todos los escenarios de los conciertos y se habían puesto a trabajar en un nuevo material de promoción. Iba a ir de gira con los Groucho Nights de manera oficial como estrella invitada.

Pasamos los días siguientes en un frenesí de ensayos, repasando todos los viejos temas que solíamos tocar juntos y reajustando algunas de sus otras canciones en las que encajaba el violín. Hubo que cambiar un poco las cosas para darme tiempo suficiente en el escenario sin ahogar el sonido, y la dinámica en escena resultaba un tanto extraña con cuatro músicos en lugar de tres. Antes, Chris había sido el centro de atención, con Ted a su lado y, por supuesto, Ella detrás a la batería. La mayor parte del tiempo yo era un poco como la tercera en discordia y el sonido no siempre armonizaba bien.

Tras nuestra cuarta noche sucesiva de ensayos, estábamos de vuelta en el piso de Chris con un inexplicable malhumor.

Fran hacía pizza en la cocina. Llevaba horas confeccionando la masa y la salsa de tomate desde cero. El olor de la levadura y del ajo de la salsa inundaba el piso. Chris estaba sentado frente a mí en la mesa redonda de madera junto a la cocina, con los hombros hundidos y dando vueltas repetidamente a un tapón de rosca de cerveza entre el pulgar y el índice. Yo lo observaba y esperaba pacientemente, con los codos apoyados en la mesa y la barbilla en las manos.

–Falta algo –dijo en voz baja, casi para sí mismo.

Esperé que continuara hablando.

–El sonido…, no acaba de estar bien. No está equilibrado.

–Si no está bien no pasa nada, Chris. No es demasiado tarde para retirarme y que vayáis vosotros tres. No me sentiré ofendida, en serio.

Había una parte de mí que se sentía un poco molesta por dejarse llevar por Viggo y Susan. Lo de la fase roquera me había parecido como una rebelión, una idea magnífica para cambiar y descansar cuando se me ocurrió. Ahora que se había convertido en la idea de otros me sentía un poco triste por el hecho de que me arrancaran de mi sitio y me enviaran otra vez de gira, por mucha ilusión que me hiciera la perspectiva de pasar más tiempo con Chris.

–No, no eres tú. El violín es genial. Pero tengo la sensación de que necesitamos algo más.

–¿Más caña? –dijo Fran de sopetón desde la cocina.

Él se rio y la miró con cariño.

–No es mala idea, ¿sabes? –comentó ensimismado mientras mantenía el tapón de la cerveza en equilibrio sobre un dedo, absorto en sus pensamientos–. Todo este tiempo hemos estado pensando que necesitábamos menos, pero quizá necesitemos más.

–¿Más? ¿Más qué? ¿De dónde sacaríamos a los músicos?

–Nos hace falta otra capa de sonido. Pero con tan poca antelación tendría que ser gente que ya hubieran tocado juntos.

Seguía hablando para sí mismo, con la mirada fija en el vacío y sin molestarse siquiera en apartar aquellos rizos rebeldes que le caían sobre la frente.

La semilla de una idea empezó a arraigar en mi mente.

Antes de que pudiera nutrir dicha idea para darle cuerpo y expresarla, Fran apareció frente a nosotros llevando una fuente humeante de panecillos con parmesano crujiente por encima y una hoja de albahaca un poco chamuscada. Los había dispuesto en forma de pirámide.

–¡Vaya! –exclamó Chris–. Es lo más asombroso que he visto nunca.

Contuve una risita. Fran seguía pareciendo ajena al efecto que ejercía en él. Hacía unos cuantos años que conocía a Chris y nunca lo había visto comportarse así con nadie. Había empezado a plancharse las camisetas, incluso cuando no iba a salir de casa y a pesar de que Fran era una de las personas más desaliñadas que conocía y cuya ropa rara vez tocaba una percha, por no hablar de una tabla de planchar.

–Lo que necesitáis –repuso ella haciendo caso omiso del cumplido– es una o dos trompetas.

–Puede que os pueda ayudar con eso –añadí. Aún seguía en contacto con Marija y su esposo Baldo, los compañeros de piso con los que vivía en Nueva York antes de mudarme con Dominik. Marija tocaba la flauta en la orquesta, pero también había estudiado trompeta y era casi tan buena como Baldo con la suya; lo bastante buenos para lo que nos hacía falta, eso sin duda. Quizá no pudieran disponer de tiempo libre ni llegar allí con suficiente rapidez, pero sabía que estaban aburridos desde que Simón se marchó y lo sustituyó un director que, al parecer, era mucho más soso, por lo que tal vez les apeteciera pasar una temporada en una banda de rock.

Viggo estuvo de acuerdo en añadir una sección de metales y Susan movió algunos hilos para librar a Marija y Baldo de sus compromisos en Nueva York.

–Necesitaréis uno más –me dijo al día siguiente–, de modo que voy a mandar también a Alex.

Alex era el saxofonista con el que Marija había intentado liarme en una ocasión en una cita en la que yo acabé en casa de un agente de seguros que vivía en el Upper East, un apartamento lujoso que olía a salmón. A Dominik la situación le había parecido divertida, y Alex, por suerte, no se había ofendido demasiado porque se las arregló para ligar con otra chica en el bar mientras yo flirteaba con Derek en la terraza.

Los tres volarían directamente a París. Tendrían el tiempo justo para recuperarse del desfase horario y dispondríamos de cosa de un día para ensayar apresuradamente antes del primer concierto, programado en La Cigale, en el Boulevard Rochechouart. Había estado en París en una ocasión, unos cuatro años antes, pero no tuve mucho tiempo para hacer turismo. Aun así, guardaba buenos recuerdos, aunque vagos, de la ciudad. Íbamos a alojarnos en una zona que no conocía. Fran, en su nuevo papel de mánager de la gira, había organizado toda la estancia.

Lo único que tenía que hacer era preparar el equipaje y asistir a la sesión de fotos en la que Susan tenía tanto interés. Era demasiado tarde para hacer nuevos carteles, pero Susan tenía pensado enviar algunas de las fotos a críticos y revistas musicales, al menos para mantener a raya los rumores de que yo había perdido el norte o que me había descarriado e impulsar el cambio en mi carrera como una nueva dirección temporal. Ella creía que el personaje roquero podría añadir un poco de sensualidad, que tal vez beneficiara las ventas de mis álbumes clásicos. Susan siempre se había mostrado entusiasta en cuanto a promocionar mi atractivo sexual y quedó muy contenta con el fotógrafo que le sugerí, Jack Grayson. Tenía experiencia en moda y estaba detrás de algunas sesiones fotográficas subidas de tono de algunos famosos. También había hecho una exposición de desnudos artísticos en una galería de Londres, que saltó a la palestra cuando apareció la Policía tras recibir quejas por parte de algunos miembros del público demasiado puritanos.

Busqué las imágenes por curiosidad. Me parecieron todas de muy buen gusto, aunque no dudaba que las personas más conservadoras podrían encontrarlas escandalosas. Una que me llamó especialmente la atención mostraba a una mujer inclinada sobre un montón de libros con una fresa que le asomaba por el trasero. Tras ella había otra mujer sentada, supuestamente responsable de la ubicación de la fresa. Me moría de ganas de preguntarle a Jack –o Grayson, como lo llamaban– cómo había conseguido que la fresa no se moviera del sitio, pero parecía una conversación más apropiada para otro momento, quizá tomando una cerveza.

Grayson vivía y trabajaba en una antigua escuela reformada, no muy lejos del estudio amueblado de Whitechapel en el que yo vivía cuando conocí a Dominik. Me ofreció un café al llegar y me lo bebí mientras miraba por el balcón, que daba a un cementerio y a una iglesia del siglo XVII. La presencia de la muerte y la religión aportaban un tono sombrío a su decoración que, por lo demás, resultaba un tanto femenina. El interior estaba decorado en tonos crema, con toda una serie de sillas ornamentadas repartidas por el lugar y jarrones altos con flores.

La habitación que utilizaba como estudio principal estaba llena de focos, telones de fondo y otras piezas que no supe identificar, junto con unos discos grandes y unas planchas plateadas para reflejar la luz.

Jack parecía otra persona sin la ropa de látex. Llevaba unos vaqueros y una camiseta blanca y negra de los Bad Religion con una fotografía de una mujer desnuda que descansaba en un carrito de la compra. Su ayudante, Jess, estaba colocando sus productos de maquillaje y peluquería sobre la mesa de la cocina. Había tantos como para llenar una droguería, sin duda los suficientes como para llenar la maleta que le había visto subir a duras penas cuando llegué.

En realidad, yo nunca había posado para una sesión fotográfica, al menos no de manera oficial. Algunos hombres con los que había salido me hicieron fotos en cueros. Por suerte no intentaron vendérselas a la prensa cuando me hice famosa como solista, o bien a la prensa no le habían interesado. Una de ellas era la foto que le enseñé a Simón y que luego se transformó en el cartel de mi primer concierto en Nueva York. Tuve una breve aventura con un fotógrafo australiano que me hizo un par de fotos desnuda tocando el violín o sosteniéndolo cubriendo mis pechos. Pero nunca había posado bajo una iluminación de estudio profesional como aquel.

Grayson me había enviado un correo electrónico para confirmarlo todo de antemano. Era un correo estándar, que sin duda enviaba a todos sus clientes y en el que me informaba de la dirección, de cómo llegar y de lo que tenía que llevar. También me había pedido que le especificara con qué nivel de fotografía me encontraba cómoda. Si vestida, en ropa interior o desnuda. En su correo decía que él prefería ser claro de entrada antes de arriesgarse a que una modelo se sintiera incómoda en el momento de la sesión o que hiciera algo que pudiera lamentar después.

No debía ir acompañada, puesto que podría distraerme e influir en mi forma de posar, pero su ayudante experta en maquillaje estaría presente en todo momento, de modo que no me sentiría incómoda. Estaba claro que no era un bicho raro ni uno de esos «tipos con cámara» de los que había oído hablar, y que al parecer invitaban a chicas a falsas sesiones fotográficas cuando lo único que querían en realidad era ver cómo se desnudaban. Yo pagaba para que la sesión fuera de uso personal y Susan me había dicho en términos muy claros que no debía firmar ningún formulario de autorización para modelos si me lo pedían, así el fotógrafo no podría vender mis fotos sin mi consentimiento expreso.

Le contesté explicando a grandes rasgos el tipo de fotografías que queríamos y añadí que me sentía totalmente cómoda con los desnudos. Susan me había sugerido que todo tenía que quedar dentro de los límites del buen gusto y que solo se utilizarían las imágenes más discretas para la promoción.

—¿Has traído algún conjunto? —me preguntó al tiempo que me quitaba la taza de café vacía de las manos y la dejaba en el fregadero.

—Unos cuantos —respondí hurgando en la enorme bolsa que había llevado. Tenía una mezcla de ropa mía y de Fran, casi todo de una talla demasiado pequeña pero que serviría si no quedaba más remedio. Un par de mallas con acabado brillante, una cazadora de cuero, un par de vestidos, las botas altas hasta las muslos de Fran y los zapatos en los que había tirado la casa por la ventana, como recompensa por el éxito de mi primera gira: un par de Louboutin cubiertos de tachones plateados. En realidad ninguna de esas prendas era de mi estilo. Miré el despliegue de ropa. No me sugería una «chica roquera» sino una «dómina», pero Grayson parecía satisfecho con mi alijo.

—Y también querías hacerte algunas fotos semidesnuda, solo con el violín, ¿verdad?

—Sí —contesté. Ya había empezado a pensar en la perspectiva de desnudarme y la voz me salió en forma de chillido excitado. Me dije que eran los nervios, aunque un atisbo de exhibicionismo enterrado mucho tiempo atrás afloró a la superficie. Me había desnudado en público algunas veces y disfrutado con ello, pero dichas ocasiones siempre fueron el resultado de una orden, bien por parte de Dominik o de Victor, el dominante con el que estuve en Nueva York.

–Empezaremos haciendo primero las fotos con ropa, para que vayas entrando en situación.

Su actitud era amable, pero tan profesional que rayaba en la frialdad, como si hubiera pasado su vida laboral realizando un esfuerzo deliberado para no mostrarse seductor bajo ninguna circunstancia. Me resultaba extraño llevarme la bolsa con la ropa al baño para cambiarme cuando el espejo estaba en el salón cerca de donde se había instalado la maquilladora, y además de todas formas los dos iban a verme desnuda más tarde.

Así pues, me cambié delante de ellos; me quité la blusa por la cabeza, me bajé la falda, aparté ambas prendas de una patada como si lo hiciera todos los días, mientras charlaba de trivialidades para intentar parecer relajada. Ninguno de ellos me prestaba la más mínima atención pero yo seguía sintiéndome incómoda.

Para empezar, me puse las mallas brillantes, los Louboutin y la cazadora de cuero encima de un sujetador negro. Fran y yo habíamos hecho una especie de prueba de vestuario y decidimos que aquella combinación era la que daba un aire más roquero.

Pasamos casi una hora con el maquillaje y el peinado y al terminar apenas me reconocí. Mis ojos tenían una mirada provocadora bajo la capa de un grueso *eyeliner* negro, sombra gris y unas pestañas postizas tan largas que al abrir los ojos me rozaban las cejas. Jess me había alisado el pelo y peinado con un copete alto. Había resaltado el contorno del rostro con varios tarros de polvos que pusieron de relieve mis pómulos, que ahora parecían los de un gato. La verdad es que esto, combinado con la cazadora y las mallas, me daba un cierto aspecto de tía dura, de mujer fatal. La clase de chica que no presentarías a tu madre.

–Arquea un poco más la espalda. Eso es.

Al principio me costó un poco encontrarle el tranquillo a eso de posar, y Grayson, que en un primer momento mostró una paciencia infinita, acabó por rendirse y por colocarme él mismo los brazos y las piernas en posición. Cada vez que lo hacía yo notaba una lenta quemazón que me era familiar, tan solo un pensamiento vago, el reconocimiento de la manera en que él tomaba el control de mi cuerpo y que avivaba la llama de una idea vacilante hasta convertirla en todo un despliegue de fantasía. Antes de darme cuenta ya estaba respondiendo a sus instrucciones de la misma forma en que había respondido a las de Dominik. Cuesta mucho deshacerse de las viejas costumbres.

Grayson hizo un momento de pausa y fue pasando las fotos en la pantalla para comprobar su trabajo, mientras yo me esforzaba por no mover las piernas y mantener la espalda arqueada en el mismo ángulo para que él no tuviera que reajustar la luz.

–Prueba a quitarte el sujetador –dijo–. Creo que rompe la línea de tu piel.

–Oh, claro –respondí como si nada, e intenté soltar el cierre de atrás sin perder demasiado la posición en la que él había pasado un buen rato colocándome.

Hice todo lo posible por disimular mi reacción porque no quería que el fotógrafo se sintiera incómodo, pero cuando llegamos a las fotografías desnuda tenía los pezones erectos y las bragas mojadas.

–No –me dijo cuando empecé a quitarme los Louboutin–, no te quites los zapatos.

Dominik me había dicho exactamente lo mismo en una ocasión, cuando actué para él desnuda en la cripta, con Lauralynn que tocaba el violonchelo detrás de mí con los ojos vendados. El recuerdo provocó que otra intensa punzada de deseo recorriera mi cuerpo, aunque no iba dirigida a Grayson. Él estaba allí por casualidad, a la sombra de mis peculiares rarezas sexuales y del recuerdo de una relación anterior fracasada.

Tragué saliva con fuerza y traté de concentrarme en lo que estaba haciendo, o al menos intentar que mis pezones se sometieran a fuerza de voluntad. Ni siquiera podía fingir que tenía frío porque la calefacción estaba muy alta y hacía calor. Tampoco ayudaba el hecho de que Grayson fuera tan atractivo, tanto con su atuendo fetichista como sin él. Era alto y delgado, con ojos de un azul grisáceo y mirada amistosa que sonreían cuando hablaba. Su forma de sostener la cámara hacía que esta pareciera una prolongación de su cuerpo, igual que me sentía yo con un violín en las manos. Con su postura y su manera de moverse daba la impresión de controlar todos y cada uno de los detalles de la sesión.

Había colocado un telón de fondo oscuro y una sábana negra en el suelo. Yo estaba rodeada de luces que él ajustaba de manera que la mitad de mi cuerpo quedara sumido en la sombra para producir un efecto misterioso y artístico más que pornográfico. Una luz brillante me deslumbraba cada vez que se disparaba el *flash*, no tanto como para cegarme, pero sí lo suficiente como para concentrar la sensación de que me estaban observando, de que me hallaba expuesta, de que era el objetivo de un mirón y, aun cuando su propósito era profesional antes que sexual, el efecto sobre mí era el mismo. Me alegré de que Grayson estuviera totalmente concentrado en tomar la foto y de que en términos generales yo fuera un objeto al que colocar e iluminar de forma adecuada como también lo era el violín. Lo único que esperaba era que, cuando ampliara las fotos para retocarlas, no se fijara en que mis muslos empezaban a estar resbaladizos.

De vez en cuando Jess entraba en la habitación para ofrecernos otra taza de té, aplicarme un poco más de polvos en la cara o poner en su sitio un mechón de pelo rebelde. Tenía un tacto ligero como una pluma y estaba claro que había visto a muchas mujeres desnudas en su vida, tantas como para no mirar mi cuerpo dos veces. Yo siempre me había concentrado en ver lo bueno de mí misma y hacía todo lo posible por evitar leer revistas de dietas o reflexionar sobre cualquier defecto perceptible, pero seguía preguntándome cómo serían las otras mujeres a las que él solía fotografiar. Mi sensación me recordaba a la que tuve cuando Dominik me ordenó que bailara tras la increíble actuación de Luba en Nueva Orleans. Una fuerte sensación de aficionada jugando a ser algo que en realidad no era. Yo era músico, no modelo.

Pero la idea de verme atrapada en una situación sobre la que no ejercía el control, de estar fuera de lugar, de sentirme observada y a merced de las órdenes de otra persona…, todo esto no hacía más que intensificar mi excitación.

Hicimos unas cuantas fotos en las que posé de pie con el violín colocado con delicadeza y las manos y brazos de manera que taparan todas las partes que no podrían imprimirse en una revista para todos los públicos. Después, un par en las que salía sentada con las piernas separadas y el cuerpo del violín entre los muslos, la cabeza apoyada en el mástil del instrumento y la mirada perdida en la distancia con aire sentimental o bien mirando a la cámara con expresión provocativa. Por fin recordé lo que me contó sobre posar el fotógrafo australiano con el que salí un tiempo: tenía que intentar imaginar que sentía la emoción que quería transmitir; lo ideal era hacer que la cámara formara parte de ello. «Para parecer *sexy*, imagina que la lente de la cámara es un pene, o cualquier otra cosa que te sirva», me dijo.

Probé a hacerlo y volqué toda mi concentración y frustración directamente sobre la larga lente de Grayson en tanto que él iba disparando la cámara.

–¡Vaya! –exclamó al cabo de unas cuantas fotos–. Estas están geniales, pero no estoy seguro de que vayas a poder utilizarlas, depende del tipo de revista a la que pienses mandarlas, claro… Quizá podrías cerrar un poco las piernas, ¿eh?

–La verdad es que no me importaría que me sacaras algunas fotos un poco más personales. Solo para mí. –Noté que me ponía roja como un tomate–. Si eso está fuera de tus competencias de hoy no me importa pagarte aparte por ellas. Siempre y cuando no se lo menciones a mi agente.

–Veo que no bromeaban sobre tu rebelión roquera, ¿eh? –se rio–. Me complace hacer aquello con lo que te encuentres cómoda, y no te preocupes, tu secreto está a salvo conmigo.

A partir de ese momento me fui volviendo más y más atrevida, y me fui excitando cada vez más.

–Posa como si le estuvieras haciendo el amor al violín en lugar de a la cámara –me dijo.

Cambié mi enfoque de modo que, en lugar de ver su lente como el objeto de mi atención sexual, imaginé mi violín no como un pene sino como un recipiente de recuerdos, el núcleo de todas las experiencias que, quizá, no me habían hecho tal como era sino que habían conformado las pasarelas del camino por el que había elegido viajar. Los recuerdos de Dominik fueron los primeros que afluyeron a mi cabeza, y también los más poderosos, casi todos ellos estaban asociados con la música, con el Bailly. Ese violín había desaparecido, pero los recuerdos aún me pertenecían. Tocar para Dominik en el cenador de música de Hampstead Heath, en la cripta, en el apartamento de Nueva York, esperando a que volviera a casa y me encontrara desnuda con el violín en la mano. Había sido mi mensaje simbólico para decirle que una parte de mí era suya.

–Estas son extraordinarias –comentó Grayson al final, cuando fue pasando rápidamente las fotos que había descargado en la gran pantalla de su ordenador–. Avivaré los colores, quitaré el ruido, recortaré alguna que otra distracción de fondo y todas esas cosas, pero por lo demás no hay que retocarlas demasiado. Me gustan sin editar, tal como están.

–Sí. Son preciosas. Gracias. –Sentí una extraña gratitud hacia él por haber conseguido captar algo tan personal en una imagen. Lo que me encantó, lo que me hizo sofocar un grito cuando las fotografías aparecieron en la pantalla, fueron las expresiones de mi cara. Mis ojos tenían una mirada intensamente sexual, pero no de una forma sórdida como una estrella del porno. Parecía una sirena, como si todo mi ser estuviera compuesto de feromonas en lugar de átomos. Y sin duda daba la impresión de estar haciéndole el amor al violín.

Grayson prometió que me enviaría los archivos por correo electrónico para que pudiera seleccionar las que me gustaban más para retocarlas, y yo le di las gracias de nuevo y logré vestirme con el corazón acelerado y las manos torpes. Me había olvidado de la vergüenza de ser la única persona desnuda en la habitación delante del fotógrafo y la maquilladora. Lo único que quería era volver corriendo a casa, encontrar un poco de espacio a solas para ponderar los pensamientos y recuerdos que parecían haber arraigado en mi cabeza de forma permanente.

Como sabía que tanto si iba a casa de Chris y Fran como a la de Viggo tendría compañía, al salir del estudio de Grayson di un rodeo por el parque junto al cementerio. Me senté en uno de los bancos y me quedé mirando las antiguas piedras que formaban los cimientos de la iglesia que se elevaba hacia el cielo. Por regla general las iglesias me daban escalofríos, pero aquella no. Las piedras eran de un color gris pálido, casi blanco, y no estaban desmenuzadas ni cubiertas de musgo. Si lo estudiabas con más detenimiento, el edificio poseía cierta luminosidad, una grandeza que resultaba más inspiradora que sobrecogedora.

Busqué la entrada y me metí dentro. La puerta principal estaba cerrada con llave pero pude entrar en una sala grande y circular construida con las mismas piedras pálidas que se alzaban hacia el cielo varios pisos por encima de mi cabeza. Me apoyé contra una pared, disfruté de su tacto frío y fui deslizándome poco a poco hasta quedarme en cuclillas.

Deseaba a Dominik con desesperación. Y, por una vez en mi vida, no solamente para hacer el amor. Quería hablar con él, sentir cómo me estrechaba en sus brazos, apoyar la cabeza en su hombro y acariciarle el pecho con la mano. Solo quería estar con él.

Sin embargo, Dominik estaba con Lauralynn y ya era demasiado tarde para lamentarse. Yo me lo había buscado y ahora sufría las consecuencias.

Pero al menos podía oír el sonido de su voz y tal vez encontrar la manera de recuperar mi Bailly, el instrumento que, de algún modo, aún me conectaba a él.

Saqué el teléfono del bolso.

8

Melodías parisinas

Sonó el teléfono. Era Summer.

Dominik llevaba días esperando la llamada, desde que tomaron aquel café en Brighton. Debatiendo consigo mismo si debía llamarla o no. Ansiando oír el sonido de su voz, volver a sentirla cerca.

Pero nunca parecía ser un buen momento. Encontrarse con ella en Brighton fue una verdadera coincidencia, pero temía dar la sensación de que la acosaba si llamaba él primero.

Había marcado su número una y otra vez, desgarrado por dudas y vacilaciones. Se había puesto en contacto con LaValle y le contó lo del robo del violín. Su intención era reunir información sobre el probable mercado de instrumentos musicales robados. LaValle le dio el nombre de un intermediario que vivía a las afueras de París y que a veces facilitaba las cosas cuando se trataba de los aspectos legales del negocio. Al comerciante pareció divertirle enterarse de que el famoso Bailly seguía creando problemas, como si su robo otorgara más crédito a la leyenda del Angelique.

Dominik quería comentar las novedades con Summer. Aquel mismo día había alargado la mano con vacilación para coger el teléfono de la mesa como si fuera un pedazo de carbón encendido. Fue a dar un paseo por el parque de

Hampstead Health para despejarse la cabeza y al volver resultó que tenía un mensaje de ella. ¡Después de todo esto y no estaba cuando llamó! Y ahora, ¿cuánto debería tardar él en devolverle la llamada?

La vibración del teléfono que trastabilló sobre la mesa lo sacó de golpe de su ensueño.

—¿Dominik? —Dio la sensación de que la tenía justo allí a su lado.

—Sí.

—Soy yo, Summer.

—Esperaba que llamaras.

—¿En serio? —No pudo disimular su alegría al oír aquellas palabras.

—Por supuesto. ¿Sigue sin haber noticias del Bailly?

—No. —La decepción que encerraba esa única palabra era desgarradora.

—Me han dado el nombre de una persona que quizá pueda ayudar. Aunque implicará tener que ir a París.

—¡A París! —exclamó Summer—. Nosotros vamos a ir la semana que viene. A actuar. A inaugurar nuestra gira en La Cigale.

—Eso es genial —dijo Dominik.

—Si lo organizaras para ir al mismo tiempo podrías venir al concierto, sería estupendo. Haría que te incluyeran en la lista de invitados, por supuesto. ¿Vendrías? ¿Por favor?

—Me encantaría —respondió él.

—Después del concierto quizá podríamos quedar para ir a tomar un café y charlar tranquilamente. Me gustaría mucho, Dominik, de verdad.

—Siempre quise llevarte a París.

—Ya lo sé, pero nunca pudimos hacerlo, ¿verdad?

—¿No es un poco tarde ya? —dijo Dominik, que se quitó de encima una incipiente oleada de depresión—. ¿Viggo Franck también estará allí?

–Puede ser –contestó Summer–. Pero tenemos una… relación flexible, ya sabes.

–¿Flexible?

–En fin, solo será una conversación por los viejos tiempos. Estoy segura de que a Lauralynn no le importará, ¿verdad? Puedes traerla si crees que necesitas carabina –comentó Summer en broma.

–Lauralynn está en Estados Unidos. Asuntos familiares.

–Ah.

Reinó un profundo silencio mientras ambos consideraban la situación.

Dominik creyó oír que Summer tomaba aire al otro lado de la línea, como si estuviera haciendo acopio de determinación.

–Ven a París –dijo en tono calmado.

Dominik sonrió.

–Ahora ¿quién es la que da órdenes? –comentó con un deje divertido en la voz.

La oyó reírse en voz baja.

–Tal vez debería volver a tomar la iniciativa –sugirió.

–¿La iniciativa?

–Darte órdenes…

Por un instante, tuvo la sensación de haber ido demasiado lejos, de haberse tomado demasiadas libertades. Había pasado el tiempo, las cosas ya no eran las mismas. Aquel juego especial había terminado.

–¿Tal vez deberías? –La voz de Summer sonó curiosamente apagada. Era su voz de dormitorio. Su voz íntima, la que iba con el lápiz de labios más oscuro que se ponía por la noche.

–Mmm… –Dominik lo consideró–. No creo que pedirte que aparezcas desnuda en un escenario de París sea aconsejable en este momento –señaló–. Para empezar, habrá demasiados franceses entre el público.

Summer se rio.

175

–Quizá he llegado al punto en el que ya no tengo que recibir más órdenes ni sugerencias –dijo.

–¿Y eso qué significa?

–Ven a París, Dominik. Haré que pongan tu nombre en la lista. El concierto es en La Cigale, en el Boulevard Rochechouart. El día diecinueve. Los promotores dicen que es un buen local para tocar, que da muy buenas vibraciones.

–Iré –dijo él.

–Pensaré en algo –añadió Summer.

–Estoy seguro de ello –repuso Dominik, y el alivio fluyó por sus venas.

El tren Eurostar llegó tarde a la Gare du Nord tras unos retrasos técnicos inexplicables. Los colores del atardecer se extendían por el cielo de París cuando Dominik bajó del tren y se dirigió a la parada de taxis.

Dejó la bolsa de viaje en su hotel habitual de la Rue Monsieur-le-Prince, cerca del Odéon, y fue en busca de comida. A lo largo de los últimos años los restaurantes japoneses de moda habían colonizado toda aquella zona, por lo que no tuvo que alejarse más de unos minutos andando de la puerta del hotel.

Sabía que los promotores de la gira habían alojado a Summer y a los Groucho Nights al otro lado del Sena, pero cuesta mucho perder las viejas costumbres y él se sentía más cómodo en el barrio Latino, donde había pasado buena parte de su juventud. Su habitación era pequeña y austera, pero lo único que necesitaba era una cama y un techo bajo el que guarnecerse; cualquier otra cosa hubiera supuesto una distracción.

Dominik tenía intención de ponerse en contacto con el intermediario, el hombre que le había recomendado LaValle, a primera hora de la mañana siguiente.

En un primer momento, el hombre, que se hacía llamar Cavalier, se mostró receloso. Pero cuando Dominik le explicó que todas las preguntas estaban relacionadas con la investigación para una nueva novela, y le proporcionó detalles sobre su identidad, su interlocutor comenzó a encontrarlo agradable de pronto.

–Ah, un escritor. ¡Me gustan los escritores!

Él no había leído la novela de Dominik pero sí había oído hablar de ella. Paradójicamente, Francia era uno de los países en los que su novela parisina no se había vendido demasiado bien, como si a los lectores de allí les ofendiera el atrevimiento de un extranjero que escribía sobre su país.

Cavalier tenía una cita en la ciudad aquella misma tarde y accedió a encontrarse con Dominik para evitarle tomar un tren hasta su *pavillon* en Nogent-sur-Marne. Sugirió un café situado cerca del Boulevard Saint Germain, Les Éditeurs, un lugar literario, indicó, «donde hasta hay estantes llenos de libros por todas las paredes. ¿Gracioso, eh? Quizá tengan el suyo, ¿no?». Dicho café se encontraba a tan solo unos minutos a pie del hotel de Dominik, por lo que le resultó muy conveniente.

Tenía una sensación extraña al saber que en aquel momento se encontraba en la misma ciudad que Summer. Ella estaba al otro lado del río siguiendo con su vida. No le causaba la misma impresión el hecho de que, sin él saberlo, ella hubiera estado a un tiro de piedra de distancia, en Camden Town, en Londres, desde hacía ya varias semanas. París hacía que sintiera que aquello era real e irreal al mismo tiempo, una emoción profunda y agridulce.

–Hay coleccionistas de todos los colores, ¿sabe? –dijo Cavalier. Era más joven de lo que Dominik se había esperado. Un hombre menudo y flaco, con un cabello negro azabache peinado hacia atrás, que culminaba en una cola de caballo que asomaba por detrás de un sombrero ladeado. Llevaba una chaqueta a cuadros y unos pantalones oscuros planchados a la perfección, con la raya muy marcada.

–Yo también he llegado a esta conclusión –dijo Dominik, que mintió para participar en la conversación.

–Verá, no es por el dinero, esa no es la razón por la que se involucran en el robo y en toda clase de actividades ilegales. En cuanto algo cae en su poder no tienen intención de volver a venderlo, y mucho menos para sacar beneficio.

–Lo sé.

–Lo hacen por la belleza. Lisa y llanamente. Yo hasta conozco a ciertos coleccionistas de libros que acumulan ediciones raras porque sí. Si ni siquiera leen libros contemporáneos, qué decir de los que poseen.

–Yo estaba más interesado en el mercado clandestino de instrumentos musicales.

–Instrumentos, libros, obras de arte, joyas, alfombras, a ellos les da lo mismo –continuó Cavalier–. Para mí que es avaricia, pura avaricia. Los coleccionistas más ricos pueden incluso arreglar las cosas para que se roben objetos por encargo...

–¿Es ahí donde entra usted? –le preguntó Dominik.

–No sabría decirle –contestó Cavalier con una ancha sonrisa que adornó sus labios–. Yo estoy en el negocio de la información, nada más. Ayudo a todas las partes lo mejor que sé.

Tomó un sorbo de *pastis*. A Dominik, que estaba añadiendo agua y azúcar a su *citron pressé*, el olor le resultó repugnante.

–Dígame, ¿existe alguien conocido por buscar violines raros?

–¡Ah, ha ido al grano! Deje que lo adivine, ¿se trata del famoso Bailly de *monsieur* LaValle, el Angelique?

–Así es.

–¡Qué interesante! Un instrumento con una historia de lo más fascinante. ¿No es curioso cómo encuentran la forma de cumplirse a veces las historias?

–Sí. Es el material de las novelas. O de la vida...

–Exactamente.

–Según su experiencia, ¿podría haber alguien que estuviera buscando el instrumento? Por lo que me dijo el señor LaValle, me dio esa impresión.

–Bueno, por ahí siempre hay coleccionistas seducidos por una historia intrigante –repuso con aire pensativo–. Pero no puedo darle nombres concretos, ¿sabe? Como comprenderá, estoy obligado a mantener la confidencialidad.

–Por supuesto, soy consciente de eso, pero...

–Sin embargo, puedo decir una cosa.

–¿Sí?

–Hay un caballero en particular, un coleccionista conocido, no solamente de instrumentos sino que también coquetea con obras de arte, quien hace poco hizo eliminar de su lista el objeto que usted está investigando. Quizá se topó con él por casualidad y creyó que era mejor eliminar cualquier evidencia de su interés por él en el pasado.

–¿En serio?

–Bueno, no sería sensato mantener un objeto concreto en una lista de deseos cuando, por los medios que sea, este ha llegado por fin a tus manos. Usted no querría que algún emprendedor independiente se lo robara y complicara las cosas, ¿verdad?

–Supongo que no –coincidió Dominik. Sabía que Cavalier no iba a darle ningún nombre; tampoco había esperado que lo hiciera. Pero le parecía que aquel hombre poseía una vena vanidosa, un orgullo escondido en el cofre del tesoro de la información que almacenaba y que, si lo acariciabas con suficiente suavidad, volvía vulnerable su ego.

–¿Le dice algo el nombre de Viggo Franck, el músico?

Hubo un brillo de reconocimiento en los ojos de Cavalier. Aunque se contuvo rápidamente y continuó diciendo:

–Seguro que he leído algo sobre él en los periódicos. Un tanto mujeriego, ¿no?

–¿Y un coleccionista ilustre?

–Eso tengo entendido.

–¿Un hombre acaudalado?

–Es innegable.

Dominik removió el azúcar que se había depositado en el fondo de su vaso de zumo de limón y se quedó observando cómo se disolvía.

Los dos hombres se miraron, ambos sumidos en sus pensamientos.

–Si no supiera que escribe libros –dijo el francés–, hubiera dicho que tenía potencial para ser un buen detective privado, señor Dominik.

–Me halaga usted.

Dominik era consciente de que no iba a obtener más pistas de Cavalier, pero el instinto le decía que iba por buen camino.

Aunque Summer había sugerido que siguiera esa línea de investigación, Dominik sabía que la joven no se alegraría cuando le informara de que su intuición se estaba viendo confirmada por terceros, y que era posible que se estuviera acostando con un hombre que había estado directamente involucrado en el robo de su precioso violín.

Del violín «de los dos», así lo sentía Dominik.

Las luces del auditorio de La Cigale se atenuaron, con lo que se distinguieron las formas oscuras de unas gigantescas torres de amplificadores sobre el escenario cargado de instrumentos y a los músicos que se dirigían correteando a sus puestos. Unas pequeñas luces rojas parpadeaban en varios paneles de control y el público contuvo el aliento con expectación.

Un par de reflectores iluminaron las siluetas de Chris y de su primo, que se situaron detrás de los dos micrófonos principales del frente del escenario.

–Y uno, dos, tres y cuatro… –La voz de Ella inició la cuenta atrás.

El primer tema del repertorio de los Groucho Nights era una balada que cantaban a capela los dos líderes de la banda. Una adaptación libre de una antigua canción tradicional inglesa a la que habían dado un giro más rítmico y que siempre captaba la atención inmediata del público con su melodía austera y su simplicidad. La calma de aquella parte inicial del concierto, combinada con la naturaleza escueta de la luz que iluminaba a los dos hombres como si fueran una isla en medio de la oscuridad, daba como resultado una introducción asombrosa para la música del grupo y marcaba el ambiente para el resto de la velada.

Cuando las voces empezaron a apagarse, y sin dejar pausa para los aplausos del público, el bajo empezó a marcar el ritmo de su segundo tema. Todo el escenario se iluminó, entró la batería y los Groucho Nights se volvieron eléctricos. La guitarra de Chris interpretó una melodía sustentada por las notas del bajo de su primo y la música tomó vuelo. En las primeras filas, el público, que sin duda estaba familiarizado con algunas de las canciones de la banda, empezó a dar palmas.

Sentado en el palco, Dominik observó a la gente que cabeceaba y empezaba a balancear el cuerpo al ritmo de la música. El club estaba lleno hasta los topes, había gente incluso en los pasillos de la planta baja. Allí se hallaban representadas todas las edades y clases sociales: la democracia del rock and roll. Se preguntó quién estaría allí por los Groucho Nights y quién habría acudido atraído por la aparición de Summer, movido por la curiosidad de la mezcla poco común de rock y música clásica que estaba a punto de revelarse. Después de las cuatro primeras canciones, Chris avanzó hacia el micro y arrancó las aclamaciones de la multitud mientras desenchufaba su Gibson y la cambiaba por otra guitarra, una Gretsch plateada más lustrosa que hizo aplaudir aún más a algunos de los entendidos del público.

—Y ahora, un aplauso para nuestros primeros invitados especiales…

La multitud rugió.

Pero, para sorpresa de Dominik, no le tocaba salir a Summer.

Del ala del escenario salieron en tropel tres músicos de metales sosteniendo sus instrumentos en alto. Dos hombres y una mujer. Se situaron en la parte de atrás del escenario, a la derecha de la batería de Ella. A la señal que esta marcó con los dos platos de la batería, se llevaron los instrumentos relucientes a los labios y en unísono con el resto del grupo se lanzaron a tocar un *riff* de estilo funky blues. Con la suma de la recién llegada sección de metales, el grupo sonaba diez veces más potente, fuerte, con un ritmo contagioso y la música se enroscaba sobre sí misma como una nube por el auditorio de techo alto de aquel club de París, incrementando una mesurada sensación de frenesí con cada nota. Dominik tuvo que admitir que el efecto de la transformación resultaba fascinante. ¿Cómo se enfrentaría Summer a semejante aluvión de sonido y emoción con tan solo un frágil violín? Para entonces, Chris ya estaba prácticamente gritando al micrófono para que su voz se oyera por encima del tremendo sonido de la banda aumentada, y forzaba las letras hasta la abstracción.

A la batería, Ella sudaba profusamente mientras hacía los coros que eran casi inaudibles y agitaba los brazos a un ritmo furioso y frenético, en tanto que Ted permanecía inmóvil a la derecha, como un punto fijo de calma resuelta afianzando el estrépito, atacando las cuerdas de su bajo con el pulgar con repeticiones metronómicas.

El local entero se estremeció.

Cuando la canción alcanzó su clímax con una floritura final y los músicos de los metales sostuvieron sus últimas notas hasta casi perder el aliento, Dominik se fijó en que una gran sonrisa de satisfacción se dibujaba en el rostro de Chris cuando se dio cuenta de que tenía al público comiendo de su mano.

Desde aquella posición ventajosa en el palco con vistas laterales al escenario, Dominik veía a otros espectadores que, concentrados a ambos lados de la sala, aplaudían y miraban al grupo; técnicos, amigos, invitados. No había ni rastro de Summer, pero le pareció ver fugazmente a Viggo Franck con sus habituales pantalones ceñidos y su estudiado aspecto de desaliño bohemio.

Entre canción y canción había un momento de calma, que ayudaba al público y a los músicos a recuperar el aliento, Chris y Ella aprovechaban para beber agua y secarse con una toalla, mientras que Ted seguía con su resuelta inmovilidad.

Chris volvió a cambiar la guitarra por la Gibson del principio y empezó a tocar un *riff* delicado mientras las luces se atenuaban.

Entonces Summer salió al escenario por el lado opuesto.

Iba toda vestida de blanco, iluminada por un solo reflector, con un vestido suelto hasta los tobillos y el violín de un delicado tono naranja rojizo, parecido al de los miles de rizos de su pelo. Calzaba unas botas negras fuertes y relucientes que marcaban un contraste basto y deliberado con la delicadeza del vestido.

El público guardó silencio mientras ella conectaba el violín a uno de los enormes amplificadores Marshall repartidos por el escenario. El arco se alzó en su mano, se posó lentamente en el violín y surgió la primera nota pura y desgarradora que hizo eco del sonido de la guitarra de Chris.

El resto de la banda tardó unos segundos en unirse a ellos. La delicada melodía se desarrollaba solo con el violín y la guitarra, aunque Chris permanecía oculto en la penumbra porque el único reflector seguía enfocando a Summer, cuya figura menuda dominaba la inmensidad del escenario oscuro.

Dominik sintió que le daba un vuelco el corazón. Fue como si, una vez más, estuviera tocando solo para él.

Podía adivinar la inolvidable forma de su cuerpo bajo el vestido blanco. Una imagen que tenía grabada desde hacía mucho tiempo en lo más profundo de su mente.

Fijó la mirada en Summer, se abandonó a su música y al espectáculo de sus movimientos en escena mientras tocaba, acariciaba y domaba el nuevo violín eléctrico. Su sonido se elevaba por encima del resto de la banda y luego se mezclaba con una precisión asombrosa antes de volver a despegar cuando la joven emprendió uno de sus solos acalorados. La canción llegó a su fin demasiado pronto con una ráfaga de acoples y el escenario quedó bañado por unas luces multicolor.

Chris dirigió un gesto con la cabeza a Summer y empezaron otra canción que Dominik recordó haber oído en Brighton Centre, cuando los ecos de la música llegaron a sus oídos el día que estaban ensayando. La melodía se fue volviendo cada vez más rápida, y Summer tocaba dando pequeños pasos de baile. El vestido blanco flotaba en torno a ella con cada movimiento. Dominik la recordó bailando en aquel escenario de Nueva Orleans la noche de Fin de Año, cuando aún estaban juntos. Daba la sensación de que había pasado un siglo de aquello. Cerró los ojos y, a la fuerza, hizo aflorar a su mente las imágenes de esa época.

Le dieron unos golpecitos en el hombro.

–Hola. –Un marcado acento extranjero. Una mujer.

Dominik se volvió a mirar quién había en la fila de detrás que intentaba llamar su atención.

La bailarina de Nueva Orleans.

¿Era casualidad o qué?

–Sé quién eres –dijo ella por encima del sonido creciente de «Roadhouse Blues», el nuevo tema que los Groucho Nights atacaban en ese momento en el escenario con mucho entusiasmo.

Dominik devolvió la sonrisa a aquella belleza enigmática.

–Yo también te conozco.

El volumen de la música se hizo ensordecedor y la mujer le indicó por señas que ya no lo oía, se encogió de hombros y se puso a mirar de nuevo al escenario.

Dominik también volvió a concentrarse en la música, intrigado por aquel breve encuentro.

En aquellos momentos era Ella quien imponía el ritmo con una autoridad frenética, agitando los brazos con salvaje abandono, su batería hacía avanzar a la banda y la elevaba a nuevas altitudes. Por su parte, Chris cantaba, Ted armonizaba en contrapunto y Summer se balanceaba en su sitio al vigoroso compás generado por sus compañeros de los Groucho Nights. El trío de metales se mecía de un lado a otro, marcando el ritmo a toda marcha como en un espectáculo de soul.

El sonido fue cobrando intensidad progresivamente a medida que el número llegaba a su punto culminante, la nota final que Chris sostuvo con la guitarra y Summer con el violín eléctrico, tras lo cual el sonido disminuyó de repente y estallaron los aplausos. Baldo, Marija y Alex, jubilosos, alzaron sus instrumentos al cielo en tanto que los miembros centrales de la banda saludaban.

Dominik tuvo que reconocer que la forma en que habían integrado el violín de Summer y la sección de metales recién adquirida impulsaba la música hacia otra dimensión mucho más estimulante.

Disfrutando con la adoración del público, los músicos dejaron sus instrumentos y se dirigieron a ambos lados del escenario en fila india, mientras Ted y Ella saludaban con la mano a la multitud. El aplauso ininterrumpido continuó incluso después de que hubieran abandonado el escenario. Dominik, al igual que la mayoría de los espectadores, seguía aplaudiendo en pie. Echó un vistazo por encima del hombro, pero Luba ya no estaba.

El club entero vibraba con las oleadas sostenidas de continua aclamación. El rugido aumentó de volumen cuando Ella volvió a salir al escenario. Se había cambiado la camiseta empapada en sudor que llevaba antes por una desgarrada con el logotipo de los Holy Criminals. Los demás salieron tras ella, la última fue Summer.

Dominik tuvo la sensación de que el corazón se le encogía.

Summer aún llevaba el vestido suelto de color blanco con el que había actuado, pero ahora se había puesto encima un corsé. La combinación era sumamente efectiva. La estrechez de la prenda que aprisionaba su delgada cintura y ponía de relieve sus formas, así como el intenso contraste entre luz y oscuridad, fueron como un cañonazo de advertencia que trajo de vuelta muchos recuerdos que solo les pertenecían a ellos dos. Reconoció de inmediato el corsé que le había comprado y que Summer se había puesto para él en la intimidad.

En aquel momento Dominik entendió lo que Summer había querido decir por teléfono. Era como una señal. Solo para él. Era mucho más que un guiño.

Los músicos volvieron a conectarse y el aplauso del público se calmó ahora que tenían asegurado el bis obligatorio.

Ella dio la señal y el sonido del violín de Summer hendió el silencio, lleno de murmullos, con una melodía inconfundible que enseguida punteó el ritmo del bajo.

Vivaldi.

El tema principal de uno de los movimientos de *Las cuatro estaciones*.

Fue como si Summer le estuviera hablando a él directamente.

El resto de la banda se unió enseguida y la improvisación colectiva no tardó en ahogar la línea pura de sonido de Summer, la pieza se rompió en un conjunto de solos para lucimiento de los intérpretes y, a continuación, con un rápido movimiento de la muñeca, Summer restableció la melodía principal y su autoridad, dio con el pie izquierdo en el suelo de un modo en absoluto clásico y puso fin al primer bis. Chris pasó directamente a tocar «Sugarcane», pero los pensamientos de Dominik ya estaban desbocados.

Un tramoyista acompañó a Dominik hacia la zona de los camerinos y las primeras personas con las que se encontró fueron Edward y Clarissa, a los que había conocido en Nueva York.

Antes de que pudiera empezar a preguntarse si aquello era alguna especie de extraña reunión BDSM, y a especular si su antiguo enemigo, Victor, se encontraría también en París por algún asunto oscuro, la pareja norteamericana lo saludó con efusión, como si fuera un pariente al que no veían desde hacía mucho tiempo. Ellos vieron el desconcierto en su cara y enseguida explicaron que su hijo, Alex, estaba en la sección de metales y que habían aprovechado la ocasión para pasar por allí ya que, por casualidad, se encontraban de vacaciones por Europa.

–No hay nada extraño, cielo –le dijo Clarissa al percibir su recelo–. Estamos aquí solo en misión civil. Apoyando a la familia, por decirlo así.

–Nos marchamos a Italia mañana a primera hora. Siempre hemos querido ver Capri. París es solo una parada técnica –declaró Edward con una sonrisa afable.

El camerino de la banda estaba abarrotado de invitados y gorrones. Dominik vio a Viggo Franck en un rincón, con una lata de cerveza en la mano y sumido en una conversación con Chris. Luba iba agarrada de su brazo. Junto a ellos estaba la que supuso que era Fran, la hermana de Summer. Existía un parecido inconfundible entre ambas, aunque para él la joven parecía un esbozo preliminar en lugar del diseño genuino, pero tenían la misma nariz y el mismo mentón y su risa poseía la misma reverberación. Fran llevaba el pelo más corto y de un tono rubio bote, y carecía de la viveza y el fulgor de la melena de Summer.

No veía a Summer. Quizá todavía estuviera en algún otro lugar de la zona de camerinos, cambiándose o duchándose después del esfuerzo.

Mientras esperaba a que apareciera, Dominik entabló sin ganas una conversación con Edward y Clarissa a la que se unieron Chris y Fran. El semblante de Chris mostró desaprobación cuando advirtió la presencia de Dominik, pero el momento pasó enseguida cuando la adrenalina de la actuación, el alcohol y la proximidad de Fran lograron que se relajara y se apaciguara.

Aunque eran al menos diez años mayores que cualquier otra persona presente en la atestada habitación y de ningún modo roqueros en apariencia ni en actitud, Edward y Clarissa parecían los dueños del lugar. Participaban sin esfuerzo en el fluir de las conversaciones que pillaban a medias y presentaban a la gente como amables anfitriones decididos a asegurarse de que todos los presentes lo pasaran lo mejor posible.

Dominik esquivó las preguntas de un par de jóvenes periodistas de rock franceses con cazadoras de cuero a los que Edward acababa de contarles que era un novelista auténtico, y con el rabillo del ojo se fijó en que Fran le susurraba algo al oído a Chris con un brillo malicioso en los ojos. Al cabo de unos instantes ambos se excusaron ante la fiesta improvisada y abandonaron juntos la habitación.

Summer entró poco después. Se había cambiado y llevaba una sencilla camiseta blanca y unos vaqueros cuidadosamente envejecidos. Aún tenía el pelo mojado de la ducha y más rizado que nunca. Advirtió la presencia de Dominik y lo saludó pero Viggo la llamó, le dio una bebida y se plantó entre ella y la majestuosamente alta Luba. Era como un monarca que exhibiera con orgullo a sus consortes gemelas.

Dominik hizo una mueca.

Aparte de las sospechas suscitadas por la desaparición del violín de Summer, ya sentía una violenta aversión hacia la estrella de rock.

Se disculpó con Edward y Clarissa, el grupo de personas que se habían congregado en torno a ellos y los miembros de la sección de metales a los que parecían haber tomado bajo su protección, y se dirigió a la barra –una mesa de caballetes en un extremo de la habitación– en busca de algo sin alcohol.

Examinó con detenimiento la variedad de botellas, latas y vasos de plástico repartidos por la mesa de cualquier manera y agarró una botella medio llena de San Pellegrino que, ante la ausencia de vasos limpios, se llevó directamente a los labios.

–¿No preferirías algo un poco más fuerte? –le sugirió una voz al oído. Ese acento conocido. Luba, que se había despegado del trío de Viggo.

–No, esto ya es suficiente para mí –repuso Dominik.

La joven llevaba puesta una túnica de seda fina que relucía con cada movimiento de su cuerpo y que apenas le llegaba a las rodillas. Se aferraba a sus formas como si se la hubieran pintado encima.

–¡Qué disciplinado! –comentó ella–. Mi amigo Viggo nunca dice que no a una copa... ni a una droga. –Hizo un gesto con la cabeza en dirección a Viggo Franck. El cantante rodeaba la cintura de Summer con el brazo mientras gesticulaba dirigiéndose a su audiencia de fans atentos.

–Estás muy lejos de Nueva Orleans –dijo Dominik.

–Solo estuve allí para un breve compromiso –contestó Luba–. Primero fue Nueva Orleans, luego Seattle. ¿Has estado alguna vez? Es muy lluviosa pero bastante animada. Y después, Londres. ¿Quién sabe adónde iré mañana?

–¿Te gusta viajar?

–Siempre hay algo nuevo, alguien nuevo. La vida sería muy aburrida si te limitaras a una sola cosa, a una sola persona. ¿No estás de acuerdo? –Le olía el aliento a vodka. Sin duda a vodka ruso auténtico, pues parecía de esa clase de chicas que no probaban nada más que lo mejor de la vida.

–¿Estás con Viggo Franck?

–¿Con? Sí y no... Resulta conveniente, es el hombre adecuado en el momento oportuno. Así es como funciona –dijo, como si le aburriera la perspectiva de que le planteara más preguntas de carácter personal–. ¿Y tú? ¿Sigues siendo amigo de nuestra guapa violinista?

–Tal vez.

–Eso no se parece mucho a un sí...

–Y tú ¿qué haces cuando no bailas? –le preguntó Dominik, intentando desviar la conversación.

–Vivo.

–¿Dónde?

–Ahora mismo en casa de Viggo, en Londres. En Belsize Park.

–Yo vivo cerca de allí –dijo Dominik.

–Y escribes libros –comentó ella.

–¿Cómo lo sabes? –Estaba sorprendido.

–Tengo tu libro. No hay ninguna fotografía tuya en la cubierta, pero me gustó y tenía curiosidad, así que te busqué en Internet. El hecho de que sea bailarina no significa que no lea –señaló–. Te reconocí de esa noche en Nueva Orleans. Siempre me quedo con las caras.

En aquel preciso momento se oyeron las risas del grupo en el que estaban Edward y Clarissa, a los que se habían sumado Viggo y Summer. Ella parecía inmersa en una conversación con la pareja croata que había formado parte de la sección de metales aquella noche, mientras que Viggo se reía a carcajadas de algo que acababa de decir Edward. Con el rabillo del ojo, frente a la escultural Luba, Dominik vio que Summer le dirigía una mirada de soslayo.

–¡Fiesta! –gritó Viggo.

Unos cuantos repitieron su grito.

Dominik notó que la mano de Luba rozaba la suya y le pasaba un pequeño pedazo de papel doblado. Él la miró de manera inquisitiva.

Ella le sostuvo la mirada con descaro y cuando empezaba a alejarse para unirse al grupo principal le dijo:

–Eres interesante. Me gustan los hombres interesantes. –Y se marchó.

Dominik desplegó con discreción el trozo de papel y le echó un vistazo. Era un número de teléfono.

Al ver que Luba volvía a su lado, Viggo sonrió con satisfacción y la abrazó, aun cuando su otra mano seguía rondando en torno al estómago de Summer.

–Estas personas tan encantadoras de aquí –proclamó al tiempo que señalaba a Edward y Clarissa, ambos elegantemente ataviados– han sugerido que salgamos todos de fiesta. ¿Cómo se llama el club que proponíais que visitáramos?

–Se llama Les Chandelles –respondió Edward con una pronunciación francesa impecable–. No está muy lejos en taxi. A unas manzanas de los Campos Elíseos. Somos miembros desde hace mucho tiempo, no debería haber ningún problema para que entremos todos.

–Cuantos más, mejor, ¿eh? –dijo Viggo.

Dominik ya había oído hablar de ese sitio. Era bastante famoso, un club *échangiste* muy exclusivo, un local de intercambio de parejas donde todo valía. Sin duda con el sonido de fondo de botellas de champán descorchándose y la exhibición inicial de mucha riqueza antes de quitarse la ropa.

Viggo lanzó una pregunta al grupo:

–¿Y bien? ¿Quién está conmigo?

En aquel punto hubo unos cuantos que se retiraron, entre ellos Alex, el hijo un tanto conservador de Edward y

Clarissa, así como Ted y la pareja croata que estaba claro que estaban muy ocupados el uno con el otro. Los supervivientes de la fiesta empezaron a salir en tropel del camerino por el pasillo que conducía a la entrada principal de La Cigale. Allí había unos cuantos fans que soportaban el frío a la espera de conseguir unos autógrafos que Viggo repartió con alegría. Irónicamente, ninguno de ellos prestó atención a los miembros de los Groucho Nights ni a Summer.

El cielo de París estaba veteado de nubes oscuras.

Una limusina extralarga esperaba junto al bordillo. En ella no cupieron todos los juerguistas y una media docena de ellos se quedaron atrás, incluido Dominik que seguía al grupo sin entusiasmo. Clarissa gritó la dirección del club para que los demás pudieran pedir un par de taxis y reunirse con ellos. Cuando la limusina se marchó, Dominik vio que Summer no había subido, se había quedado atrás poniendo algún pretexto y estaba a su lado. No llevaba chaqueta ni abrigo y temblaba.

Summer lo miró y al ver otra vez sus ojos tan cerca Dominik se sintió casi borracho.

–¿De veras quieres ir allí? ¿Reunirte con los demás para jugar? –le preguntó mientras algunos de los rezagados empezaban a detener a los taxis que pasaban.

–La verdad es que no –respondió Dominik.

–Bien.

Se abrieron paso hacia la calle y se apropiaron del primer taxi.

Cuando el vehículo cruzaba el Sena junto al Musée d'Orsay, Summer apretó su cuerpo contra el de Dominik.

El coche tomó una curva cerrada a la izquierda para entrar por la calle de sentido único que los devolvería al Boulevard Saint Germain y, siguiendo su movimiento, Summer apoyó la cabeza en el hombro de Dominik.

Era el ascensor más exiguo que Dominik había visto nunca y tanto él como Summer tuvieron que ponerse de lado y retorcerse para caber.

La habitación era pequeña.

Y la cama estrecha.

–Hablé con alguien sobre el Bailly –había dicho Dominik mientras cruzaban la calle tras apearse del taxi y llamaban al timbre para que el guardia nocturno del hotel los dejara entrar.

–¿Sabes algo sobre su posible paradero? –le preguntó Summer.

–No, pero…

–Pues no me lo cuentes –lo interrumpió–. Puedo esperar a mañana. Ahora mismo no quiero saberlo.

Se acercó a él y lo miró vacilante. Él la atrajo hacia sí; ambos indecisos en cuanto a qué hacer o qué decir a continuación. Como si los moviera una fuerza sobre la que no ejercían ningún control. Como imanes atrayéndose. Dominik sentía el calor que ella irradiaba. Oía el sonido de su respiración superficial como a través de un amplificador, cada uno de los latidos de su corazón. También avanzó hacia ella. Había cierta inevitabilidad en todo aquello.

Se besaron.

Fue como volver a casa de nuevo. Desde Nueva York no había pasado ni un solo día en que Dominik no pensara en tener de nuevo entre sus brazos a Summer, y al principio le pareció casi irreal.

La habitación del último piso aún estaba sumida en la oscuridad, la ventana cerrada daba a los tejados desvencijados de los edificios cercanos; no era una habitación con vistas.

En tanto que Dominik se adaptaba a la conocida y fácil rutina de la suavidad embriagadora de los labios de Summer, y a la sensación tranquilizadora de volver a tenerla cerca, empezó a deleitarse con la manera relajada en que se

193

acoplaban los dos. Las manos de Dominik descendieron desde el mentón de Summer a su costado y bajo la tela fina de la camiseta notó los surcos y la resistencia del corsé que había mostrado brevemente en el escenario.

Se lo había dejado puesto.

–Levanta los brazos –le ordenó.

Summer obedeció y Dominik le quitó la camiseta por la cabeza.

–Los vaqueros –insistió.

Summer se bajó la cremallera y con un contoneo se quitó los pantalones que cayeron junto a sus tobillos. Se quedó allí vestida únicamente con el corsé. Quienquiera que se lo hubiera ajustado al ponérselo entre el número principal y los bises en el camerino –Ella, tal vez–, se lo había apretado mucho y la prenda se hundía en su cintura con eficacia, resaltando su delgada figura y enmarcando sus pechos con los pezones apuntando hacia arriba, duros y oscuros.

Dominik bajó los labios hacia la mitad descubierta de los pechos, encerró uno de los pezones con la boca y estudió su textura flexible con la lengua errante humedeciéndolo, lubricándolo y luego lo tomó con delicadeza entre los dientes; probó su consistencia y al fin lo mordió con suavidad, y después más fuerte.

Summer soltó un grito ahogado cuando una oleada de excitación y dolor recorrió todo su cuerpo.

Se dejó llevar por la sensación apretando los dientes hasta que las endorfinas de su cuerpo hicieron efecto y el dolor empezó a convertirse en placer mientras los dientes afilados de Dominik continuaban hundiéndose en sus pezones, aunque nunca con tanta fuerza como para levantarle la piel. La tuvo así durante lo que pareció una eternidad, en equilibrio entre el dolor y el placer mientras todo su cuerpo se encendía poco a poco, empezando en la boca del estómago, para continuar en las profundidades de su vagina, hasta que la oleada le llegó al cerebro y sintió que se ahogaba voluntariamente en un mar de aguas calientes, navegando por el inestable lecho oceánico con un instinto primario.

Cuando estaba a punto de abandonarse por completo a las sensaciones embriagadoras que Dominik sacaba de sus recuerdos inconscientes, él retiró los dientes de pronto y llevó los labios a su oído para juguetear de forma impetuosa con la carne aún más delicada de su lóbulo, con lo que el dolor y el placer alternativos empezaron de nuevo.

Summer se encogió y se estremeció de manera incontrolada mientras las sensaciones la inundaban, por un breve momento su espalda perdió la voluntad de mantenerse erguida y firme y notó que Dominik la sostenía en sus brazos, afirmaba su posición y evitaba que se cayera.

Summer ya notaba el miembro de Dominik apretado contra ella a través de la tela áspera de sus pantalones negros. Su expectación se incrementó y notó que su sexo se humedecía, el deseo la inundaba, preparándola, transformando su naturaleza misma.

Al fin Dominik dejó de morderla y una profunda sensación de terror y abandono agredió a Summer como un bofetón al darse cuenta de pronto de que aquello podría ser el final de un juego de seducción orquestado por Dominik, justo cuando ella quería recuperar la pasión del pasado. Permanecieron abrazados en silencio unos segundos, tras los cuales los labios de Dominik regresaron a su oreja, esta vez para coquetear con su cavidad, humedeciéndola, dándole sensuales lametazos. La sensación fue abrumadora, una oleada tras otra de movimientos sísmicos en miniatura que se propagaban en su interior por el campo de minas de sus sentidos.

Summer se dio cuenta de que, una vez más, casi había llegado al punto de no retorno, un territorio en el que solo Dominik sabía irrumpir y dominar como dueño y señor de todo lo que podía contemplar. De momento solo habían sido unos cuantos mordiscos, y además afectuosos, pero su alma gritaba pidiendo más y la invitaba a emprender una carrera alocada hacia el dolor genuino. Le asustaba el hecho de que en aquel lugar, normalmente inasequible, se sintiera como en casa, en el sitio al que de verdad pertenecía.

En aquellos instantes lo único que Summer quería era sentir a Dominik dentro de ella, pero sabía que él se lo tomaría con calma a propósito, que iba a tocar su cuerpo y su mente como si fueran un instrumento antes de concederle ese dulce alivio.

Un estribillo no dejaba de darle vueltas por la cabeza en círculos interminables: «Maldito seas, maldito seas, te deseo, te odio, te amo». «Dominik. Dominik. Hazme gozar como solo tú sabes.» Quería decirlo en voz alta, pero sabía que el silencio era lo que a él le gustaba, le daba poder, y lo único que ella quería hacer era derretirse entre sus brazos. Summer se mordió el labio. Con fuerza. Notó que una pequeña gota de sangre se abría paso a través de la fina incisión que acababa de hacerse y vio que Dominik se lanzaba sobre ella con avidez, como un vampiro cordial salido de la oscuridad. La lamió con la más tierna de las sonrisas iluminándole el rostro.

Después la empujó suavemente por los hombros y la guio hacia la cama.

Summer se hundió en el suave abrazo del lecho, miró a Dominik y extendió las piernas sintiendo una deliciosa expectativa.

El tiempo se detuvo durante unos segundos mientras ambos se miraban; entre ellos se desarrollaron un intenso diálogo mudo. Dominik se desnudó mientras Summer miraba. Su cuerpo seguía siendo tan blanco como ella lo recordaba, esa piel pálida tan poco habituada al sol.

A Summer se le pasó fugazmente por la cabeza la agradable idea de pasar algún tiempo con él en alguna playa cálida del Mediterráneo.

Ya desnudo, Dominik recogió sus pantalones del suelo, les quitó el cinturón de cuero grueso, subió a la cama y se puso en cuclillas encima de ella de forma que el miembro quedó tentadoramente cerca de su boca medio abierta. A continuación le agarró las manos, se las puso detrás de su cabeza y las ató con el cinturón a los barrotes de la cama.

A Summer casi se le paró el corazón y cerró los ojos.

Dominik, erguido sobre ella, guio su pene hacia la boca de Summer y dejó que le rozara los labios. Ella abrió la boca de forma instintiva pero, para provocarla, él se alejó y ella se vio obligada a alzar la cabeza para alcanzar su miembro erecto, que permanecía a tan solo un par de centímetros de distancia. En cuanto sacó la lengua lo suficiente como para recorrer con ella la suave superficie del glande, Summer sintió una descarga eléctrica que recorrió su cuerpo y su alma.

Aunque ella era la violinista, Dominik sabía perfectamente cómo tocarla y con cada toque, con cada amago, orquestaba su viaje hacia la sumisión absoluta. Summer se permitió al fin bajar la cabeza, la dejó caer en la almohada y esta vez el maravilloso pene de Dominik la siguió y entró apenas en ella, privándola de su anhelo unos instantes, hasta que no pudo soportarlo más y lanzó la lengua hacia él, lo humedeció, le suavizó el camino y lubricó su ardor animal.

–Sí –dijo Dominik.

Summer gimió.

–Siénteme entero –susurró él.

–Mmmmm… –Summer jadeó cuando él arremetió de pronto.

Y empezó a follarle la boca. Con ternura, con furor, hasta el fondo, llenándosela con amor, con brusquedad. Tal como ella siempre quiso que fuera.

Renunciando a todo control ella se sentía completa.

La noche era sexo. París era sexo.

Y todo iba bien en el mundo. Al menos durante aquella noche, pertenecía a Dominik.

Cuando se despertaron por la mañana, magullados y agotados tanto emocional como físicamente, Summer cayó en la cuenta con apuro de que apenas tenía el tiempo justo para volver al hotel y hacer el equipaje para la próxima etapa de la gira con la banda. No podía hacer esperar a los demás. Para entonces ya habrían cargado todo el equipo en el autobús que habían alquilado. Se dieron cuenta de que no habían hablado de la desaparición del violín.

–En otro momento –acordaron mientras se vestían los dos a toda prisa.

Cuando Summer salió corriendo por la puerta y le lanzó un beso mecánico, Dominik se quedó mal por no haber tenido ocasión de hablar con ella como era debido antes de que se fuera.

Hablar sobre lo sucedido. Miró el reloj y vio que apenas faltaba una hora para que saliera su tren de la Gare du Nord y emprender el viaje de vuelta a Londres.

9

Las chicas con las chicas

Llegué al autobús de la gira con el tiempo justo.

–¡Cómo eres, Sum, mira que te gusta apurar el tiempo! –dijo Chris cuando subí de un salto.

Fran me lanzó una mirada de preocupación y yo le respondí con un leve movimiento de la cabeza, un gesto mudo para indicar que estaba bien y que por favor no dijera nada.

Chris y ella se habían sentado juntos. Fran estaba acurrucada con la cabeza apoyada en el hombro de Chris, y ambos se durmieron a los pocos minutos de emprender la marcha. Ted y Ella ya estaban dormidos, y Marija también. Baldo y Alex me sonrieron y me saludaron amistosamente con la mano, pero los dos tenían aspecto de encontrarse igual de mal que yo. La noche debía de haber sido muy larga para todos.

Me pregunté qué habrían hecho. No quería pensar en la sexualidad de mi hermana y no me imaginaba que Chris fuera de los que practican el intercambio de parejas. Él era hombre de una sola mujer. Ella y Ted eran muy simpáticos pero no hablaban de sus vidas privadas, yo ni siquiera sabía si eran heterosexuales, gays, bisexuales, si salían juntos o si eran asexuales. Tanto Marija como Baldo eran sin duda criaturas apasionadas. Cuando vivíamos juntos rara vez pasaba una noche o una mañana en la que no pudiera dormir o me despertara por el ruido que hacían al hacer el amor. Pero no tenía ni idea de si se sentirían cómodos o no haciendo público el amor que se profesaban, tan público como lo exigiría Les Chandelles. En cuanto a Alex, solo podía suponer que se había marchado a casa disgustado al pensar que sus padres se divertían de esa manera, pero quizá estaba más libre de prejuicios de lo que yo creía. Era un tema del que me interesaría hablar tal vez con Marija, o con Edward y Clarissa. Pero no en aquel momento.

Yo llevaba la misma ropa que el día anterior. Ni siquiera me había dado tiempo a ducharme, por no hablar de arreglarme el pelo y el maquillaje. Había dormido hasta tarde, tranquila y envuelta en la satisfacción de estar junto a Dominik.

Apenas hablamos. No habíamos tenido tiempo. La noche fue maravillosa, como siempre. Encajamos el uno en el otro como si nunca nos hubiéramos separado y nos lanzamos a hacer el amor con nuestro estilo personal sin pronunciar palabra.

Pero no tuve ocasión de explicarle cómo me sentía. Ni siquiera de averiguarlo yo misma. Me vestí, me despedí con un beso y salí pitando al autobús como si mi vida dependiera de ello. Ahora que me había instalado para recorrer el largo camino hasta Bruselas sin más distracciones que charlar con mis compañeros del grupo cuando se despertaran o contemplar el paisaje, que se veía pasar a toda prisa por la ventanilla cuando atravesábamos pueblos y ciudades, no podía pensar en otra cosa que no fuera en Dominik.

Aún tenía los labios sensibles por la violencia de sus besos, por no mencionar los pezones, que estaban hinchados y doloridos, con alguna leve magulladura por sus mordiscos, que me habían raspado la piel. Seguía excitada y solo pensaba en volver a su cama desde que salí de ella. Además del dolor físico y la tristeza, también me embargaba un deseo de estar con él que dudaba que se saciara nunca, al menos mientras estuviéramos separados.

Quería alejar aquellos pensamientos de mi cabeza de algún modo, meterme en una piscina y sacarlo todo entre brazada y brazada, o calzarme las zapatillas de correr y precipitarme por los senderos hasta que el dolor de mi cuerpo contrarrestara el de mi corazón. Pero era inútil, tenía que permanecer en un cómodo asiento durante las cinco horas siguientes. No era suficiente para dormir, pero sí demasiado para quedarme sentada en silencio sin ninguna distracción. Lamenté no haber vuelto a atarme con fuerza el corsé debajo de la camiseta. La incomodidad hubiera mitigado el terrible anhelo que me destrozaba como un grito constante.

Ni siquiera le había preguntado por el Bailly. A decir verdad, deseaba a Dominik más de lo que deseaba recuperar el violín. Perdería el Bailly mil veces para tener otra oportunidad con él. Si en aquel momento hubiera podido hacer un pacto con el diablo, le hubiese vendido mi alma y destruiría el violín con mis propias manos si eso me devolvía a Dominik.

Era inútil. Él iba de camino a Londres, de vuelta con Lauralynn. Conociéndolos a ambos, debían de tener una relación abierta. No veía a Lauralynn sentando cabeza con una relación estable y aunque Dominik nunca parecía capaz de librarse por completo de sus celos, poseía un espíritu independiente. Dudaba que él accediera a una relación monógama con nadie. Sin embargo, me hubiera gustado saber qué había significado para él nuestra noche juntos. Lauralynn no tenía tendencias sumisas, por lo que tal vez para él había supuesto una oportunidad de imponerse ante una experta. Lo nuestro quizá fuera una aventura con una antigua compañera de juegos, nada más. Me pregunté si se lo contaría a Lauralynn, si se reirían los dos de mí y rememorarían con cariño a la violinista tonta que ambos conocieron en una ocasión, a la que le gustaba el sexo fuerte y duro y que no parecía tener ni un pelo de romanticismo en el cuerpo. Pues bien, sí que lo tenía, pero solo por la persona adecuada, y esa persona era Dominik. Sin él, podría verme encerrada en relaciones como la que tuve con Simón para el resto de mi vida. Amistad, y nada más. No quería volver a hacer daño a nadie después de Simón, de manera que mi intención no era probar suerte en el mundo de las citas.

Luba parecía estar muy interesada en Dominik y yo había agradecido enormemente que él no quisiera ir tras ella ni al club de intercambio de parejas. Compartirlo con otra persona era lo último que quería en aquellos momentos, aun cuando el vínculo que habíamos dejado, fuera cual fuera, seguía pareciendo muy incierto, muy frágil. Aunque no hubiera querido compartir tiempo conmigo, el hecho de verlo con otra persona me hubiera roto el corazón.

Aquella noche tocábamos otra vez; otra ciudad, otro concierto. En cuanto llegamos al hotel me calcé las zapatillas de correr, cogí el metro para ir al centro de la ciudad y di una vuelta por el Parc de Bruxelles, más allá del palacio y las embajadas, para liberar en el asfalto toda la tensión acumulada durante el viaje.

Cuando Dominik llamó estuve a punto de no contestar. No es que no quisiera hablar con él. Todo lo contrario. Deseaba poder capturar el sonido de su voz para repetirlo en mi cabeza una y otra vez, pero temía lo que pudiera decirme y lo que yo pudiera decirle a mi vez. Teníamos mucho de que hablar y a mí nunca se me había dado bien hacerlo por teléfono; quizá tuviera que ver con su ausencia física, que hacía que mis pensamientos se dispersaran como hojas al viento y me resultara difícil verbalizar mis sentimientos.

Entre los dos apenas logramos mantener un par de minutos de conversación y no dijimos nada resolutivo ni que insinuara cómo podríamos continuar nuestra relación, o si quedaba alguna relación que continuar. Él se hallaba de camino a España para promocionar su libro sobre Elena.

Tenía noticias sobre el violín que sugerían que Viggo podría estar detrás del robo. En cierto modo, no me sorprendió. Siempre había tenido aquella persistente sospecha. Pero estaba de tan mal humor por lo de Dominik que la pérdida del violín se había sumado a haberlo perdido a él, y mi anhelo por ambos formó una bola de enojo en mi interior, una depresión que no podía quitarme de encima.

No sabía por dónde empezar con Viggo. Lo mirara por donde lo mirara, me hallaba en un agujero del que no sería capaz de salir con prisas. Si lo disgustaba, podría cortar el grifo de su apoyo a los Groucho Nights y entonces yo sería responsable de que los sueños de Chris se fueran al traste. Si no hacía nada, podría perder el Bailly para siempre. Y si seguía pidiéndole ayuda a Dominik, él se quedaría con la idea de que me acostaba con el tipo que me había robado su regalo.

Aquella noche no pegué ojo. Permanecí despierta en la cama, mirando las paredes insulsas de la habitación del hotel con la esperanza de que se me ocurriera algo que pudiera resolver todos mis problemas, pero no se me ocurrió nada. Quizá fue una de las primeras veces en mi vida que me levanté temprano, volví a ponerme las zapatillas y salí para canalizar mi frustración a través de mis pies; cuando empezaron a dolerme las espinillas aminoré la marcha y seguí andando. No me importaba el dolor, pues alejaba mi pensamiento de Dominik, pero el miedo a una lesión de tobillo que me obligara a guardar reposo un mes o más hizo que redujera el ejercicio a un ritmo más sensato.

Esta vez me acordé de ponerme el corsé para el viaje. Otras ocho horas en autobús hasta Berlín.

Llegamos a Berlín a última hora de la tarde. Nos alojábamos en Neukölln, cerca del Festsaal Kreuzberg, donde iba a tener lugar nuestro primer concierto la noche siguiente. Berlín era la primera ciudad en la que teníamos programado tocar dos noches consecutivas. Susan se las había arreglado de alguna manera para que un par de conocidas revistas musicales alemanas publicaran una de las fotos que me había hecho Grayson. Era una fotografía atrevida, salía sosteniendo un violín con aire seductor vestida con las mallas brillantes, la cazadora de Fran y mis Louboutin con tachones. Mi música en solitario ya se había hecho popular allí y la mezcla de clásica, rock y sensualidad que prometían los Groucho Nights había resultado una combinación ganadora y un éxito de taquilla.

En consecuencia, la banda estaba de buen humor y habíamos reservado un breve descanso y unas cuantas noches más en la ciudad, la primera vez en la gira que todos nosotros tendríamos la oportunidad de conocer Berlín como verdaderos turistas en lugar de limitarnos a tocar y ponernos otra vez en marcha hacia el próximo destino.

Fran, frugal como siempre, nos había alojado en un hotel económico con un almacén protegido donde guardar el equipo que no pudiéramos dejar en la furgoneta durante la noche. Estaba situado en una calle bastante tranquila, en su mayor parte residencial, frente a un canal ventoso por el que los cisnes se deslizaban tranquilamente y las parejas de enamorados paseaban de la mano bajo los árboles. El olor a masa, carne y especias que provenía del restaurante turco de al lado flotaba en el aire como una nube.

En cuanto nos registramos en el hotel me metí en la cama y aquella noche dormí como es debido por primera vez desde hacía tanto tiempo que ni me acordaba. Quizá lo que me calmó e hizo que me relajara fue el recuerdo de la voz de Dominik o la idea de que tal vez volviera a verlo y de que quizá al menos podríamos ser amigos.

El sitio en el que íbamos a tocar estaba en una calle situada bajo un puente de ferrocarril, frente a un concesionario de automóviles. Visto desde fuera no tenía nada de especial y solo había un letrero pequeño que anunciaba el nombre. Pero cuando llegó la hora de empezar, estaba abarrotado. Solo había espacio para estar de pie y era tanta la gente que se había apiñado en la galería del piso superior que me preocupaba que pudieran caérsenos encima. Habíamos tenido algún problema con las pruebas de sonido y empezábamos un poco tarde. Cuando salimos al escenario, el público estaba dando patadas en el suelo y gritando a voz en cuello.

Era la primera noche que agotamos los bises previstos y tuvimos que sacarnos de la manga un número extra hasta que dejaron que abandonáramos el escenario.

Habíamos guardado todo el equipo y estábamos haciendo planes para salir por la ciudad cuando oí una voz conocida que me llamaba desde el otro lado del patio delantero.

–¡Cuánto tiempo sin vernos!

Me di la vuelta rápidamente al oír aquel sensual acento de Nueva York.

Era Lauralynn, vestida con unos vaqueros muy ajustados que eran su marca personal, una sencilla camiseta blanca y zapatos con tacón de aguja. Era evidente que no llevaba sujetador. Debía de ser la única mujer que conocía que iba así en público, pero daba la impresión de que, al igual que yo disfrutaba de la constricción del corsé, a ella le gustaba la libertad que proporcionaba la ausencia de restricciones; también la reacción que suscitaba en los transeúntes, a quienes ofrecía una vista perfecta de sus pezones con *piercings*. Tenía unos pechos de esos que quedan bien aun sin sujetador y sentí un poco de envidia.

En un primer momento me entusiasmó que un rostro conocido hubiera viajado tan lejos para vernos en acción, pero mi alegría se convirtió en confusión y miedo cuando recordé que ella estaba saliendo con Dominik y la noche en un hotel de París hacía pocos días.

La expresión de Lauralynn no indicaba en absoluto que hubiera venido enfadada para acusarme de robarle a su chico.

Si acaso, parecía encantada de verme. Yo no sabía qué decir ni qué hacer y me quedé allí mirándola boquiabierta.

—¡Santo Dios! —exclamó—. Siempre creí que eras una antipática pero, ¿vas a quedarte ahí parada?

—Perdona —le dije—, me has pillado por sorpresa. Gracias por venir a ver la actuación.

Me estrechó entre sus brazos y me abrazó de forma que noté sus pechos contra mí.

—Eres asombrosa —dijo—. ¿Quién hubiera pensado que la chica clásica de Dominik se convertiría en una roquera, eh?

—¿La chica de Dominik?

—Sí, ¿y dónde está el hombre en cuestión? Creí que estaría en primera fila animándote. Llevo toda la noche pendiente por si lo veo.

—¿Pensabas que estaba aquí conmigo? Yo creía que estaba contigo en Londres —añadí, confusa.

—No. He estado fuera. Llegué a casa y me la encontré vacía, de modo que vine a ver. Nunca me ha entusiasmado mi propia compañía —dijo al tiempo que me daba otro apretón en el brazo como si quisiera comprobar que yo era real—. ¡No me digas que fue hasta París y no te dijo que está locamente enamorado de ti!

—¿De qué estás hablando? Pensaba que estaba saliendo contigo.

—¡No, por favor! Solo somos viejos amigos… Bueno, amigos con derecho a roce sería la mejor forma de describirlo. A mí no me importan las criaturas masculinas, ¿sabes? Pueden resultar encantadoras y no hay duda de que Dominik tiene unos talentos muy útiles —me guiñó un ojo con coquetería al decir esto—. Pero lo cierto es que no son mi tipo a largo plazo. A menos que los tenga bajo mis tacones de aguja. Pueden llegar a ser muy buenas mascotas si los adiestras como es debido, pero no me quedaría con uno para siempre.

Casi me flaquearon las piernas al oír esta noticia. Me senté en una de las mesas de picnic que había fuera y Lauralynn se acuclilló para mirarme doblando sus largas piernas como las de un saltamontes.

–¿De verdad creías que estábamos saliendo? –preguntó, esta vez con más delicadeza al tiempo que me apartaba un mechón de pelo de la cara para poder mirarme a los ojos.

–Sí, me lo dijo Dominik.

–Y supongo que tú le dijiste que estás saliendo con esa estrella del rock con la que he oído que andas, ¿no?

–Sí, así es.

–Me volvéis loca vosotros dos, ¿sabes? Los dos más orgullosos que un pavo real y ciegos como murciélagos. Cuando me enteré de que iba a ir a París para ver el concierto inaugural de vuestra gira pensé que al fin había entrado en razón, pero supongo que debería habérmelo imaginado.

Lauralynn no estaba saliendo con Dominik. Eso lo cambiaba todo. Pero ¿por qué diablos me dijo Dominik que sí? Porque yo le había contado que pasaba las noches con Viggo Franck, si es que no lo había leído ya en las crónicas de sociedad. Me maldije de nuevo por esa vena terca y obstinada que siempre me causaba problemas y por mi absoluta incapacidad de conseguir que las personas se dieran cuenta de lo mucho que me importaban. ¿Por qué no podía haberle dicho simplemente cómo me sentía?

Me hundí más en mi asiento y apoyé la cabeza en las manos como si, concentrándome lo suficiente, pudiera rebobinar el tiempo de alguna forma.

–Bueno –dijo Lauralynn.

Reconocí la forma en que entrecerró los ojos y el tono de su voz. Había adoptado su actitud de dómina. Siempre había sido una mujer segura de sí misma y de sus deseos y yo la envidiaba por eso. Pensar en el tipo de persona en que se había convertido y por qué no parecía quitarle el sueño. Ella se divertía y punto.

–Vas a tener que tranquilizarte o tendré que hacerlo yo, y no podemos pasarnos la noche aquí. ¿Adónde ha ido el resto de tu banda?

–Lo más probable es que estén en la fiesta de los camerinos, o que hayan vuelto al hotel. De todos modos no me echarán de menos.

–No tengas tanta lástima de ti misma. Diles que te has encontrado con una vieja amiga para que no piensen que te ha secuestrado un fan enloquecido y vamos a tomar una copa, así podrás contarme todo lo que te preocupa.

Me tomó del brazo, me condujo fuera del bar y salimos a las calles del barrio de Kreuzberg. Aún era bastante pronto para el norte de Europa. A diferencia de los londinenses, los berlineses no tenían que correr para alcanzar los últimos metros a medianoche ni tampoco pubs que cerraran a las once, de manera que casi todas las fiestas no comenzarían hasta las doce como muy pronto y no empezarían a animarse hasta las dos de la madrugada. Lo único que yo quería era ir a casa y dormir, hacerme un ovillo y entregarme a mi sufrimiento.

–Primero, comida –dijo–. Es mucho más difícil sentirse desgraciada con el estómago lleno.

Nos acercamos a un bar de la esquina junto al canal donde servían comida para llevar hasta tarde y Lauralynn pidió pizza, dos salchichas picantes y una ración de patatas fritas rizadas.

–No arrugues la nariz –dijo, mientras yo ponía en duda la sensatez de verter salsa al curry sobre la salchicha de un perrito caliente–, están deliciosas.

Tenía razón. La comida era buena, reconfortante, y me puso de mucho mejor humor.

–Bueno... –comencé–. Cuéntamelo todo. ¿Por qué estás aquí en Berlín? ¿Has venido hasta aquí solo para verme?

–Tuve que salir apresuradamente de casa. Mi hermano no ha estado muy bien y regresé a Nueva York unas semanas.

–Oh, lo siento.

Lauralynn se encogió de hombros. Comía las patatas de tres en tres y las utilizaba de cuchara para rebañar la salsa al curry que le quedaba en el plato. Yo estaba demasiado alterada como para poder comer mucho, pero me las arreglé para terminarme casi toda la salchicha. La salsa era una extraña mezcla de sabor a curry y dulzor, con más azúcar que especias pero, fuera como fuera, estaba muy buena.

–Cosas de familia. De todos modos ahora ya está todo solucionado. Recibí un par de correos electrónicos de Dominik mientras estaba fuera. Os parecéis mucho, ¿sabes? Los dos sois unos amargados si dejamos que hagáis lo que os dé la gana, por eso estoy pendiente de él. –Me miraba con sus penetrantes ojos azules, intentando interpretar mi reacción. Yo me aferraba a todas sus palabras deseando que fuera al grano y me contara más cosas de Dominik.

Tomó un trago largo de su bebida de cola y dejó el extremo de la pajita manchado de rojo por el lápiz de labios, tras lo cual continuó hablando:

–Mencionó algo sobre tu violín y la novela en la que está trabajando. También tuvo muchos problemas con eso, ¿sabes? La primera fue coser y cantar, cuando escribía sobre ti. Ahora que ha estado escribiendo sobre tu violín parece estar huyendo otra vez. ¿Eso no te dice nada?

Me la quedé mirando sin comprender.

–Imagino que solo necesitaba un personaje femenino para que la novela funcionara y yo fui la primera que le vino a la mente.

–Exacto. Tú fuiste la primera que le vino a la mente. Se ha pasado dos años pensando en ti todos los días. Y todavía no ha podido quitarte de su cabeza.

–Yo tampoco he dejado de pensar en él –repuse taciturna, y me metí unas cuantas patatas en la boca, aunque había dejado de tener hambre tras el primer par de bocados. Se parecían un poco a pequeños aros de cebolla, pero eran más rojas, como si estuvieran cubiertas de pimentón.

—Pues dime una cosa –dijo al tiempo que se limpiaba los dedos a conciencia con una servilleta. Se había pintado las uñas de color rojo sangre, a juego con sus labios.

–¿Sí?

–¿Por qué no se lo dices? Dile que estás enamorada de él.

–No sé… Yo… sé lo mucho que le gusta tener el control. No quería ser yo quien lo dijera.

–Tonterías. Esto no tiene nada que ver con el control. Y tú eres la sumisa menos sumisa que he conocido jamás. Eres más bien una receptora, la verdad.

–¿Una receptora?

–Sí. Te excita el hecho de no mandar, de ser dominada, con o sin la conexión emocional. Así es como te gusta el sexo.

–Supongo que sí. Pero no es lo mismo con nadie que no sea Dominik. Con otras personas es solo… sexo. Con Dominik es algo más.

–Es eso precisamente lo que tiene follar con alguien de quien estás enamorado. ¿Nunca has estado enamorada?

Lo consideré. Viggo, Simón, Darren. Will, un novio que tuve en Nueva Zelanda antes de mudarme al extranjero. Lo máximo que podía decir era que les tuve mucho cariño. Creía que a Simón sí lo había amado de verdad. Pero sexualmente no teníamos la misma conexión, por lo que a veces me parecía más un hermano que un amante.

–No, no creo.

Meneó la cabeza con incredulidad.

–Entonces no me extraña que estés un poco atrofiada emocionalmente, supongo –suspiró.

Bajó la mirada a su plato vacío con pesar y luego la dirigió a mis sobras.

–Quien no malgasta no pasa necesidades –añadió, y pinchó los restos de mi salchicha con el tenedor.

–¿Cuánto tiempo vas a estar en Berlín? –le pregunté con la esperanza de desviar el tema de mí y de mi vida personal.

—No lo sé —respondió—. Aún no he reservado hotel. Cuando me encontré con que la casa de Hampstead estaba vacía tomé el primer vuelo que encontré. No podía soportar la idea de estar sola en casa. Supuse que Dominik te había seguido hasta aquí. Pensé que podría dormir con los de tu banda o pasar la noche de fiesta, ahorrarme el alojamiento. Esta noche la he pasado con una chica con la que ligué en Roses, me lo pasé muy bien pero no le pedí el teléfono.

Me miró y me guiñó el ojo por encima del último bocado de salchicha.

—Ahora que he visto el estado en que te encuentras no puedo dejarte aquí sola, ¿verdad?

—Sé cuidar de mí misma —repliqué, empezaba a enfadarme.

—Precisamente ese es tu problema, Summer, eres demasiado orgullosa y estás demasiado dispuesta a cuidar de ti misma. Tienes que aprender a dejar entrar a la gente en ese duro caparazón tuyo. Estoy segura de que detrás de la dureza del exterior hay un escondite blandito.

—Bueno, puedes quedarte conmigo. Tengo una cama doble en el hotel que hay justo al doblar la esquina.

—Me va estupendamente —dijo con una sonrisa maliciosa—. Pero no creo que haya ninguna necesidad de irnos a dormir ya. Berlín es el centro de la fiesta. He ido a todos los bares de este lado de la ciudad pero hay otro sitio que quiero conocer, no está lejos en taxi.

—La verdad es que no estoy de humor para fiestas.

—Eres igual de mala que Dominik. Tampoco quiere salir nunca, y cuando lo hace es para ir a tomar un refresco. Dame ese gusto. Nada serio. Nos echamos un baile y nos tomamos una copa, te ayudará a dejar de pensar en tus preocupaciones.

Cuando empezaba, Lauralynn era como un tren corriendo a toda velocidad por la vía y yo no tenía energía suficiente para disuadirla, de modo que accedí a acompañarla aun cuando ya casi era la una de la madrugada.

–Ya dormirás cuando estés muerta –repuso cuando le recordé la hora que era. Lauralynn no engatusaba, ordenaba, y sentí que mis defensas empezaban a desmoronarse bajo el peso de sus órdenes.

–No tengo nada que ponerme –protesté en tono lastimero.

Ella entrecerró los ojos como si tuviera visión de rayos X y me examinó de la cabeza a los pies.

–¿Llevas un corsé debajo de ese vestido?

–Sí, pero no de los que quiera llevar en público.

Hizo caso omiso de mi respuesta.

–¿Y esas botas son hasta el muslo?

Asentí con abatimiento.

–Será perfecto.

Me condujo al otro lado de la calle y paró un taxi.

No entendí la dirección que le dio al conductor, solo el nombre del bar: Insomnia.

–¿Hablas alemán?

–No muy bien. Pero lo suficiente para desenvolverme por ahí. Cuando iba al instituto estuve unos cuantos meses de intercambio en Berlín… Entonces aún no tenía edad para entrar en los mejores clubs, pero sí estatura suficiente como para engañar a algunos porteros.

Al cabo de veinte minutos paramos en una calle lateral oscura y tranquila, salvo por el letrero rojo que anunciaba el club y los dos empleados de seguridad que estaban en la entrada pasando revista a las parejas que se agolpaban en la puerta.

La chica rubia que cobraba la entrada nos recibió con cordialidad. Nos miró de arriba abajo para ver cómo íbamos vestidas y Lauralynn le dijo unas palabras en alemán. Nos indicó que entráramos.

El pasillo de entrada estaba decorado todo en rojo, por lo visto era el color universal del sexo. A mano derecha había una vitrina de cristal en la que se exponían a la venta un par de DVD porno y una torera de látex púrpura con volante blanco. Un cartel anunciaba una próxima noche especial, «Fiesta del sexo».

Lauralynn tomó asiento en un banco cubierto de terciopelo rojo apoyado contra una pared, se despojó de sus tacones altos y empezó a contonearse para quitarse los pantalones ceñidos.

—Lauralynn —le dije entre dientes.

—No pasa nada —repuso—. Se supone que hay que venir con ropa fetichista pero son bastante informales con el código de vestimenta. Nos dejarán entrar en ropa interior. Puedes cambiarte aquí.

Se había quitado la camiseta y volvía a calzarse los zapatos de tacón, sin llevar puesto nada más que un tanga negro.

—No estoy de humor para este tipo de fiesta, de verdad.

Lo último que quería era tener sexo, o ver cómo otras personas lo practicaban. Es más, tampoco tenía ganas de bailar, y mucho menos de bailar desnuda. Si la intención de Lauralynn había sido urdir una manera para deprimirme más a propósito, no podía haberlo hecho mejor. Quizá dejaría que me tumbara en el guardarropa y me acurrucara en posición fetal mientras ella disfrutaba de la fiesta sin mí.

—Confía en mí y quítate la ropa —me dijo.

Tenía una forma de hablar autoritaria que no admitía discusión, ni aunque yo hubiese estado de humor para protestar. Era la dómina que llevaba dentro quien hablaba, supongo, y a las dóminas, según mi experiencia, es mucho más difícil decirles que no que a sus equivalentes masculinos.

Me despojé del vestido, uno camisero con discreto estampado de leopardo, y me quedé con el par de botas altas, la ropa interior negra y el corsé, también negro y por debajo del busto, que me regaló Dominik y me había seguido por medio mundo; albergaba más recuerdos de los que yo querría, tanto dolorosos como agradables.

Lauralynn me tomó de la mano y me condujo por los escalones alfombrados de rojo que subían al bar. Me pasó un chupito de tequila sin preguntarme lo que quería beber.

–Tómate esto –dijo–. Suavizará las cosas.

No me molesté con el limón y la sal, me limité a bebérmelo de un trago y volví a dejar el vaso en la barra. Eché un vistazo por la habitación para ver en qué estaba pensando meterme Lauralynn esa noche, todo con el pretexto de animarme.

Junto al bar había una pista de baile que aún estaba muy tranquila pese a que ya era bastante tarde.

–La chica de la puerta dijo que no se anima hasta las dos, cuando abren el piso de arriba –comentó Lauralynn. Se había terminado la bebida y estaba lamiendo los restos de sal y azúcar de sus dedos. Un par de tipos nos miraban con avidez, los habituales hombres solteros, la mayoría en uniforme o camisa y pantalón negros; al parecer, frecuentaban este tipo de locales en todas las ciudades del mundo. Al menos de momento, nos miraban desde una distancia prudencial.

Lauralynn siguió mi mirada y mi expresión nerviosa cuando me acerqué más a ella de manera automática, incomodada por la desnudez de mis pechos y resistiendo el deseo de rodearme el torso con los brazos para esconderlos, con lo que solo conseguiría llamar más la atención.

–No les hagas ni caso –dijo ella al tiempo que miraba a aquellos hombres solos con desdén, como si no fueran dignos de más atención de la que merecería algo desagradable que se le hubiese pegado a las suelas de los zapatos–. Vamos a echar un vistazo por ahí.

Entramos en una habitación a mano derecha. Estaba oscura, tanto que apenas distinguí un par de cuerpos hechos un ovillo en una cama que había en un rincón. La gente que había encima parecía estar abrazándose y nada más, pero dudé y aparté la mirada enseguida. Aquella noche no estaba

214

de humor para el voyerismo. Tardé un minuto en darme cuenta que las brillantes obras de arte de las paredes representaban genitales, tanto masculinos como femeninos. Cerca de la entrada había una gran escultura de una vulva de colores que brillaba en la oscuridad y sobresalía de la pared por sus tres dimensiones. La figura llevaba un aro grande de color verde prendido del clítoris. En otras paredes había esculturas similares que mostraban un largo pene y hombres y mujeres en distintas fases del coito.

Había una cruz pequeña y un potro, ambos situados fuera del paso. La habitación de al lado estaba ocupada por un columpio del amor y un par de camas. En estas había más parejas, pero aún no se me habían adaptado los ojos a la oscuridad y solo percibía algún atisbo, un pecho aquí, un zapato de tacón rojo por allá, una mujer gimiendo de placer rodeada de hombres solos observándola.

Lauralynn paseaba la mirada por todas partes con interés, empapándose de todo.

Yo no soportaba mirar.

—Tengo que salir de aquí —le dije, y me abrí paso a empujones hacia la salida, pasando de nuevo por la pista de baile. Se estaba proyectando una película porno por circuito cerrado. Lo primero en que me fijé fue en que todas las mujeres tenían vello púbico y ninguna de ellas era rubia. El lenguaje cultural del sexo.

El DJ estaba poniendo música disco y unas luces brillantes se movían por la habitación. La gente bailaba en la pista inmersa en la música y todos parecían inmunes al sexo que tenía lugar en torno a ellos. Una mujer que, al igual que Lauralynn, solo llevaba un tanga, bailaba con su pareja que iba vestido de forma similar. Dejando de lado su desnudez mutua, podría haberse tratado de cualquier pareja de mediana edad bailando en una boda. Al menos, y di gracias porque podría haber sido peor, aún no había visto penes fláccidos colgando ni hombres acariciándose a sí mismos.

Lauralynn me tomó otra vez de la mano y me llevó más allá del bar hacia un par de cortinas de terciopelo que señalaban la entrada a otra habitación al fondo.

Empecé a refunfuñar de nuevo a modo de protesta, pero ella ni siquiera se volvió, y mucho menos se detuvo a escuchar.

—Ya estamos —dijo cuando cruzamos y giramos a la derecha—. Es por esto que te he traído. No hay nada mejor que un baño para mejorar el estado de ánimo.

Nos encontrábamos junto a un *jacuzzi*, y aún no estaba ocupado. Había unas toallas blancas limpias y esponjosas apiladas al lado; una señal indicaba una amplia ducha al doblar la esquina en la cual se pedía a los clientes que se ducharan antes de meterse en la piscina. Lauralynn ya se había quitado el tanga, tomó una toalla y abrió el agua. Yo me apresuré tras ella para no quedarme sola al lado de la bañera caliente más de unos instantes, no fuera que algún hombre solo se tomara mi presencia solitaria como una invitación.

Intenté no quedarme mirando los regueros de agua que se deslizaban veloces por las curvas de Lauralynn.

En ocasiones anteriores, la había visto vestida de blanco y negro para la orquesta, con los vaqueros ajustados tan propios de ella y también con un traje de látex tan ceñido que podría haberlo llevado pintado. Desnuda era todo lo que el traje de látex prometía, alta y escultural y con unas piernas larguísimas. Pero era su actitud lo que de verdad la convertía en una auténtica bomba sexual, el mensaje de sus ojos que tentaban, pero aseguraban al que miraba que nunca tendría ninguna posibilidad. No era de extrañar que los hombres la adoraran. No se trataba únicamente de que ella no los miraría dos veces en ninguna otra circunstancia; había algo en su forma de ser que me impulsaba a arrojarme a sus pies a cambio de un esbozo de sonrisa. Poseía cierto aire regio.

Me reuní con ella bajo el chorro de la ducha y el agua caliente me quitó las penas del día y la noche anteriores.

Nos metimos juntas en el *jacuzzi* y permanecimos allí sentadas e inmóviles durante una hora, en remojo, sin apenas intercambiar palabra. Si alguien intentaba unirse a nosotras, Lauralynn les lanzaba una mirada fría que los mandaba de vuelta por donde habían venido.

Estaba completamente relajada y a punto de quedarme dormida cuando ella se levantó de la bañera y salió para secarse.

Los sonidos que nos llegaban desde los reservados y habitaciones cercanas a la ducha hacían pensar que la fiesta se hallaba entonces en pleno apogeo. Seguía sin tener ningún interés en unirme a la acción, pero ya no me molestaban los suaves gemidos de placer y los gruñidos ocasionales.

Eran las tres de la madrugada cuando subimos a un taxi de vuelta al hotel. Los bares de Oranienstrasse aún estaban abiertos y llenos de gente. Incluso el IchOrya, la cafetería en la que me había pasado casi todo el día anterior, tenía las luces encendidas y un par de personas estaban sentadas a la puerta fumando un cigarrillo. Realmente, Berlín era la ciudad que nunca duerme.

Llamé al timbre del hotel y entramos las dos. Todos los del grupo dormíamos en el mismo piso y un pasillo pequeño comunicaba las habitaciones. Los demás aún no habían regresado o bien dormían profundamente, lo más probable es que fuera lo primero puesto que nos habíamos convertido en noctámbulos, descansábamos durante el día y actuábamos y salíamos de fiesta por la noche.

Lauralynn volvió a quitarse la ropa directamente y yo hice lo mismo. Ya habíamos pasado la mitad de la noche sin ropa las dos juntas y estaba demasiado cansada para pensar en buscar el pijama que llevaba en la maleta por si acaso tenía compañía platónica.

Cuando nos despertamos era la hora de comer. Yo me encontré acurrucada entre los brazos de Lauralynn, con la mejilla apoyada en sus pechos y el olor dulzón de su champú penetrando en mi nariz. Era un lugar muy cómodo y por un momento pensé que podía entender la sensación de ser un hombre y despertarse al lado de una mujer. Era más alta que yo y se hallaba en la posición de quien da consuelo, por lo que en ese sentido no era muy distinto, pero sí mucho más suave; el aroma de su cuerpo tenía un toque almizclado.

Al despertarse me pasó los dedos por el pelo, como si fuéramos amantes, y me estrechó en sus brazos. Por un momento me pregunté cómo sería besarla, pero aunque hubiera tenido confianza suficiente para hacerlo, no parecía el momento adecuado. No podía intentar ligar con una de las amigas de Dominik, o amantes, o lo que sea que Lauralynn fuera para él, aunque técnicamente Dominik y yo aún no teníamos ningún compromiso formal el uno con el otro.

–Creo que me moriré si no tomo cafeína –dijo.

Era de las mías.

Nos vestimos deprisa, ansiosas por salir en busca de aire fresco y comida. Yo no había comido mucho de lo que Lauralynn pidió en la cena y ella tenía el mismo apetito que un horno al que hubiera que alimentar continuamente.

Por el camino me detuve a escuchar a un músico callejero que tocaba «I'm on fire», de Bruce Springsteen, y eludí las protestas de Lauralynn que decía que iba a desmayarse en cualquier momento si no desayunaba enseguida. Yo siempre había sido una sentimental con los músicos callejeros porque me acordaba de cuando fui una de ellos y eché un billete de cinco euros en su estuche a cambio de un CD metido en una funda con una cubierta que parecía estar a medio camino entre lo casero y lo profesional. Ponía: «Kaurna Cronin, *Feathers*». Le dirigí una sonrisa al músico, que correspondió quitándose el sombrero en tanto que Lauralynn daba saltitos pasando de un pie a otro con impaciencia.

–¿Podrías coquetear en cuanto acabemos de comer? –me preguntó malhumorada mientras yo me metía el CD en el bolso.

Tomamos café y una fuente con pan, queso y lonchas de carne en Matilda's. Chris y Fran ya estaban allí, terminando de comer, y tenían planeado investigar en la tienda de discos de al lado. Por la noche teníamos que tocar en el mismo local, de modo que solo disponíamos de tiempo libre hasta media tarde.

Fran escudriñó a Lauralynn con la mirada y luego me miró con una ceja enarcada.

–¿Has dormido bien?

La presenté como una vieja amiga de un amigo. Fran y Chris se marcharon enseguida y prometieron que nos veríamos después.

–¿Es tu hermana? –preguntó Lauralynn.

–Sí.

–Os parecéis. Sois distintas, pero el fondo es el mismo. Tiene el mismo brillo en la mirada que tú.

–No empieces. Está claro que Chris va detrás de ella y no creo que pueda soportar que más de un amigo mío se líe con mi hermana.

Pedimos otra ronda de cafés y nos sentamos fuera un rato, en las mantas rosadas que cubrían los bancos de madera, mirando la calle y viendo pasar a la gente.

Era fácil estar con Lauralynn. No parecía necesitar ninguna aportación por mi parte y se conformaba con estar sentada a mi lado. El hecho de estar junto a ella resultaba tranquilizador y me daba una sensación de esperanza. Era de las que no podían mostrar más que una honestidad impasible, sin importar lo mucho que pudiera herirme con ello, de modo que si ella creía que Dominik y yo teníamos una oportunidad era porque la teníamos.

Al final rompió el silencio.

–Vamos a explorar.

–Claro. –Me encogí de hombros. Nos marcharíamos de Berlín en un par de días y, a pesar de mis buenas intenciones, había pasado más tiempo durmiendo que explorando. En lo que quedaba de gira no habría más que noches sueltas aquí y allá, sin más descansos hasta que regresáramos a Londres.

Alquilamos unas bicicletas y pedaleamos hasta el mercadillo de Mauerpark. Estaba lleno de gente. La mitad de la población de Berlín parecía estar allí, recorriendo los puestos en busca de chismes, ropa antigua y muebles de segunda mano. Vi un par de botines con estampado de cebra de un número que a mí me venía pequeño y los compré para Fran.

Compramos dos vasos grandes de zumo de naranja y nos fuimos abriendo paso entre la multitud hasta llegar al parque que había frente al mercado. Era un lugar bastante árido comparado con otras zonas verdes que había visto en la ciudad, allí solo había hierba descuidada y unos cuantos árboles, pero también estaba lleno de gente tumbada en el césped o sentada observando a un grupo de músicos que había en un extremo y que cantaban con una máquina de karaoke.

Volvió a sonarme el teléfono. Contesté a toda prisa y cuando ya había pulsado el botón de responder me di cuenta de que no reconocía el número. Esta vez no era Dominik.

–Hola, Summer. Soy Grayson. Tengo que preguntarte una cosa sobre tus fotos…

10

Bailarina privada

La noche que pasó en París con Summer fue demasiado corta. Ni siquiera le dio tiempo a hablar de la pérdida del violín y sobre los verdaderos motivos por los que se separaron en Nueva York. Dominik sabía que ninguno de los dos quería ponerse a repartir culpas; él ya tenía claro que ambos habían sido igualmente culpables. Por lo que eran, por lo que los motivaba. Si ese río subterráneo en el que flotaban sus vidas no hubiese existido y su corriente no los hubiese arrastrado hacia el otro, probablemente no se habrían conocido, de manera que no tenía sentido discutir las minucias. Eran lo que eran: sumamente imperfectos y con pocas posibilidades de cambiar. Ahora únicamente se trataba de aprender a vivir con el pasado y esperar que pudieran llegar a algún acuerdo con los anhelos, apetitos y las exigencias emocionales de sus respectivas maneras de ser.

Encontró un mensaje de Lauralynn en el contestador en el que le informaba que esperaba estar de vuelta en Londres a finales de semana. La reunión con su hermano había sido un éxito relativo; restablecieron algunos vínculos y sus heridas no eran tan graves como para tener un efecto duradero. Decía que tenía ganas de regresar. En vista de su encuentro con Summer, y por mucho que le gustara la alegría y buen humor de Lauralynn, Dominik ya no estaba

221

seguro de si sería conveniente que siguieran viviendo bajo el mismo techo. Era consciente de que Summer y Lauralynn habían pasado algún tiempo juntas en una ocasión pero no sabía hasta qué punto intimaron. Era una complicación añadida.

Las imágenes de Summer en la habitación del hotel de París aún le daban vueltas en la cabeza, así como los sonidos y olores de la capital francesa que ahora siempre asociaría con ella. La fragancia embriagadora de la *pâtisserie* recién horneada que lo recibió en la calle, cuando cruzó la puerta del hotel para ir caminando hasta el metro y emprender el corto trayecto hasta la estación de tren. La jungla de grafitis en paredes con frecuencia ruinosas y desmoronadas y en los túneles por los que avanzaba el Eurostar al atravesar la tierra de nadie que separaba París de las afueras.

El brillo que tenía en los ojos al llegar al orgasmo, y su miembro muy dentro de ella, envuelto en su calor.

Los sonidos ahogados que escapaban de su garganta con cada embestida.

La forma en que ella contenía el aliento en silencio, a la espera de algo más, deseando algo más, cada vez que él aminoraba la cadencia y se detenía para anticipar otra forma de poseerla, dominándola, haciendo que el nivel de excitación de Summer zigzagueara; un paso atrás y era un torrente imparable, dos pasos adelante y era una maravillosa e incontrolable tormenta. Dominik forzaba el cuerpo de Summer a adoptar nuevas posturas con un dedo aquí, el dorso de la mano allá, y ella era como un hermoso animal guiado en la doma, lleno de orgullo y sensualidad con la constante invasión de su pene erecto.

Su rostro en reposo mientras dormía, con una fina capa de sudor que poco a poco se iba secando sobre la superficie de su piel pálida; un estremecimiento involuntario que la recorría y se deslizaba a la velocidad de la luz bajo la superficie de su piel, como la réplica de un terremoto localizado.

La paz. La belleza de su cercanía. La serena aceptación de la confianza que tenía en él.

Dominik volvía a sentirse vivo, como si estuviera saliendo de un largo sueño, de un lamentable paréntesis en su vida. Lo único que hubiera hecho falta era otra noche con Summer. Imprevista, espontánea, sin artificio.

Decidió que la llamaría por la mañana. Ahora estaba agotado, pero la sensación era de una agradable laxitud, como si se le hubieran abrumado los sentidos, sobrecargado las pilas, y necesitaba un poco de tiempo para completar su propia transformación. Pero sabía también que no estaba ni mucho menos cansado y que la noche que se avecinaba iba a resultarle difícil y agitada con el dulce tumulto de su cabeza y el zumbido eléctrico que aún controlaba todo su cuerpo.

Subió a su estudio. En la pantalla del ordenador abrió las notas para la nueva novela.

Creó una carpeta nueva y empezó a escribir de forma automática sobre los sentimientos e impresiones que evocaba la noche con Summer en París mientras aún ardían como una hoguera en su interior, temeroso de que la inmediatez de la experiencia se desvaneciera demasiado rápido y lo dejara sin recuerdos, que pudiera estallar en su búsqueda de emociones que dieran vida a sus páginas.

Era un poco parecido a cuando los sueños atraviesan el muro de tu descanso y tienes la sensación de que deberías anotarlos porque sabes que por la mañana se habrán disipado y no los recordarás. Dominik era consciente, por experiencia, de que el único problema era que siempre que lo hacía, al día siguiente las notas no eran más que palabras al azar que rara vez tenían algún sentido.

Su piel.

Sus ojos.

Las líneas limpias y curvas de su cuerpo.

Los ángulos marcados y redondeados de su intimidad.

Dominik suspiró. A veces no bastaba con las palabras.

Suspiró y cayó en la cuenta de que ni siquiera había comprobado el correo electrónico desde que regresó de París aquella misma tarde. Un claro indicio de distracción.

Hizo clic en la bandeja de entrada.

Por suerte había pocas cosas importantes. Lo cual era una prueba más de que el mundo no giraba ni a su alrededor ni en torno a sus preocupaciones románticas. El correo basura habitual, boletines a los que estaba suscrito, invitaciones para dar conferencias.

Lo que sí había, sin embargo, era un recordatorio de que se lo esperaba en Barcelona el fin de semana próximo para unas apariciones promocionales con motivo de Sant Jordi de parte de sus editores en lengua española. Un compromiso del que casi se había olvidado en medio de tanta agitación. Se preguntó si la ciudad catalana formaría parte del itinerario de la gira de los Groucho Nights. Eso ya habría sido demasiada coincidencia, sin duda.

Al final, como ya no era capaz de mantener los ojos abiertos mucho más tiempo, se metió en su habitación a regañadientes.

A la mañana siguiente, cuidándose de que no fuera demasiado pronto porque tenía muy presente lo mucho que le gustaba a Summer quedarse en la cama hasta tarde, la llamó a Bruselas, donde los Groucho Nights iban a tocar antes de dirigirse a Berlín.

Había salido a correr.

–¿Estás bien?

–Perfectamente –respondió un poco sin aliento.

–¿Cuándo es el concierto?

–A finales de semana, el sábado y el domingo. Hacemos dos actuaciones. La primera se vendió tan deprisa que el local sugirió que hiciéramos otra. Luego nos quedaremos unos días en la ciudad antes de seguir.

–¿Y adónde vais luego?

–A Ámsterdam, y después a algunas ciudades escandinavas, Copenhague, Oslo, Malmo, Estocolmo y Helsinki, aunque si no consulto la hoja de ruta no estoy segura del orden. Luego bajaremos a Austria y los Balcanes. Tocamos hasta en Sarajevo y Liubliana.

–Promete ser divertido.

–Sí –coincidió ella con evidente entusiasmo–. No conozco ninguno de esos sitios.

–No tuvimos ocasión de hablar mucho, ¿verdad?

–Lo sé.

–Escucha –dijo Dominik, que intentó adoptar cierta seriedad–. Quedé con ese tipo con el que me pusieron en contacto. En París. Alguien que conoce el lado turbio del mercado para los instrumentos musicales. Tenías razón. Viggo es famoso como coleccionista en el medio y, por lo visto, estaba informado sobre el Bailly. Llevaba detrás de él un tiempo. Estaba en su lista de deseos…

–¡Qué rabia! –soltó–. No querría que fuera él, la verdad.

–No quiere decir que esté involucrado necesariamente –intentó tranquilizarla Dominik–, pero es demasiada casualidad.

–Estoy de acuerdo. ¡Vaya! Es que no sé qué debería hacer. ¿Hacerle frente, tal vez?

–No estoy seguro. ¿Sigue de gira con vosotros?

–No, ha regresado hoy a Londres. Con Luba. Tiene algunos compromisos para grabar allí durante las próximas semanas. Dijo que intentaría volver a unirse a la gira en cuanto llegáramos a Estocolmo. Incluso le insinuó a Chris que podría salir a tocar un tema allí. Como para darnos su visto bueno.

–¿Hay algo que pueda hacer yo? –preguntó Dominik.

–Déjame pensar.

Hubo una pausa. Dominik oía ruido de tráfico de fondo al otro lado de la línea. Debía de estar corriendo junto a una calle muy transitada.

–¿No pasaréis por casualidad por Barcelona en algún momento?

–En esta etapa de la gira no –respondió Summer–. Aunque quizá lo hagamos más adelante. Volveremos a Londres entretanto. ¿Por qué lo preguntas?

–Yo tengo que ir esta semana. Para hacer la promoción del libro. Me comprometí hace un tiempo.

–Lo pasarás bien.

–Me preguntaba si podríamos haber coincidido.

–Mmm… –Dominik no supo interpretar la expresión de su voz–. Esta vez no.

–Escucha, la otra noche…

–Ya lo sé, Dominik… Quizá deberíamos hablar de todo esto cuando esté de vuelta en Londres. Me gustaría.

–Lo comprendo.

–Una cosa más –dijo.

–Sí.

–La bailarina rusa de Nueva Orleans… –A Summer se le fue apagando la voz.

–Luba. Sí, sabía quién era yo. La reconocería en cualquier parte.

–Está con Viggo.

–Ya me fijé. Pero… ¿vosotras dos… y él?

–Es complicado.

–Lo parece. Pero no importa. Lo principal es que volvemos a hablarnos.

–Yo diría que ahora mismo es algo más que eso –comentó Summer con un atisbo de sonrisa en la voz. Pero Dominik también detectó cierto cansancio. A ella nunca le había gustado hablar por teléfono. Necesitaba la inmediatez de la proximidad para comunicarse por completo, para expresarse.

–Te dejo que sigas corriendo –dijo Dominik–. ¿Puedo llamarte a finales de semana?

–Por supuesto.

Sant Jordi era el equivalente del Día de San Valentín en Cataluña, aun cuando se celebrara a otro santo. Cada año, en dicha fecha, el centro de Barcelona se transformaba en un enorme mercado callejero desde el norte de la Plaza Cataluña hasta la Diagonal, con espléndidos tenderetes de flores y puestos de libros cuyas mesas se combaban bajo el peso de cientos de volúmenes nuevos y viejos. Una celebración de la naturaleza y la lectura en la que multitud de escritores iban de puesto en puesto para firmar sus libros al público. Los puestos estaban organizados por librerías y editoriales. La tradición era que las mujeres compraran libros para sus compañeros y los hombres adquirieran rosas, preferiblemente rojas, para ellas. Así pues, en un día soleado, media ciudad estaba en la calle, paseando de un extremo a otro de la Rambla Cataluña, cargada con libros y rosas. Un espectáculo que hizo aflorar una sonrisa en el rostro de Dominik mientras iba saltando de puesto en puesto a instancia de sus acompañantes.

Hizo conjeturas sobre qué libro le habría comprado Summer de haber estado allí. Aunque comprendió que, para ser justos, no hubiera importado demasiado dado que la mayoría de los títulos que se ofrecían estaban en español. Pero se le ocurrió una idea: los libros son permanentes en tanto que las flores se marchitan y mueren. ¿Y qué decía eso sobre el equilibrio de las cosas entre hombres y mujeres?

Se encontraba en el último puesto de libros del día, ocioso en aquellos momentos, aunque los autores locales sentados con él a la mesa seguían atareados firmando ejemplares y charlando amistosamente con los lectores y compradores, cuando un brazo largo, pálido y delgado, le entregó un ejemplar bastante usado de una edición original inglesa de su libro.

Dominik alzó la vista.

La itinerante Luba.

Vestida para matar, como siempre, su cuerpo largo y delgado enfundado en un vestido de lana de Roland Mouret, muy ajustado y de color rojo encendido.

–¿Tú? –Dominik no pudo disimular su sorpresa.

–¿No te molestará firmar a una amiga, no?

–¿Una amiga o una acosadora?

Luba tenía una risa cristalina.

–Bueno, te di mi número y no me llamaste. ¿Qué más tiene que hacer una mujer?

Dominik abrió el libro por la página del título y se lo firmó. De modo que había dicho la verdad cuando le contó que lo había leído. «Para una bailarina privada», escribió.

Mientras Luba permanecía frente a la mesa leyendo la dedicatoria, su cabello rubio platino flotó como un velo de seda mecido por las corrientes invisibles de la brisa de media tarde que bajaba por las Ramblas.

–Muy bonito.

–Un placer.

–Veo que ya casi has terminado –dijo–. ¿Por qué no vamos a tomar una copa, o un café, o unas tapas, quizá?

La encargada de prensa de su editorial le indicó que había terminado sus obligaciones y que no le importaba que se fuera. Él le dio las gracias, y también a las personas que atendían el puesto, y se levantó.

–Dime, ¿cómo sabías que iba a estar en Barcelona? Y no me digas que pasabas por aquí por casualidad, Luba.

–Elemental, mi querido Dominik. Te busqué en Google… Y en la web de tu editorial española había una lista de escritores que asisten a Sant Jordi. Fue todo muy fácil. –Su sonrisa desarmaba.

Dominik no acababa de imaginarse a una persona tan etérea y sexual como Luba sentada delante de un ordenador, pero tenía sentido. En estos tiempos no podías esconderte en ningún sitio.

–¿Y viniste hasta Barcelona solo para que te firmara el libro?

–No. También vine por trabajo. Para bailar.

–Ah…

–Un contrato privado.

–¿Como en Nueva Orleans? –preguntó Dominik.

–No exactamente –respondió ella.

–¿A Viggo le parece bien tu…, el trabajo que haces por tu cuenta?

–No es asunto suyo –contestó sencillamente–. No es mi dueño.

–Bien.

Subieron andando por el Paseo de Gracia hasta que encontraron un bar pequeño, al que se accedía por un tramo de escalones de piedra. Tenía el techo bajo, y estaba en parte bajo tierra; los olores del café, el tabaco y el jamón que flotaban en el aire hacían que se hiciera la boca agua. Ninguno de los dos hablaba español con fluidez, de modo que se limitaron a señalar los pequeños platos repletos de bocados exquisitos esparcidos por la barra para indicar los que querían. Todos los hombres del local tenían los ojos puestos en Luba. Destacaba muchísimo en aquel lugar, ágil y elegante, imperiosa, casi perfecta; el rojo de su vestido parecía un faro en la luz mortecina del día.

–Mandarán un coche a recogerme a las diez –dijo Luba.

–¿Tus clientes?

–Sí. Creo que también son rusos. Ricos. De estos hay muchos últimamente. No era lo mismo cuando era más joven. Será en un barco. Mi baile.

–Veo que tienes buena reputación. Estás solicitada a nivel internacional.

–Puede ser –repuso con una sonrisa modesta.

Dio un bocado a una de las tapas, un cuadrado minúsculo de patata rebosante de una salsa agria y salpicada de pimentón.

–Está muy buena –comentó–. Tienes que probar un poco.

Dominik engulló unas cuantas aceitunas verdes rellenas de anchoa. El equilibrio de sabores era sutil y adictivo. En cuanto comías una, querías más. Los cafés que habían pedido estaban muy calientes y fuertes. Llamó al camarero para que le sirviera un poco de agua mineral.

—Me gustó tu libro —dijo Luba—. Elena, la mujer que sale en París, da la sensación de ser muy real. Pero muy auto-destructiva, diría yo.

—Por eso querías verme —terció Dominik—. Ya es demasiado tarde para cambiarla, ¿sabes? El libro está finiquitado.

—¿Finiquitado?

—Solo es una forma de hablar. Me refiero a que está terminado. Ahora estoy trabajando en uno nuevo. Una historia distinta, otros personajes.

—Siempre he pensado que los escritores debían de ser hombres complicados. Me despiertan curiosidad.

—Ojalá le pasara a todo el mundo…

—¿Y de qué va el nuevo libro? ¿Si se me permite preguntar?

—Va de instrumentos musicales. En particular, de la historia de uno en concreto, un violín, y de la gente que lo poseyó… De su historia a lo largo de un par de siglos.

—¡Vaya, es una idea genial! —comentó Luba al tiempo que juntaba las manos—. Imagino de dónde la has sacado, ¿eh?

—¿De Summer, quieres decir?

—Ella toca el violín. Pero también me interesaba conocer al hombre que pidió a su mujer que bailara en Nueva Orleans.

—Me complace oír que te resultamos entretenidos.

—Las vidas de otras personas siempre me han resultado fascinantes —continuó Luba.

—De modo que, a tu manera, no solo eres una bailarina desnuda sino también una voyerista.

—¿Por qué no? Cualquier cosa para hacer que la vida sea más variada, ¿no te parece?

—Háblame de tu… amigo, Viggo.

—¿Qué quieres saber?

—Me han dicho que colecciona cosas. Obras de arte, y también instrumentos, ¿no?

Luba sonrió con expresión enigmática.

–Ah, ya veo por qué te interesa también.

–Exacto. Me gustaría saber más. ¿Y bien?

–Pregúntame –dijo–. Haré todo lo que pueda por responder.

Luba accedió cuando Dominik expresó interés en verla bailar de nuevo. Tenía que reunirse con ella en el vestíbulo de su hotel poco antes de las diez de aquella noche, que era cuando pasaría a recogerla la limusina. Se alojaba en el Hotel Condal, lejos del alboroto del centro de Barcelona, un sitio lujoso pero discreto, apartado de las rutas más turísticas. Los hombres de recepción, todos ellos ataviados con trajes negros idénticos, y que hubieran encajado perfectamente en una pasarela de moda, le dirigieron una mirada de complicidad cuando indicó que esperaría abajo a su despampanante huésped rubia.

Ella salió del ascensor, como un fogonazo blanco: una silueta alargada desdibujada por la seda marfil, una piernas larguísimas prolongadas por unos imponentes tacones plateados, la salvaje cabellera de rebeldes rizos rubios que caía suelta y sus brazos desnudos que eran una visión de pálida porcelana. Había resaltado sus ojos con *kohl* de manera provocadora y la diferencia entre el extremado maquillaje negro y el resto de su rostro –iluminado por una ingeniosa capa de pintalabios rojo pálido y colorete en aquellos pómulos altos y marcados–, era como un estudio de contrastes.

La limusina los esperaba fuera y el chofer, impasible, con uniforme gris y gorra, les sostenía la puerta abierta.

Luba había advertido a Dominik que llevara traje. Por suerte él metió uno en el equipaje, por si acaso, antes de salir de Londres, aunque no tenía corbata y tuvo que comprarse una decente en El Corte Inglés de Plaza de Cataluña.

Cuando aquel largo vehículo se alejó de la acera con un delicado ronroneo del motor, Dominik, aislado del conductor

231

por una separación de grueso cristal, le preguntó a Luba adónde los llevaban.

–Yo nunca pregunto –respondió, y no hizo ningún esfuerzo por dar más detalles.

La limusina no tardó en salir de la ciudad y siguió la autopista en dirección sur. Siguieron adelante durante media hora con la luna llena que brillaba a su izquierda sobre el mar nocturno. Cruzaron a cierta velocidad una serie de túneles cortados en las laderas del camino, y luego aparecieron ante sus ojos las pequeñas poblaciones turísticas que salpicaban el litoral.

Luba había permanecido en silencio durante el breve viaje, retraída en un calmo estado meditativo, muy concentrada, como si ya estuviera ensayando su actuación, metiéndose en el papel.

El automóvil siguió una señal que indicaba «Sitges», salió de la carretera principal y se dirigió a una pequeña población que atravesó sin adentrarse en los callejones estrechos del casco antiguo. Dejaron atrás más colinas con grandes hoteles de lujo desperdigados aquí y allá, cruzó la vía del tren y descendió hacia un puerto deportivo muy iluminado.

En el acceso a la entrada de la zona restringida había una puerta de seguridad. El conductor introdujo un código en un panel del salpicadero y se levantó la barrera.

El yate, una enorme construcción de cubiertas dispuestas en diferentes pisos, como una muñeca rusa, hechas de madera y acero, se encontraba al final del muelle, separado de los demás barcos. Lo iluminaba una luz débil, que atenuaba hábilmente su opulenta elegancia.

Un guardia de seguridad fornido comprobó el nombre de Luba en una lista que tenía en las manos e indicó a la pareja que se dirigiera a la cubierta inferior donde se arremolinaba una multitud de personas bien vestidas que bebían y charlaban. Dominik oyó hablar en inglés, francés, español, ruso, probablemente, y en todo un repertorio de idiomas.

Una mujer de mediana edad que llevaba un vestido de noche oscuro advirtió la presencia de Luba y le hizo señas. Luba le sugirió a Dominik que se mezclara con la gente y se divirtiera y, acompañada de la mujer, se marchó hacia el vestuario para prepararse.

Dominik se dirigió al bar con la vana esperanza de no llamar la atención con su traje negro barato de confección en aquel jardín de flagrante riqueza. El barman calvo le ofreció una copa de champán, pero Dominik la rechazó y pidió una Perrier o una San Pellegrino. Como era de esperar, tenía las dos variedades de agua mineral. Y casi todas las bebidas habidas y por haber.

Dominik intentó alternar lo mejor que pudo aunque no conocía a nadie. Fue pasando de un grupo a otro asintiendo con la cabeza y captando las últimas frases de conversaciones a menudo mantenidas en idiomas que no entendía. Ninguno de los invitados parecía cuestionar su presencia allí aun cuando él se sentía muy fuera de lugar. Al menos el yate estaba amarrado y no navegaba por alta mar; Dominik tenía tendencia a marearse y sabía que si el barco hubiera zarpado hubiese quedado fatal.

La misma mujer que había acompañado antes a Luba regresó a cubierta y empezó a reunir a los invitados para conducirlos a un nivel inferior del barco. Dominik siguió al gentío obedientemente. Los llevaron a un salón lujoso en el que se había levantado un pequeño escenario frente a varias filas de sillas plegables. Al fondo de la sala, junto a las amplias ventanas en saliente, con vistas a las aguas del puerto deportivo a un lado y el mar abierto en el otro, había una colección de divanes de cuero reluciente. En ellos se sentaba un conjunto de espectadores vestidos con ropa cara y que Dominik supuso que serían los propietarios del barco, los anfitriones de la velada: oligarcas rusos con sus acompañantes, a juzgar por el aspecto eslavo de sus rasgos. Unos camareros con idéntica vestimenta circulaban entre los asientos ofreciendo más copas de champán a los invitados. Dominik encontró una silla en el rincón más alejado de la habitación.

En cuanto todo el mundo se hubo acomodado, las conversaciones fugaces se fueron apagando y una corriente de visible expectación recorrió la sala. Las luces débiles del salón se atenuaron aún más.

Dos asistentes situados junto a las escaleras trajeron un par de pesadas cajas de luz que sujetaron a unos trípodes y encendieron. El escenario improvisado quedó bañado por una luz intensa y, por entre el zumbido de un par de altavoces, Dominik reconoció la voz, la cinta que al parecer ella siempre utilizaba como parte de su número. «Me llamo Luba...» A continuación los suaves compases de la música de Debussy a la vez que Luba, con su albornoz de algodón blanco, salía al escenario con indolencia y se quedaba allí inmóvil como una estatua mientras el reflejo de los reflectores de estudio ponían un contrapunto despiadado a sus formas perfectas.

Dominik ya la había visto actuar en aquella ocasión en Nueva Orleans, pero una vez más no pudo evitar maravillarse ante la gracia y solemnidad de sus movimientos. Más que lentos, eran provocadores, elegantes, sensuales, hasta que al final cada centímetro de su piel quedó al descubierto, totalmente desnudo, en tanto que su rostro permanecía absolutamente impasible, como si estuviera inmersa en sus pensamientos, o habitara otro mundo distinto, muy alejado del yate y del puerto deportivo Aiguadolç de Sitges.

Mostraba unos pechos altos y firmes que el ritmo oscilante de su cuerpo no perturbaba. Cuando se dio la vuelta y su pubis depilado quedó a plena vista de la silenciosa audiencia, Dominik vio el tatuaje de la pequeña pistola en tinta azul. Intrigante, provocativo, como una última forma de expresar su atractivo, poniendo los puntos sobre las íes de su personaje de fantasía. Dominik cayó en la cuenta de que debería haberle preguntado sobre el significado, la razón del tatuaje, cuando tuvo ocasión. Notó que los hombres del público, y también las mujeres, contenían el aliento mientras Luba seguía contorsionándose, sinuosa, adhiriéndose como un reptil al fluir trémulo e impresionista de la música, y hasta el último refugio de su intimidad quedó despiadadamente expuesto, exhibido ante el mundo.

Nota tras nota, los últimos compases de la música fueron goteando por los altavoces y poco a poco Luba retomó su posición de estatua viviente. Pero esta vez las luces permanecieron encendidas y se inició otra pieza de música. Un tango.

Era una melodía ardiente, sensual y eterna que atravesaba la quietud que se había adueñado de la habitación tras la danza de Luba.

Un hombre salió a la pista de baile y se situó frente a ella. Él también iba desnudo y era joven, probablemente tuviera entre veinte y veinticinco años. Su piel lucía un dorado bruñido, casi del mismo color que un penique nuevo. En otro entorno hubiera resultado excesivo, como si llevara días echado en una tumbona tomando el sol, pero allí aquel brillo le daba un aspecto de dios de los mares del Sur, atlético, con unas piernas fuertes, unos músculos abdominales definidos y un pecho que se agitaba con cada respiración. Tenía el pelo alisado hacia atrás, un peinado que resaltaba la dureza del contorno masculino de su mandíbula.

Su pene, cuya flacidez se perdía en la dureza del resto de su cuerpo, empezó a reaccionar a medida que el joven permanecía ante la presencia de Luba y asimilaba la riqueza de su desnudez mientras esperaba el siguiente movimiento de su danza.

Luba abrió los ojos. Agitó las pestañas con aire teatral como si la aparición del joven hubiese sido una sorpresa y no una parte esencial de la actuación de la noche. El bailarín se volvió rápidamente, la tomó de la mano y la atrajo hacia sí de forma que sus cuerpos desnudos entraron en contacto.

Con la otra mano le cogió la barbilla, sus dedos se entretuvieron intencionadamente en la piel suave del cuello y la estatua recién formada permaneció allí un instante, mirada con mirada, piel con piel, hasta que se inició la melodía principal del tango y empezaron a bailar juntos, con las piernas entrelazadas, los cuerpos enroscados.

Dominik observó a la pareja que se deslizaba con languidez por la limitada pista de baile y se preguntó en qué medida se habría ensayado aquella pieza, y dónde.

El compañero de Luba la guiaba por el eco incesante de la música, como si ella se rindiera a la gravidez y a su abrazo autoritario, con el cuerpo y las piernas perfectamente extendidos antes de que su forma se rompiera una y otra vez en el altar de las exigencias de su pareja. La temperatura de la habitación aumentó de manera considerable en respuesta a la proximidad de los cuerpos de los bailarines y a la sensualidad con que Luba se estiraba, se exponía, se movía de lado a lado a manos de la criatura divina bronceada y musculosa, cuya expresión severa y dominante permanecía inmutable.

Luba separó las piernas brevemente formando un ángulo extremo, revelándose. El joven la atrajo hacia sí y su miembro, que ya estaba tan firme como el resto de su cuerpo, quedó apretado entre el torso de ambos en un estrecho abrazo. Dominik tuvo que reconocer que era escandaloso pero hermoso a la vez.

Era una danza de deseo puro, de riesgo, pues Luba parecía haberse relajado completamente con su pareja y permitía que la moviera a su antojo, como si ella hubiese renunciado a su voluntad. Resultaba imposible apartar la mirada del brillante lustre que cubría los cuerpos de ambos, de la excitación del joven en tan íntimo contacto con el cuerpo exquisito de la bailarina rusa. Dominik observó la manera en que el miembro del joven rozaba el estómago de Luba, que mantenía sus largas piernas impecablemente rectas, con los pies extendidos como una bailarina clásica, la cabeza echada hacia atrás, rígida, imperturbable.

El volumen de la música aumentó un poco y el bailarín lanzó a Luba al suelo, donde ella desplegó su cuerpo con brazos y piernas en cruz adoptando una posición perfectamente geométrica. A continuación el joven se inclinó hacia ella, la tomó de la mano y volvió a atraerla hacia sí, haciendo que sus cuerpos desnudos se alinearan como si se tratara de un ritual, de una ceremonia sensual.

De nuevo en posición vertical, Luba levantó la pierna hasta conseguir el ángulo perfecto y, ante los gritos ahogados del público, el hombre la penetró con un único movimiento rápido en el que su pene se hundió directamente entre los labios del sexo que ella le ofrecía.

El joven desapareció dentro de Luba, con lo cual la pareja quedó totalmente unida y estremeciéndose al ritmo de la música. Continuaron con sus movimientos de baile en los que el bailarín la guiaba entonces desde el interior de su ser con su miembro, además de con sus brazos, y siguieron con el tango. Dominik se fijó en que el hombre mantenía la penetración sin que las dos figuras de baile perdieran su elegancia en ningún momento.

En las sillas que tenía delante Dominik vio las manos de una mujer que se aferraban al muslo de la persona que tenía a su lado.

En cierto modo no daba la sensación de que estuvieran follando; seguía siendo un baile, una danza primigenia, era algo de una belleza insólita llevado a otro nivel donde la gracia inherente de sus cuerpos trascendía la falta de pudor.

Dominik contuvo el aliento. Atrajo su mirada la ondulante tensión superficial del trasero de Luba que seguía dando vueltas contra el bailarín, cuyo pene era entonces una extensión de su espalda como si, al retirarlo de repente, ella fuera a desmoronarse como una muñeca de trapo al perder un apoyo físico.

La música empezó a desvanecerse y de forma paralela la danza fue aminorando el ritmo hasta detenerse, con lo que Luba y el atractivo bailarín se quedaron allí, aún conectados, como estatuas de carne y hueso cuya perfecta inmovilidad apenas si se veía traicionada por la agitación del pecho del joven, mientras recuperaba la compostura, y el rubor de excitación que se extendía entre el cuello y los pechos de Luba.

Se hubiera podido oír caer un alfiler.

A una señal de la mujer mayor que antes había estado organizando la velada, los marineros situados a ambos lados apagaron los focos.

Dominik dio un trago largo y abundante de agua mineral. Sabía que algunas de las imágenes de aquella noche se le quedarían grabadas para siempre en la memoria. El fogoso espectáculo de Luba y los sexos entrelazados de los bailarines lo llevó a evocar el calor ardiente que él siempre experimentaba cuando estaba dentro de Summer. La forma en que su cuerpo respondía, la perfección con que sus deseos inconfesables coincidían cuando se encontraban en algún cruce invisible del alma. Era lo bastante maduro como para darse cuenta del entretejido de imperfecciones que formaban ambos, a diferencia de Luba, cuya serena alegría tenía algo de misterioso. Pero ellos se complementaban. Juntos se sentían completos.

La limusina los llevó de vuelta a sus respectivos hoteles en Barcelona. La luna llena del Mediterráneo brillaba en lo alto sobre el mar mientras el automóvil avanzaba a toda velocidad por el último trayecto de la autovía vacía, cerca de la ciudad.

—Fue hermoso —le dijo Dominik a Luba.

—Estaba bien pagado —repuso ella.

—Me lo imagino. ¿Era tu... pareja de baile habitual?

–Hay varios. Depende de los compromisos. Es un campo un tanto… especializado –contestó.

–Parecía sudamericano, pero tal vez me llevé esa impresión porque era un tango. ¿Cómo se llama?

–No lo sé. No me preocupa. –Apartó la vista y fijó la mirada en la oscuridad del exterior.

–¿En serio?

–¿Qué sentido tiene? Yo me hago accesible, el bailarín dirige y yo sigo. Eso es todo. –Se volvió de nuevo hacia él–. Pero, dime una cosa, Dominik.

–¿Qué?

–Debes prometerme que nunca me sacarás en uno de tus libros. ¿Vale?

Dominik vaciló. Llevaba todo el camino pensando en cómo convertir en palabras aquel espectáculo tan exquisito como transgresor. Era toda una tentación.

Luba percibió su visible renuencia.

–Prométemelo –repitió.

–De acuerdo –Dominik accedió a su petición.

Se hizo un silencio incómodo mientras la limusina llegaba a las afueras de la ciudad y fue avanzando a trechos entre los semáforos.

–Así fue como conocí a Viggo –comentó Luba de repente–. Yo participaba en un espectáculo de sexo en vivo. Con una pareja distinta. Ucraniano como yo. Fue en Ámsterdam.

–¿Y os hicisteis… amigos?

–Sí. Viggo me pidió que me fuera con él después. Me dijo que coleccionaba cosas hermosas y que yo sería la corona de su imperio. Es una manera muy tonta de seducir a una mujer, pero era rico, carismático, divertido y yo necesitaba un cambio de la vida del baile.

–¿Y lo seguiste a Londres?

–Sí, incluso alquiló un jet privado para el viaje de vuelta. Le gusta mimarme, y también darse algún homenaje que otro, por supuesto. Pero en el fondo, es buena persona. Y un amante interesante.

–¿Así es como clasificas a los hombres? ¿Por su nivel de interés?

–¿Y por qué no? –sonrió; su carácter juguetón superó al cansancio causado por la actuación.

–Pero decidiste volver al baile, ¿no?

–Me estaba aburriendo –dijo–. De todas formas, ¿quién necesita un motivo? Puedo hacer lo que quiera. Lo que hay con Viggo no es un matrimonio, solo una amistad entre iguales. No es un hombre celoso.

–Entiendo –repuso Dominik–. Entonces cuéntame más cosas sobre sus colecciones, ¿quieres?

El orgullo de Viggo Franck era la colección de instrumentos musicales que había reunido. Poseía dos guitarras eléctricas que tocó Jimi Hendrix, una guitarra española acústica que según decían había tocado John Lennon, una maltrecha trompeta de Satchmo, un violín de Paganini auténtico y toda una serie de instrumentos raros relacionados con músicos famosos, tanto del campo de la música clásica como del rock. No contento con semejante tesoro, también acumulaba varios bocetos de Picasso, un Warhol original de la primera época, un Hirst y diversos grabados de edición limitada y mucho valor. Además, también tenía primeras ediciones de F. Scott Fitzgerald, William Faulkner y Hemingway, todas ellas impecables y algunas incluso firmadas.

La colección se hallaba repartida por varias habitaciones con la temperatura regulada de su mansión de Belsize Park.

–Parece fascinante –comentó Dominik–. ¿Y no guarda en otra parte algunas de sus piezas más valiosas?

Por lo visto, había una habitación cerrada con llave en el sótano que Luba nunca había visto y sobre la que Viggo se mostraba un tanto reservado por lo que se refería a su contenido. Afirmaba que allí solo guardaba sus discos de vinilo raros, cosa que no tenía mucho sentido. En cualquier caso, ni Luba ni el entorno siempre cambiante de Viggo mostraban especial interés por esa parte de la colección.

–Tal vez sea porque los artículos que guarda allí dentro son más frágiles, ¿no? –especuló Luba.

–Podría ser –asintió Dominik, que de momento no quería seguir más con el tema. El automóvil circulaba por la Diagonal y no tardaron en llegar al hotel que los oligarcas habían reservado para Luba. Dominik se ofreció a ir andando hasta el suyo, que se encontraba a apenas diez minutos, pero Luba insistió en pedirle al callado chofer que lo acompañara a él después de dejarla. Quedaron en volver a charlar algún día en Londres.

Dominik regresó al Reino Unido al cabo de dos días. Lo primero en que se fijó al llegar a su casa en Hampstead fue en la gran maleta Samsonite de Lauralynn aparcada junto a la puerta, junto a una bolsa grande de plástico del *duty-free* del aeropuerto.

La llamó pero no obtuvo respuesta.

Subió las escaleras hasta la habitación que utilizaba ella y llamó suavemente a la puerta por si acaso aún estaba durmiendo a esas horas de la mañana.

La habitación estaba vacía y era evidente que la cama no se había utilizado. Había un revoltijo de ropa esparcido y zapatos desordenados por el suelo enmoquetado, como si hubiera tenido mucha prisa… No tanto para deshacer el equipaje sino para volver a reunir las cosas.

De pronto recordó que se le había olvidado dejarle una nota diciéndole que iba a Barcelona un tiempo. Al encontrarse la casa vacía, quizá había decidido irse unos días a otra parte, con algún amigo.

Dominik se sentía emocionalmente exhausto. Decidió dejar su bolsa de viaje en el vestíbulo, colocada fraternalmente junto al equipaje de Lauralynn, y se fue derecho a su

dormitorio con la firme intención de quitarse todas las preocupaciones durmiendo. Había tenido que facturar en el aeropuerto de Barcelona a las seis de aquella mañana.

Fue tirando la ropa por el suelo a medida que avanzaba
hasta la cama y se dejó caer en ella, le dio pereza taparse con
las sábanas y no tardó en quedarse dormido.

Se despertó a media tarde con la caricia de un aliento
cálido contra la piel desnuda de su trasero destapado.

–Cuánto tiempo sin verte…

Abrió los ojos a medias, intentó desperezarse y al volver
la cabeza vio que Lauralynn lo miraba. Su rostro era el vivo
retrato del regocijo. Al caer en la cuenta de que estaba desnudo y excitado, intentó taparse con una sábana pero lo único
que consiguió fue que ella se echara a reír.

–Vamos, Dominik, que ya lo he visto todo antes –dijo
Lauralynn–. ¿A qué viene esta timidez repentina?

–Supongo que tienes razón –masculló él.

Lauralynn llevaba una camiseta negra de promoción de
una banda de la que él no había oído hablar, unos vaqueros
blancos y botas de cuero de media caña con cordones. Desde
su perspectiva, tumbado en la cama, parecía más alta que
nunca.

–Bienvenida –la saludó Dominik, y tiró de ella de manera
que quedaron sentados amigablemente uno junto al otro en
la cama.

–Lo mismo digo. No me dijiste que te ibas fuera.

–Lo sé. Lo siento.

–Creí que estabas en Berlín. Así que me fui para allá con la
esperanza de sorprenderte.

–¿En Berlín?

–Sí, supuse que te habrías enterado de que Summer tocaba
allí con Chris y su banda. Era el último marcador en el his-
torial de tu ordenador. Pero no estabas. No cabe duda de
que no soy un buen Sherlock, ¿eh?

–Estaba en Barcelona. Un acto promocional con mis editores españoles.

–¡En Barcelona! –Lauralynn rompió a reír–. ¡Y yo siguiéndote por el otro lado de Europa!

–¿Qué tal por Berlín? –preguntó.

–¿Qué tal por Barcelona?

–Fue interesante –respondió pensativo.

–¿Eso es todo lo que vas a contarme?

–Sí. –Una débil sonrisa se estaba extendiendo por los labios de Dominik mientras recordaba a Luba y el espectáculo, los puestos de libros por las Ramblas y la abundancia de rosas.

–Me encontré con Summer –anunció Lauralynn.

–¿Y? –Dominik intentó no parecer interesado.

–Fue divertido…

–¿Divertido?

–Escucha, ella me gusta. Me gusta mucho. –Se fijó en que la mirada de Dominik se ensombrecía–. No de esa forma –se apresuró a añadir–. Solo como amiga, como colega.

–De acuerdo.

–Y tú eres un idiota, Dominik. Un completo idiota. ¿Por qué diablos dejaste que creyera que tú y yo éramos pareja? Sabes perfectamente que no es eso lo que tenemos.

Dominik empalideció.

–Oí que se había liado con Viggo Franck. Noté que ella aún sentía algo por mí. No quería que se sintiera mal por ello. De hecho, no dije que estuviéramos juntos en ese sentido –dijo–. Solo mencioné que vivías aquí.

–Y, siendo realistas, ¿qué pensabas que iba a interpretar ella? ¿A qué conclusiones iba a llegar? ¡Bah, sois un par de estúpidos los dos!

–¿Los dos?

–Sí, vosotros dos sois vuestros peores enemigos. Obstinados, orgullosos, déjame que te haga una lista…

–¿Le dijiste cómo son las cosas, entre tú y yo?

–Por supuesto que sí. Se lo dejé muy claro, cosa que deberías haber hecho tú desde el principio cuando os encontrasteis en Brighton. Juro que por la manera con que jugáis con vuestras emociones parecéis niños.

–¿Y Viggo?

–¡Vamos, hombre! ¿No lo ves? Solo es un sustituto. ¿Acaso parece un hombre de los exclusivos? De todos modos, él tiene a esa chica rusa, ¿no es verdad?

–Luba.

–¿Se llama así? Ella también juega, imagino. No es de las celosas.

–Me la he encontrado.

–Bien por ti.

–Es muy agradable –dijo–. Creo que a ti te gustaría, en serio.

–Pues preséntanos.

–Lo haré.

–Es lo mínimo que puedes hacer para compensarme.

–¿Cómo reaccionó Summer cuando se enteró de que no había nada entre tú y yo?

–Enfado, sorpresa, alivio. No lo sé. Lo que está claro es que no se lo esperaba.

–¿Y ahora qué pasa?

–Llámala, idiota. Ya basta de juegos. Estáis hechos el uno para el otro. Pero ahora depende de ti hacer que funcione, encontrar la manera.

Dominik se estremeció. La ventana del dormitorio estaba medio abierta, afuera anochecía y los árboles de Hampstead Heath se agitaban con la brisa nocturna.

–Y ponte algo encima –añadió mirándolo–. O ese pene tan precioso que tienes se encogerá y adquirirá proporciones mucho menos atractivas.

11

Desnudos en las paredes

Viggo y Luba estaban acurrucados juntos, entrelazados como dos helechos. Los brazos de Viggo rodeaban la espalda de Luba y ella tenía sus largas piernas sobre las de él.

Yo me desperté a unos palmos de ellos dos, colgando al borde de la cama, me deslicé de entre las sábanas sin hacer ruido y me dirigí al cuarto de baño con paso suave, con cuidado de no despertarlos. Viggo dormía siempre como un tronco, pero Luba tenía reflejos de gato y me esperaba que en cualquier momento abriera los ojos con un parpadeo de sus largas pestañas.

No quería explicarle por qué me había levantado temprano, ni decirle adónde iba.

Había pasado la época en la que nos enrollábamos los tres. Ahora me sentía asfixiada al compartir las sábanas con una multitud. Pero acabar con nuestra relación podría suponer el fin de la carrera de Chris, y que no volviera a saber nada más del Bailly, de manera que de momento tenía que quedarme con ellos, quisiera o no.

La gira había sido todo un éxito, para mí y para los Groucho Nights. Chris, Ella y Ted estaban atareados escribiendo y grabando su primer álbum en estudio. Marija, Baldo y Alex habían regresado a Nueva York para unirse de nuevo a la Gramercy Symphonia y al mundo más serio de la música clásica, pero podría ser que volvieran más adelante para agregar alguna pista de sonido. Viggo había accedido a correr con los gastos llegado el momento.

Y yo me estaba preparando para una cita con Dominik.

Al menos esperaba que fuera una cita. Entre los dos habíamos ideado un plan para recuperar el Bailly, pues ambos estábamos convencidos de que lo escondían en algún lugar dentro de la mansión de Viggo y habíamos quedado para ultimar los detalles.

Había seguido las instrucciones de Dominik al pie de la letra: hice una copia del juego de llaves y estaba planeando una velada para sacar de casa a Viggo y a Luba. También le dibujé un mapa de todas las habitaciones en el que había incluido notas que mostraban dónde estaba el sótano y la habitación cerrada en la que pensaba que era probable que estuviera escondido mi violín.

Lo único que no pude averiguar era la combinación de la alarma de la cámara acorazada del sótano. Nunca había visto a Viggo abrirla, ni siquiera bajar allí. Rara vez contemplaba su colección de arte, parecía contentarse con poseer los objetos.

Lo había comprobado todo una y otra vez, escudriñado hasta el último rincón de todas las habitaciones en busca de cámaras de seguridad que pudiera haber pasado por alto, y visto mis planos para asegurarme de que no me dejaba nada, pero aun así estaba intranquila y me había pasado toda la semana yendo de un lado a otro de la mansión con nerviosismo, dividida entre el miedo de que pillaran a Dominik por mi culpa y la emoción de volver a verlo.

Habíamos hablado unas cuantas veces por teléfono desde nuestra noche en París, más que nada sobre el Bailly y los esfuerzos de Dominik por encontrar su paradero, no sobre nosotros. Yo no estaba del todo segura de si Lauralynn decía la verdad en cuanto a que Dominik estuviera enamorado de mí. Ni siquiera estaba segura de estar enamorada de él.

Lo que sentía era más bien que él era la derecha de mi izquierda, era el yin de mi yang. Éramos dos mitades de un todo y ninguno de los dos funcionaba bien sin el otro. Si eso era amor, entonces supongo que estábamos enamorados, pero dudaba que hubiéramos tenido nada parecido a los romances de cuentos de hadas que prometían las novelas románticas y Hollywood. Me parecía que acabaría por aburrirme si mi vida diera un giro sensiblero como el prometido que aparece en las páginas color pastel de esos libros con el título en cursiva estampado en relieve y de los que yo huía como de la peste, quizá por miedo a caer bajo su hechizo.

Dominik me gustaba por todos los motivos por los que probablemente no debería gustarme. Estar con él era como caminar por el filo de un cuchillo. Tenía todo lo que yo quería que fuera mi vida: era impredecible y peligroso en su justa medida. Pero seguía sin tener ni idea de qué sentía por mí.

Me propuso que quedáramos en el café de los muelles de St. Katherine, el mismo lugar en el que tuvimos nuestra primera cita, hacía poco menos de tres años. No estaba segura de si lo habría elegido por sentimentalismo o por comodidad.

Estuve a punto de ponerme un par de vaqueros y una camiseta blanca, una combinación que rara vez llevaba pero que él siempre había parecido apreciar, quizá porque sabía que era un estilo que yo elegía sin pretensiones, para situaciones en las que me sentía verdaderamente cómoda y relajada. Pero en el último momento opté por una falda corta con la esperanza de que tal vez él me la subiría y me echaría un polvo en algún baño cercano, en un callejón o en el asiento trasero de su coche. Con vaqueros resultaría difícil alentar hasta una mano en el muslo.

Estaba lloviendo cuando rodeé el muelle en dirección al café. Al salir de casa hacía buen tiempo, por lo que no me había molestado en llevar paraguas y llevaba zapatos abiertos. Tenía la blusa mojada y pegada a la piel y el agua me bajaba por las piernas.

Tardé un poco en abrir la puerta de la cafetería porque me temblaban tanto las manos que no podía agarrar el tirador. La idea de volver a verlo me inundaba de una mezcla embriagadora de excitación y alegría.

Había albergado la esperanza de ser la primera en llegar para así tener ocasión de desaparecer en el baño y secarme un poco, o al menos arreglarme el pelo que me caía enmarañado hasta los hombros, pero Dominik ya me esperaba en el rincón bajo las escaleras, exactamente en el mismo lugar en que nos habíamos sentado en aquella primera cita. Ya había pedido. Uno de los camareros iba de camino con una bandeja que contenía un *espresso* para él, un *flat white* para mí y un cuenco lleno de azúcar.

Me deslicé en el asiento frente a Dominik y mis muslos mojados resbalaron por la madera dura de la silla.

–¿Olvidaste el paraguas? –dijo con una sonrisa burlona.

–No, me mojé a propósito –le solté.

Me ruboricé en cuanto lo dije, pues no sabía por qué saltaba así cuando había acudido allí con la intención de dejar claro que quería estar con él. Lo había dicho en broma, pero mi tono fue más duro de lo que había sido mi intención. Estaba hecha un manojo de nervios, y deseaba dejar de hablar y tocarlo.

Él me miró con un brillo de algo no expresado en sus ojos. Deseo, tal vez. Noté que se me endurecían los pezones bajo la tela mojada de mi blusa y no podía culpar de eso al frío. Había humedad, pero la presencia de Dominik me acaloraba.

Me estremecí a pesar del calor.

–Ve a secarte –dijo–. Vas a coger un resfriado. Tenemos mucho de que hablar, más valdría que estuvieras cómoda.

Me pregunté, con una punzada de resentimiento, por qué no me había invitado a su casa en Hampstead. Yo hubiera ido de buena gana y podríamos haber estado secos y calentitos en su cama. Quizá el hecho de quedar fuera de casa era una señal de que no quería complicarse, de que después de haber recuperado el Bailly seríamos amigos y nada más.

Una parte de mí esperaba que no encontrara el violín enseguida, así tendría más excusas para verlo otra vez. Otra quería recuperar el instrumento como fuera, porque la sensación de tenerlo en mis manos y su sonido, que fluía a través de mí, siempre me recordarían a él. Siempre.

Me quité la ropa en el baño y la sostuve bajo el secador de aire, de pie cerca del espejo, y me quedé solo con la ropa interior. Seguí esperando que Dominik entrara, pero no lo hizo. El sexo en los baños públicos no era su estilo. Tal vez lo habría considerado poco caballeroso, o vulgar, quizá le mereciera la misma opinión que los aros en el ombligo, los tatuajes toscos y hacer el amor en el asiento trasero de los taxis.

Cuando regresé a la mesa, había pedido otra ronda de cafés porque la primera taza se quedó fría mientras estaba en el baño.

–Summer… –empezó a decir.

–Antes de que se me olvide –lo interrumpí–, aquí tienes las llaves. Y las notas que me pediste. –Estaba segura de que había estado a punto de decir algo sobre nosotros, pero la expresión afligida de su rostro me hizo pensar que no serían buenas noticias y no pude soportar dejarlo terminar la frase si iba a decirme que no me quería de esa manera.

–Lamento lo de Viggo –dijo–. Sé que tú… le tienes cariño.

Me encogí de hombros, de nuevo consciente de que no me estaba comportando tal y como había sido mi intención, pero sin saber muy bien cómo comunicar lo que sentía. Necesitaba tener el Bailly en mis manos para poder mostrárselo, para tocar para él, hacerle ver todas las cosas que quería decirle. Sin el violín estaba muda, y la melodía de mi corazón, atrapada entre las tenazas de mi mente.

Fruncí el ceño y arrugué la frente en un intento por esforzarme más y no marcharme de aquella cita con la triste sensación de haberme equivocado otra vez.

–Sí, le tengo cariño. Pero las cosas no son así. Y si tiene mi violín… Bueno… No le debo nada.

La expresión de Dominik era inescrutable. Lo miré a los ojos pero no vi ninguna reacción, seguí la curva de su mandíbula hasta su boca. Siguió en silencio, de modo que continué… Cualquier cosa para evitar una pausa incómoda entre los dos.

–Amo ese Bailly. De verdad. Pero no vale la pena el riesgo… No tienes que hacerlo.

Se me quebró la voz con las últimas palabras y me aferré a todos los movimientos de Dominik para ver si había intuido a qué me refería, si sabía que no quería perderlo por nada. Me aterrorizaba que pudieran sorprenderlo y arrestarlo, que Viggo pudiera vengarse de algún modo. Pero Dominik hizo caso omiso de mis protestas y cambió de tema para volver a hablar de su investigación. Quizá, al fin y al cabo, solo era eso lo que yo significaba para él: una forma de escribir novelas, algo en lo que centrarse porque no se le ocurría ninguna idea mejor.

Estuvimos sentados en la cafetería una hora más y aún no le había dicho nada de lo que tenía intención de decirle, o de lo que me moría por decirle. Dominik no hizo ningún comentario sobre nosotros. No estaba segura de si había querido hacerlo, pero no le salían las palabras, o si sencillamente no tenía nada que decir. Quizá después se fuera a casa corriendo y lo escribiera todo; más combustible emocional para sus nuevos héroe y heroína, quienesquiera que fueran. ¿Todos los escritores se cebaban de sus propias vidas?

Cuando terminamos, habíamos cerrado la secuencia de acontecimientos hasta el más mínimo detalle.

Yo haría salir de casa a Viggo con alguna artimaña en un momento acordado y Dominik entraría y averiguaría de alguna forma el código de la cámara acorazada. Este era el escollo que yo veía: estaba convencida de que en cuestión de segundos haría saltar la alarma en toda la mansión y que llegaría un equipo especial de la Policía y se lo llevaría arrestado, pero él estaba seguro de que el código sería algo evidente, como el cumpleaños de Viggo, o uno-dos-tres-cuatro. No tenía muy buena opinión sobre la imaginación de los cantantes de rock.

Una vez confirmado el plan, se metió la copia de las llaves de la casa de Viggo en el bolsillo de los vaqueros, dobló el mapa que le había hecho, se lo guardó en la cazadora y me acompañó a la estación de tren de Tower Hill. Me dio un beso en la frente a modo de despedida y yo resistí el impulso de enredar las manos en su pelo y atraerlo para acercar su boca a la mía.

Faltaban pocos días para el allanamiento que teníamos planeado y los pasé intentando, con todas mis fuerzas, no pensar en ello. Salía de casa a menudo para perderme de vista, yo y mi extraño comportamiento, de manera que Viggo y Luba no notaran que me sentía incómoda. Tomé el tren de Belsize Park hasta el East End, mi antiguo coto de caza, y vi películas en el cine RichMix. Asistí a conciertos en el bar que había debajo del cine para escuchar a músicos de los que no había oído hablar, sentada al fondo con una copa de vino y dejando que la música me llenara la mente y se llevara consigo todos mis pensamientos. Con frecuencia le pedía a Fran que viniera conmigo, pero ella siempre rehusaba con algún pretexto. Me pregunté si estaría con Chris.

Los minutos transcurrían como una marea, con su tic-tac incontenible, hasta que al fin llegó la tarde en la que teníamos previsto entrar en la casa. Mi tarea era mantener ocupados a Viggo y a Luba lejos de la mansión, hasta que Dominik me llamara para darme la señal, hacerme saber que ya se había marchado de la casa y que no había peligro en regresar… Y si había encontrado y recuperado el Bailly o no.

–¿Estás bien, nena? –me preguntó Viggo cuando nos estábamos preparando para salir. Yo me estaba peleando con el peine, intentando pasármelo por el pelo enmarañado con más impaciencia de la habitual–. ¿Estás nerviosa?

–Petrificada.

–No te preocupes. Estoy seguro de que irá bien. –Me tranquilizó, y me quitó el peine de las manos–. Siéntate –dijo al tiempo que se dejaba caer al borde de la cama y me señalaba el espacio frente a él. Me senté en el suelo, me relajé contra sus tobillos y dejé que se hiciera cargo de desenredar mis rizos, como si fuera una niña. Era una sensación agradable y así al menos no tenía que mirarlo a la cara–. Estoy seguro de que estarás asombrosa.

Me apartaba el pelo de la cara con ternura y yo me abandoné a sus caricias, desgarrada por todo aquel asunto. Me sentía como Judas, conspirando para traicionarlo, aunque era una idea ridícula considerando las circunstancias. Si tenía el Bailly, y yo estaba segura de que lo tenía, tendría que ser yo la que me enfureciera con él hasta el punto de odiarlo. Aunque no era una persona a la que fuera posible odiar. Viggo era excéntrico y alocado pero no tenía ni un ápice de maldad. Era como un niño malcriado que estaba tan acostumbrado a conseguir todo lo que quería que no se molestaba en pensar en las consecuencias de conseguir todo aquello que lo atrajera. A mí me resultaba difícil odiar a una persona por su forma de ser, me parecía hipócrita, pues yo era muy consciente de mis propias imperfecciones.

Luba salió de la ducha envuelta en una nube de vapor, desnuda y chorreando. Tenía la costumbre de secarse dejando gotear el agua en lugar de utilizar una toalla. Le gustaba la sensación de estar mojada, motivo por el cual pasaba tanto tiempo en la piscina del sótano, jugueteando como una sirena.

Se agachó, puso los labios contra los míos y deslizó la lengua con suavidad entre mis dientes y mi labio superior. Suspiré de placer y empecé a devolverle el beso.

Al fin y al cabo, Dominik me había dicho que debía poner especial cuidado en comportarme con la máxima normalidad, y los besos de Luba eran embriagadores. En ocasiones llegaba a preguntarme si sería humana, o tal vez una especie de bruja que Viggo utilizaba para robar lo que quería.

Viggo, Luba y yo estábamos de camino a la presentación de la exposición fotográfica de Grayson. Era la primera vez que salíamos en público como una tríada, pero había decidido arriesgarme a la furia de Susan si los *paparazzi* nos pillaban juntos frente al beneficio de sacarlos a ambos de casa durante varias horas.

Había una presentación privada pocas horas antes de la apertura al público de la exposición. Estaría llena de coleccionistas, modelos y mirones. Luba se mezclaría sin problemas entre el montón de mujeres atractivas que me figuraba que asistirían; Viggo era un coleccionista de arte muy conocido y a mí me había fotografiado Grayson, de manera que tuve la sensación que el hecho de asistir juntos no llamaría tanto la atención como si hubiéramos salido a comer a un restaurante y pedido mesa para tres.

De hecho, la perspectiva de utilizarlo como la forma de sacar a Viggo de la mansión era el motivo por el que había accedido a ir.

Cuando Grayson me llamó, estando yo en Berlín visitando el mercadillo de Mauerpark con Lauralynn, fue para preguntarme sobre las fotos.

En un primer momento me sentí halagada cuando me dijo que al fotografiarme con el violín se había inspirado para hacer más series de desnudos con modelos de artes visuales posando como músicos con sus instrumentos, una exploración de la sexualidad y la música. Pero la adulación se transformó en miedo cuando me pidió permiso para incluir en la exposición un buen número de las fotografías más explícitas que me había sacado.

Al principio, y a pesar de los ánimos de Lauralynn, dije que no. Él me aseguró que las recortaría de manera que no se me reconocería, que incluso quitaría mi cabello pelirrojo de las impresiones finales. En cualquier caso, yo sabía que había dispuesto la iluminación de forma que mi rostro solo apareciera en la sombra. Pero me había parecido arriesgado teniendo en cuenta la clase de público para el que tocaba en mis conciertos clásicos. Sabía que el sexo vende, y por mí hubiera estado bien, pero la línea entre lo que la mayoría de las personas encontraban *sexy* y lo que les parecía ofensivo era muy delgada, y muy probablemente las fotografías de Grayson la cruzaran.

Cuando caí en la cuenta de que llevar conmigo a Viggo y Luba a la presentación privada sería el reclamo perfecto para que Dominik irrumpiera en la casa cambié de opinión, llamé a Grayson y lo autoricé a utilizar algunas de las fotografías.

También había una parte de mí a la que le daba morbo pensar en una habitación llena de gente mirando fotografías mías de tamaño natural en las que salía sin ropa. No era vanidad, sino una especie de voyerismo inverso. Me proporcionaba la misma sensación de excitación temerosa que había sentido cuando toqué desnuda para Dominik en sus recitales o cuando me desnudé en fiestas privadas.

Grayson iba vestido con vaqueros, una camisa holgada de diseño y una americana de tela suave color ocre. Llevaba el pelo lacio y brillante peinado hacia atrás y a un lado con su estilo habitual. Me saludó con un beso en cada mejilla. Había una levísima química entre nosotros, pero su mirada era amistosa y un poco distante, como la de un colega de trabajo o un conocido educado.

Se fijó en Luba con especial interés, pero lo más probable es que estuviera evaluando sus aptitudes como modelo. Era hermosa, por supuesto, su rostro expresivo y sus movimientos gráciles. Los años de bailarina la habían dotado de la habilidad para mantener poses, y la forma casi anormal en que su piel parecía brillar bajo la luz, la convertían en el sueño potencial de un fotógrafo.

Viggo ya se había alejado en busca de las fotografías con la esperanza de identificar y reservar rápidamente las que quería añadir a su colección, si es que quería alguna.

Dejé a Luba y Grayson después de presentarlos y me abrí paso entre el gentío para ver la exposición. Nos encontrábamos en el penúltimo piso de un edificio de oficinas en Southwark, cerca de la Tate Modern. En una ocasión había ido a una fiesta liberal en una suite del ático de un hotel situado cerca de allí, en la época en la que Dominik y yo hacía poco que nos conocíamos y él me animó a continuar con mis indagaciones sobre el sexo. Las vistas a través del grueso cristal que separaba las fotografías de las paredes en las que colgaban no era muy distinta del panorama de Londres que había contemplado aquella noche mirando por la ventana de la habitación del hotel, empapándome de los sonidos entusiastas de los coitos que tenían lugar detrás de mí.

Las luces de la noria London Eye brillaban con luz trémula a mi izquierda, girando y parpadeando con su movimiento casi imperceptible. El agua del Támesis relucía como el ónice, una flecha negra que dividía la ciudad en binarios, norte y sur, día y noche, sexo convencional o inusual, sumisión y dominación... Summer y Dominik, tal vez, si la noche salía bien. Él y el Bailly habían acabado por unirse en mi cabeza de tal modo que no podía imaginarme tener el uno sin el otro, y sentía esa certeza propia de las premoniciones ilógicas: si la noche me devolvía el Bailly, me traería también a Dominik con él.

–¿Te asusta demasiado mirar tus fotos, querida? –dijo una voz áspera detrás de mí. Viggo había aparecido tan de repente como una sombra. El tono de su voz le resultó hipnótico a mi oído y me eché hacia atrás para apoyarme en él sin ni siquiera pensarlo; me relajé lánguidamente con sus palabras igual que una serpiente responde a su encantador.

Me aliviaba tener las fotografías como una excusa para mis manos temblorosas, mis palmas sudorosas y el continuo batir de mi corazón. Aún no sabía nada de Dominik y la espera del mensaje que tenía que recibir en cualquier momento para decirme si todo había salido tal y como habíamos planeado me tenía en vilo.

Asentí con un gesto a medio camino entre encogerme de hombros y un intento por esconderme hundiéndome más en ellos como una tortuga en su caparazón, fingiendo más incomodidad de la que sentía por las muestras de mi desnudez, que nos rodeaban.

–Eres hermosa –dijo en voz baja–. Las he comprado todas. Ven a ver.

Las fotografías estaban colocadas en línea en torno a la habitación y una flecha indicaba por dónde tenía que empezar el espectador para que las imágenes formaran una narración de principio a fin.

Grayson había fotografiado tanto a hombres como a mujeres, algunos de ellos vestidos y otros desnudos. Era de suponer que algunos eran músicos auténticos, o al menos eso parecía a juzgar por la forma en que estaban sentados e interactuaban con los instrumentos de la foto. No reconocí a ninguno, ni desnudos ni vestidos.

La primera fotografía mostraba a un hombre rubio y

bien parecido vestido con traje y tocando el saxofón con la corbata aflojada y la camisa desabrochada en parte. Parecía estar completamente inmerso en la música, con los ojos cerrados, la cabeza hacia atrás y blandiendo su instrumento hacia arriba. Otro hombre, desnudo, arrodillado a sus pies, parecía estar ocupado haciéndole una felación al saxofonista aun cuando en la foto no salían ni la boca ni el pene. Una flauta era el foco de atención de la imagen, una tira plateada en el suelo junto a las rodillas del hombre.

La siguiente era una foto de dos mujeres abrazándose, una sentada en una silla y la otra a horcajadas sobre su cintura. Su piel se fundía hasta el punto de que la curva de los senos que se tocaban apenas era visible. Una tocaba una trompeta y la otra miraba a la distancia con las manos enredadas en el pelo de su compañera.

Fuimos pasando de una foto a otra, algunas de ellas sencillamente hermosas, otras impactantes. Viggo se detuvo un buen rato frente a cada una de las fotos de una serie que mostraba a mujeres hermosas haciendo el amor con sus instrumentos: flautas, arcos e incluso un clarinete que sostenían dentro de sus vaginas. En todos los casos, el rostro y los ojos de la modelo eran el foco de atención de la imagen y sus expresiones iban desde el erotismo hasta una espiritualidad poco común. En otra de las imágenes salía una mujer a gatas con los pechos grandes y desnudos colgando, el rostro absolutamente relajado, tan falto de expresión como un mueble, en tanto que un hombre vestido por completo le golpeaba el trasero con unas baquetas.

Mis fotografías estaban agrupadas al final y todas tenían unas etiquetas blancas pequeñas al pie en las que ponía «Vendida». Viggo era fiel a su palabra, las había comprado todas. Eran distintas de las otras fotos, puesto que yo era la única modelo que había pedido mantener el anonimato, de forma que solo se me veía el cuerpo y no la cara. Como también le había pedido que excluyera mi pelo pelirrojo y reconocible, no había podido incluir en las fotos ni siquiera un atisbo de mi mentón o de mis labios, por lo que aparecía sin cabeza en todas ellas.

Con todo, Grayson había logrado captar una sensación de sexualidad en la pose de mi cuerpo, en la forma en que mis manos rodeaban posesivamente el mástil del violín, la manera en que sostenía las curvas del instrumento contra mi piel.

En la más sugestiva se me veía sentada, un poco echada hacia atrás, con las piernas muy abiertas y sujetando el violín por encima de mi sexo, como si hubiera dado a luz a mi instrumento. Tenía los brazos muy rectos y lo asía con unos dedos como tenazas, como si estuviera blandiendo un arma, pero no quedaba claro si me estaba preparando para hacer descender el violín y hacerme daño o si lo estaba sosteniendo en alto como un escudo. En otra estaba tendida de lado, abrazando el violín como si estuviera acariciando a un amante. Tenía el cuerpo totalmente relajado, salvo por los pies que estaban de punta como los de una bailarina, como si, pese a estar reclinada, estuviera lista para echar a correr en cualquier momento.

Pensé que el hecho de ver la exposición en presencia de otras personas me excitaría. Nadie sabía quién era yo, no eran conscientes de que me encontraba allí entre ellos como cualquier persona normal y corriente mientras contemplaban mi intimidad. Sin embargo, me resultó alarmante. Sin cabeza, quedaba reducida a existir como un cuerpo, sexo y nada más, sin mente ni corazón, y me di cuenta de por qué Grayson había seleccionado esas imágenes para que fueran las últimas que se vieran en la exposición. Eran las más impactantes, aunque no mostraban ningún tipo de penetración o práctica sexual como la mayor parte de las otras. Eran las únicas sin ojos, sin expresión, sin amor, afecto ni conexión humana.

Sentí que me invadía una oleada de tristeza y empecé a temblar.

Viggo me dio la vuelta para mirarme.

–Eh... ¿Qué es lo que te ha disgustado, cariño?

No pude responderle, pues no tenía una respuesta, y aunque la hubiera tenido dudaba que fuera capaz de articularla entre sollozos silenciosos.

–Shhh… –me dijo, y me rodeó con sus brazos–. Vamos a buscar un sitio donde sentarnos y me lo cuentas todo.

12

Un dibujo de Degas

En cuanto entró y cerró la puerta principal, Dominik se acercó al panel de la alarma con manos temblorosas y, con un estremecimiento causado por los nervios, introdujo el código del sistema después de esperar cinco minutos enteros para ver si alguien respondía a sus repetidas llamadas al timbre de la puerta. Summer le había asegurado que no habría nadie en todo el día pero, como irrumpir en las casas ajenas no era uno de sus pasatiempos habituales, estaba nervioso y prefirió verificar la información por sí mismo.

La copia del juego de llaves que había hecho Summer había funcionado, los cerrojos se habían deslizado limpiamente, sonó un clic y la puerta se abrió sin resistencia. De momento casi había sido demasiado fácil.

3.3.1.3.R.P.M.

Cuando hubo introducido todos los dígitos en el teclado numérico, la pequeña pantalla de cristal líquido pasó de rojo a verde en completo silencio hasta que todo el panel le dio autorización.

Dominik sonrió. Era de esperar que Viggo Franck, un músico de la era del CD y de la descarga digital, tuviera una contraseña inspirada en la velocidad a la que giraban casi todos los discos de vinilo. Era una broma privada que se les habría escapado a muchos, pero que al menos era más original que un cumpleaños o una fecha famosa de la historia, lo que usaba la mayoría de la gente.

La casa se hallaba sumida en el silencio. Solo se oía el aliento amortiguado del aire acondicionado como un suave arrastrar de pies por el vacío de las habitaciones.

Se dirigió a la escalera de caracol que Summer le había descrito y descendió despacio y con cautela por los escalones en espiral hacia las zonas subterráneas de la mansión.

Encontró la espaciosa galería cuya parte central estaba llena de esculturas e instalaciones, como una sala de museo con sus hileras de luces empotradas en el techo blanco y con cada uno de los focos encarado ingeniosamente de forma que iluminara un cuadro, grabado o estructura en particular, exponiéndolo de la manera más favorable sin que importara el ángulo desde el que se contemplara. Había una clara línea de visión entre las esculturas, de todos los tamaños y colores, y los cuadros de las paredes circundantes se hallaban alineados a la misma altura, como una coreografía de colores y composiciones. Dominik reconoció los grabados estilo industrial de Warhol y algunos esbozos eróticos de toros y ninfas desnudas que habían salido directamente del lápiz entusiasta de Picasso. También había imágenes más clásicas: jóvenes bailarinas al estilo de Degas, paisajes de flores *à la* Van Gogh, formas geométricas abstractas cuya modernidad, a ojos de Dominik, carecía aún de arte, y muchas cosas más. Era una galería de maravillas y Dominik solo podía suponer el valor de las obras expuestas.

Sabía que podía pasarse una eternidad admirando sin cesar la belleza de algunas de las piezas de la colección de Viggo, pero no era el momento ni la ocasión. Salió de la sala, descendió otro piso en los espacios subterráneos de la mansión y al fin llegó a la zona de techo bajo donde estaba la piscina y donde Summer le había sugerido que buscara.

El brillo trémulo azul esmeralda del agua en reposo le llamó la atención y, por un momento, no pudo evitar imaginarse la belleza pálida y desnuda de Summer atravesando vigorosamente la piscina estrecha y curva, que serpenteaba por la habitación como un riachuelo, abriendo y cerrando las piernas por la fina superficie como las páginas de un libro, con su cabellera rojiza flotando tras ella, como una mancha de color que al disolverse en el agua le diera vida.

Y, por supuesto, la perfección cincelada del cuerpo de Luba, descansando como una reina de las sirenas junto a la cascada artificial y su montículo de piedras grises, mojadas y resbaladizas. ¡Ah… las historias que sin duda podría contar esa habitación!

Dominik dejó de lado sus divagaciones y miró con detenimiento hacia el rincón más oscuro en busca de la vitrina donde supuestamente se hallaban expuestos muchos de los instrumentos musicales de Viggo. Allí, detrás de un conjunto de esculturas más pequeñas, artefactos, ninfas y grutescos tallados en madera, había una gran estructura de acero y frente de cristal sujeta a la pared más estrecha de la habitación y que se extendía hasta la mitad de la misma. Desde donde se encontraba, Dominik veía el interior, los estantes colocados en paralelo cargados de instrumentos varios apiñados, sin espacio para respirar, inertes, afligidos porque nadie los hubiera tenido entre sus manos, y mucho menos los hubiera tocado, en años.

En uno de los extremos había toda una fila de guitarras eléctricas, algunas finas y lustrosas que atraían la luz reflejada por el agua cercana, otras mates y robustas, y más allá otras, de pie, alineadas en la vitrina como un desfile de soldados en un escenario. Bajo las guitarras eléctricas, en otro estante, vio un par de acordeones y junto a ellos varios instrumentos de metal, unas cuantas trompetas, un trombón y un saxofón, la mayoría de los cuales se hallaban en malas condiciones, con marcas y abolladuras en algunos lugares, como supervivientes de un naufragio. Al lado había dos estantes con violines.

Dominik rodeó el borde húmedo de la piscina para aproximarse a la alta vitrina de cristal.

Solo había cuatro violines expuestos y los fue mirando uno detrás de otro. Ninguno de ellos era el Bailly. No se podía negar que eran todos preciosos, bruñidos por la pátina del tiempo, delicados, y en los que la madera de sus cuerpos adoptaba raras combinaciones de castaño y naranja, algunas veteadas, otras uniformes, con su forma básica esculpida para permanecer. Dominik no sabía mucho sobre violines antiguos, aparte del Bailly y de las historias que dejó a su paso, pero era evidente que aquellos eran poco comunes, obras de una gran belleza. Aquel conjunto de instrumentos tenía un innegable aura de fragilidad, como si fueran demasiado preciosos incluso para ser tocados, pero sabía que su sonido, en las manos adecuadas, sería un despliegue de máxima calidez y pureza.

Se fijó en que la vitrina ni siquiera estaba cerrada con llave y una de las puertas se había salido un poco de la bisagra. Estuvo tentado de tomar en sus manos uno de aquellos violines raros pero supo que no tendría sentido puesto que ni siquiera sabía tocar.

Le sobrevino una oleada de temor. ¿Habría estado equivocado desde el principio y Viggo no estaba involucrado en la desaparición del Bailly? Entonces recordó que Summer le había hablado de la vitrina: si el Bailly hubiera estado allí, ella lo hubiese reconocido. Sí, la cámara. La puerta que Luba había mencionado. El lugar en el que Viggo afirmaba tener guardados sus discos de vinilo. Dominik se dirigió más allá del expositor y vio el arco empotrado y la puerta de acero que protegía. Tal vez los primeros propietarios de la casa, los que habían hecho excavar aquellos pisos subterráneos, lo habían ideado como una especie de habitación del pánico.

Dominik agarró el tirador de la puerta con desgana e intentó hacerlo girar pero no se movió en ningún sentido. No había esperado que lo hiciera.

A partir de aquel momento estaba solo.

A un lado de la puerta había un teclado numérico electrónico.

Se había preparado lo mejor que había podido para esta eventualidad. Había rastreado Internet en busca de información sobre la vida de Viggo Franck. Su cumpleaños, el de sus padres, el de su hermana, las fechas importantes en su vida de las que había constancia hasta el momento, su primer matrimonio, las fechas en las que se habían publicado sus primeros temas y álbumes y cosas por el estilo. Dominik tecleó la fecha de nacimiento de Viggo pero no tuvo ningún efecto. Tampoco fue una sorpresa. Por norma general, aquellos sistemas requerían una serie tanto de letras como de números. Lo probó, sin entusiasmo, con las iniciales de Viggo seguidas de una secuencia numérica que empezaba por 1. Luego 2, 3, 4, 5, pero no oyó el conocido clic que indicaba que había introducido la contraseña correcta.

Le propinó un puntapié desesperado a la puerta en balde.

Había llegado hasta ahí para nada.

Recordó la contraseña de la puerta principal que Summer le había facilitado. De nuevo no dio señal de reconocerla. Utilizar el mismo código para dos puertas distintas hubiera sido un error de juicio, desde luego.

Se le ocurrió una idea.

La cámara de los vinilos.

Discos.

En la puerta principal había sido el 3.3.1.3.R.P.M.

Los labios de Dominik esbozaron una débil sonrisa.

Viggo el bromista…

Introdujo otro código.

4.5.R.P.M.

Se oyó un suave zumbido y Dominik percibió que el mecanismo del interior de la pesada puerta se desplazaba con un clic. Contuvo el aliento y agarró el tirador de metal de la puerta. En esta ocasión no notó resistencia. La cerradura ya no le bloqueaba el acceso.

Dominik sintió que un torrente de pura adrenalina le corría por las venas.

Ejerció una ligera presión en la puerta y esta se abrió en silencio como movida sobre un cojín de aire.

Era una habitación pequeña, sumida en la oscuridad. Dominik entró con cuidado y palpó la pared buscando en vano el interruptor de la luz. No encontró ninguno a una distancia prudencial de la puerta pero, de repente, un tenue alumbrado de luz de neón cobró vida –probablemente un temporizador conectado a la apertura de la puerta– y fue aumentando paulatinamente de intensidad.

Era un espacio cuadrado sin ventanas, con la pared del fondo ocupada por unos estantes y un par de mesas expositoras bajas situadas en el centro en tanto que las demás paredes mostraban apenas media docena de pinturas y grabados enmarcados y colgados a intervalos regulares. Por un momento Dominik se preguntó por qué las obras de arte estaban allí en lugar de estar expuestas fuera. ¿Era porque tenían más valor? Pero cuando desplazó la mirada por la habitación y la apartó de las paredes enseguida le llamaron la atención unos muebles pesados y achaparrados con la parte superior de cristal, en uno de los cuales estaba expuesto el Bailly.

Dejó escapar un suspiro de profundo alivio.

Lo hubiera reconocido aunque hubiese estado oculto en el centro de una montaña de violines de aspecto similar. Era inconfundible.

El instrumento que buscaba parecía intacto y, al captar la luz, su barniz irradiaba calidez por la pequeña habitación.

Dominik se acercó a la mesa, pasó los dedos por las cuerdas del violín, las encontró tensas y sensibles y los ecos del millar de melodías que Summer había interpretado para él afluyeron de nuevo, así como las circunstancias bajo las cuales había oído cada una de ellas.

Suspiró.

El Angelique.

Un mero instrumento, con cuatro cuerdas perfectamente afinadas por quintas. Tallado en madera y con cordaje de tripa, todo pegado, con forma de reloj de arena, como una mujer cuyas curvas voluptuosas evocan sin cesar formas primitivas de deseo.

Pero era un instrumento que en aquellos momentos tenía mucha importancia en su vida. En primer lugar, los había reunido a Summer y a él, había presenciado su encuentro, su ruptura y separación. Fue testigo de su alegría y su tristeza, de su pasión y su dolor.

Un violín con su propia historia. ¿No habrían sido Dominik y Summer otro capítulo más en el desarrollo de su historia? ¿Quién seguiría sus pasos y sería el siguiente en entrar en escena?

Pero Dominik sabía que aquel capítulo en concreto aún no había llegado a un final.

El violín robado estaba allí. Pero, ¿dónde estaba el arco? No lo habían dejado con el instrumento en el expositor. De hecho, Dominik ni siquiera sabía si el arco pertenecía al Bailly, si se había fabricado al mismo tiempo, hacía más de un siglo, y había acompañado al violín en sus increíbles aventuras a lo largo de los años.

Recorrió la habitación con la mirada una vez más.

Algunos de los cuadros y grabados colgados en la pared más cercana a la puerta le resultaron familiares, como si los hubiera visto cientos de veces en las páginas de los libros de arte o en catálogos de exposiciones, pero no pudo ponerles nombre. Se desplazó junto a los estantes y su surtido de piedras pequeñas, coches de juguete antiguos y muñecas de porcelana, hasta que al fin vio el arco, triste en un rincón. Se acercó para alcanzarlo.

En el preciso momento en que lo hizo oyó un suave siseo, como si un par de pulmones poderosos exhalaran aire.

Dominik se dio la vuelta para intentar localizar de dónde provenía el sonido. Era la puerta de la habitación. Se estaba cerrando. Al darse cuenta de lo que estaba pasando se abalanzó hacia la puerta, dejó caer el arco y echó los brazos al frente para tratar de sujetarla antes de que se cerrara el hueco cada vez más pequeño entre ella y el marco visiblemente reforzado.

Se le escapó por una fracción de segundo.

–¡Joder!

Intentó frenéticamente hacer girar el tirador. No cedía. Estaba encerrado.

–Mierda, mierda, mierda –maldijo entre dientes, indignado por su estupidez. Tendría que haber sujetado la puerta con algo, trabarla. ¡Qué idiota había sido!

Era un maldito aficionado, eso era.

En aquel lado de la puerta no había ningún teclado de alarma en el que pudiera introducir el código o tratar de idear otra combinación que funcionara a la inversa.

Las ideas se le agolpaban en la cabeza, pues se estaba agarrando a un clavo ardiendo en un esfuerzo por pensar con claridad, pero todo era un revoltijo desesperado y descabellado y sencillamente no existía una solución evidente a su aprieto. Probó a utilizar el teléfono móvil pero, tal como se esperaba, enterrado en las profundidades de la mansión y detrás de la pesada puerta metálica no había cobertura. Cuando se calmó y consiguió razonar se dio cuenta de que no veía el modo de poder ingeniárselas para salir milagrosamente de aquella situación. Tendría que limitarse a quedarse allí pacientemente y esperar a que alguien visitara el sótano de la mansión. Lo más probable es que fuera Viggo. Resultaría embarazoso y posiblemente acabara entregándolo a la Policía. Dominik ya veía los titulares. En la contra, por supuesto, pues todo aquello era tan nimio que no merecería ni una sola línea en la primera página. «Escritor acabado sorprendido con las manos en la masa cuando estaba robando en casa de una estrella del rock.» «Profesor resulta ser un ladrón.» Sería sumamente humillante, lo expresaran como lo expresaran.

Lo único positivo que se le ocurrió pensar fue que podría informar a Summer de dónde estaba su violín. Siempre y cuando tuviera acceso a ella, razonó, pero claro, Viggo trasladaría el instrumento de inmediato a otro lugar más seguro. ¡Menudo desastre!

Dominik aún estaba barajando ideas confusas al azar cuando la luz de neón de la habitación empezó a atenuarse y su intensidad se fue desvaneciendo segundo a segundo. Soltó una maldición. El temporizador estaba conectado a la apertura y al cierre de la puerta. Enseguida quedaría inmerso en la oscuridad.

Mientras caía en la cuenta de ello, el temor se apoderó de él. ¿Qué pasaba con el aire de la habitación, el oxígeno? ¿También desaparecería? Cuando la luz estaba encendida no había visto ninguna señal evidente de que allí hubiera ventilación o aire acondicionado.

Aquello se estaba convirtiendo en algo mucho más serio de lo que había pensado en un principio.

¿Cuánto duraría el suministro de aire?

Viggo se quitó la cazadora de cuero y me la echó sobre los hombros, me sacó de la sala y me condujo a la barra improvisada en la galería donde se daría un refrigerio a los invitados vip de la exposición. El interior del bar estaba tranquilo dado que casi todo el mundo iba a buscar las bebidas y se las llevaba de vuelta a la sala. Un hombre con traje formal que parecía haber venido directamente de trabajar estaba solo en el bar bebiendo algo transparente de un vaso corto con una pajita, probablemente un gin tonic. Nos dirigió una mirada curiosa, quizá porque reconoció a Viggo, o tal vez solo se preguntó por qué yo parecía estar tan alterada, y luego volvió a concentrarse en su copa. Un par de mujeres con vestidos de cóctel que estaban de pie junto a una mesa alta miraban de reojo al hombre del traje, tal vez preguntándose si estaba soltero, y si deberían abordarlo para averiguarlo. Una iba de rosa y la otra de amarillo, resaltaban como un par de pájaros de colores vivos e iban cambiando el peso del cuerpo de un pie a otro para contrarrestar el dolor de sus tacones altos.

Viggo me llevó apresuradamente a un asiento en el rincón más oscuro de la habitación, se dirigió a la barra y al cabo de unos momentos regresó con dos vasos cortos de whisky medio llenos de líquido ámbar y una taza llena de hielo.

–Toma un sorbo –me dijo–, te tranquilizará.

Di un trago y estuve a punto de escupirlo. El licor me quemó la garganta y me dejó un regusto que era como de líquido de encendedor, pero en cuestión de segundos empecé a notar un agradable calor en las extremidades y, lejos de la multitud de la galería y de la presencia de las fotografías, me relajé. Viggo se inclinó hacia delante y me pasó el pulgar con suavidad por debajo de un ojo, y luego del otro, y se llevó los restos de lágrimas.

Cuando lo hizo alcancé a verle el reloj. Había pasado más de una hora desde que llegamos y todavía no sabía nada de Dominik. Había prometido mandarme un mensaje de texto cuando hubiera terminado o abandonado la misión, así yo sabría que estaba a salvo y que no había hecho saltar todas las alarmas ni lo habían arrestado. Viggo no tenía perros guardianes y Dominik iba a entrar por la puerta principal, por lo que no tenía que escalar paredes peligrosas ni trepar por las ventanas, así que no tenía motivo para estar preocupada por su seguridad.

No obstante, se me hizo un nudo en el estómago por el miedo, el disgusto se transformó en otro sentimiento distinto hasta que empecé a temblar otra vez. Me había convertido en un manojo de nervios, cosa que no era propia en mí.

Viggo se inclinó hacia mí y me tomó la mano. Tenía unas manos grandes con las palmas ásperas, con unas uñas que se había mordido hasta dejárselas como muñones. Él nunca daba muestras del más mínimo estrés o nerviosismo aparte de su hábito de morderse las uñas.

—Cuéntame lo que pasa. Sé que no es por las fotos. No eres la misma de siempre desde la gira. ¿Es por ese hombre al que te encontraste?

—¿Dominik? —La sorpresa y el sobresalto me hicieron poner unos ojos como platos—. ¿Cómo es que lo conoces? —pregunté, y el miedo que tenía a que me descubriera hizo que mi tono de voz sonara como una acusación.

—No hace falta que seas tímida, querida. Somos tres compartiendo una cama y no me parece que seas precisamente una chica de un solo hombre. Tampoco creo que Luba esté siempre sola cuando va de gira. Ahora mismo está allí seduciendo a tu fotógrafo. Pero si ese otro hombre te ha hecho daño de alguna forma…

—No, nada de eso. Tuvimos nuestros momentos, eso es cierto, pero nunca ha sido cosa de uno solo. Nadie es perfecto, ¿verdad?, desde luego yo no lo soy.

Viggo se echo a reír.

—Si nos pasamos la vida esperando al hombre o a la mujer perfectos, estaremos esperando siempre. De hecho, por eso me gusta tener más de una. Una persona te da unas cosas, otra te da otras. Funciona. Al menos para mí. Y para Luba. Y tal vez para ti también.

—Es una forma de verlo muy madura. Pero las emociones humanas no siempre son tan lógicas, ¿no es verdad? Sobre todo el amor.

Él se encogió de hombros.

—Todo es cuestión de compromiso. Y el amor es el mayor compromiso de todos.

—No creo que las estrellas de rock necesiten comprometerse a nada —repuse malhumorada.

—Supongo que tengo ventaja sobre el hombre medio. No hay muchas cosas que quiera y que no consiga.

Sonrió con picardía y su voz, como siempre, tenía un deje de humor. Pero sus palabras fueron como un cubo de agua fría sobre mi cabeza. Él tenía mi Bailly, el regalo que me había hecho Dominik y que yo tanto apreciaba, el instrumento a través del cual comunicaba todas mis emociones. No había sido lo mismo tocar sin él y quería recuperarlo.

–Tú provocaste el robo del violín, ¿verdad? –Mantuve un tono tranquilo, neutro. Fue la declaración de un hecho, no una acusación.

Él parecía estar atónito, pero no enojado. La absoluta falta de negación o de confusión afianzó mi certeza de que el Bailly estaba en su poder. Por su rostro no cruzó ni tan siquiera un atisbo de incredulidad o de sorpresa.

–No estoy seguro de a qué te refieres –repuso con tranquilidad, con una cara que era entonces como una página en blanco, un retrato de inocencia.

–Me refiero a que te quedaste con mi Bailly, el violín con el que me viste tocar la primera vez, y lo añadiste a tu colección. Está en tu cámara de seguridad. Con las otras cosas que optas por no tener expuestas. Tus otras cosas robadas. En el sótano. Donde dijiste que guardabas tu colección de discos.

De perdidos, al río.

Entonces Viggo hizo una cosa que no me esperaba ni por un instante.

Rompió a llorar.

Al verlo tan alterado, toda mi furia me abandonó, como si se disipara la niebla. Pocas veces había visto llorar a un hombre adulto y no sabía qué hacer. Me incliné hacia delante y le di unas palmaditas en el brazo.

Él cogió su copa y tomó un trago largo de whisky, apuró el vaso y apretó los dientes al tragar.

–Lo siento –me dijo en voz baja–. No creí que te importara.

–¿No creíste que me importara? –repliqué asombrada–. ¿Por qué diablos no creíste que me importara?

–Lo llevabas contigo en el ensayo en ese estuche sencillo. Imaginé que no tenías ni idea de lo que era, y que no podía ser tan importante para ti cuando lo habías sacado para una sesión de ensayo cualquiera. Pensé que era uno de tus violines de ensayo. O quizá que te lo había prestado algún patrocinador. Probablemente tenías una docena más esperando entre bastidores. Además, dicen que está maldito. Podría ser que te estuviera haciendo un favor arrebatándotelo. Y solo iba a mirarlo de vez en cuando, a guardarlo, no iba a dañarlo. En mi cámara estaría seguro, vigilado, cuidado...

Hablaba a la velocidad del rayo, como un loco, y le empezaron a temblar los hombros, como si estuviera a punto de estallar en sollozos otra vez. Eché un vistazo alrededor pero nadie nos prestaba atención; era probable que ni siquiera nos vieran, ocultos como estábamos en la oscuridad del asiento del rincón.

–Viggo –dije con el tono más tranquilizador del que fui capaz, como si le hablara a un niño–, el violín era un regalo. De Dominik. Lo quería más que a nada en el mundo. Igual que lo quiero a él –añadí, y las últimas palabras fueron una revelación tanto para mí como pudieron serlo para Viggo.

Volvió a mirarme y se apartó un mechón de oscuros cabellos de la cara.

–Muy bien –dijo, y sonrió de nuevo a pesar de tener los ojos enrojecidos–. Esto es fácil de resolver. Te lo devolveré y ya está.

–Eso sería maravilloso. –Era el eufemismo del siglo, si es que había uno, pero su oferta parecía tan frágil que no quise hacer movimientos bruscos por si acaso cambiaba de opinión–. Pero...

–¿Sí? –preguntó con entusiasmo.

–Dominik ya lo ha robado para recuperarlo. O al menos lo está robando ahora mismo.

–¿Qué quieres decir? –preguntó, y el estupor hizo que se le detuvieran las lágrimas en seco.

–Hice una copia de tus llaves –contesté–. Lo siento. Es que estaba loca por recuperarlo y no creía que me lo devolvieras tan fácilmente...

–¿Y nos has traído aquí a Luba y a mí para sacarnos de casa y que él pudiera entrar?

–Sí.

–Pero no sabes el código de la alarma de la cámara.

–Él pensó que sería tu cumpleaños o algo parecido. Aún debe de estar ahí abajo. No hay cobertura en tu sótano. Se supone que tiene que enviarme un mensaje cuando haya logrado entrar, o cuando haya renunciado.

Llevaba toda la noche mirando el teléfono de reojo cada vez que Viggo volvía la cabeza, por si acaso no oía los pitidos que indicaban que había llegado un mensaje de texto.

Viggo entrelazó los dedos, se inclinó y apoyó el mentón en las manos, sumido en sus pensamientos, quizá siguiendo los pasos que Dominik tendría que dar para tener éxito en su intento por entrar.

–No lo conseguirá. El resto de la casa es fácil, no hay cámaras, ni trampas, ni nada parecido. Los vecinos no ven quién entra por la puerta y aunque pudieran no sospecharían nada si vieran a alguien a quien no conocieran entrando con una llave. Con esto, doy por sentado que no tiene aspecto de dedicarse a allanar las casas. ¿No te habrás juntado con un ladrón de arte? Quizá haya entrado, se haya llevado el violín y otras cosas y haya huido.

Lo negué moviendo enérgicamente la cabeza.

–Nunca. Dominik es escritor... Estaba investigando un poco sobre el tema, para una novela. Es el único interés que tiene por el Bailly. Eso y yo, supongo. Espero.

—Créeme, cielo, un hombre no intenta cometer un delito grave por una mujer de la que no está enamorado. Debes de importarle muchísimo para tomarse tantas molestias.

—Eso espero. Creo. No tardaré en averiguarlo. —Volví a comprobar el teléfono. La pantalla seguía en blanco, desprovista de cualquier indicio de comunicación.

—Pues será mejor que volvamos y lo dejemos entrar. No llevará un arma, ¿eh? No quiero que me dispare cuando me vea si cree que lo hemos pillado in fraganti.

—Dominik nunca llevaría...

—No puedes fiarte de un hombre enamorado. El amor provoca efectos extraños en el cerebro. Llámalo y dile que vamos de camino, y que renuncio al instrumento con mucho gusto. Incluso dejaré que te lleves otro, si quieres, a modo de compensación. Si no me denuncias a la Policía.

—No voy a denunciarte. Y no necesito otro violín. Me basta con ese.

—Pues quizá otra cosa.

Saqué el teléfono del bolso y marqué el número de Dominik a toda prisa. Era el único número que me sabía de memoria, los dígitos ardían en mi cabeza.

La llamada fue directa a su buzón de voz. El tono familiar de su voz, aun en aquella breve grabación, me llenó de añoranza.

Le dejé un mensaje explicándole que se había terminado la función, que Viggo había confesado, que yo había confesado, que todo iba bien e íbamos para allá para acceder a la cámara y que no intentara ninguna estupidez.

Aunque lo más probable era que no recibiera el mensaje, a menos que renunciara a entrar y se dirigiera a uno de los pisos superiores para tener cobertura. Aun así podría ser que el mensaje tardara un poco en llegar. El hecho de que no respondiera hizo que me asustara un poco. No era supersticiosa, me mofaba de los horóscopos y sonreía cuando un gato negro se cruzaba en mi camino, pero me sentiría más tranquila cuando viera a Dominik con mis propios ojos y supiera que no había salido nada mal, que solo estaba fuera de cobertura, o que quizá se había olvidado de cargar la batería y se le había apagado el teléfono.

Cuando regresamos a la galería, Luba estaba en plena actitud festiva, con un vaso de cóctel en cada mano, dando sorbos de uno y de otro alternativamente.

—Si no te importa —me susurró Viggo al oído—, preferiría que la aventura de esta noche quedara entre tú y yo.

Nos disculpamos con ella y nos fuimos temprano con la excusa de un dolor de cabeza. Luba estaba charlando con la mujer del vestido amarillo que habíamos visto antes en el bar y no pareció importarle en absoluto quedarse allí con su nueva amiga.

Grayson estaba inmerso en una conversación al otro lado de la sala. Decidí marcharme sin despedirme. No me había recuperado del todo del efecto que me causó el contemplar las fotos recortadas y no sabía qué decirle.

—No te preocupes —me dijo Viggo al ver las variadas expresiones que cruzaron por mi rostro—. Le pagaré un extra para que las retire de la exposición, si quieres. Y las encerraré en mi cámara, a salvo de miradas entrometidas.

—Es muy amable por tu parte —repuse—. Lo pensaré.

Aguardamos a la sombra de un edificio a que uno de los coches de Viggo viniera a recogerlo. Yo había sugerido que no condujera su Buick para reducir las posibilidades de que nos fotografiaran juntos a los tres. Él había pensado que estaba paranoica, pero accedió.

El frío aire nocturno me cortó la piel y me estremecí, a pesar del calor y el peso de la chaqueta de Viggo que llevaba sobre los hombros.

Volví a sacar el teléfono del bolso con dedos temblorosos. Seguía sin haber respuesta.

¿Dónde estaba Dominik?

Cuanto más miraba el reloj en la oscuridad e intentaba ver la hora, más corto se revelaba el intervalo desde la última vez que lo había mirado. El tiempo se estaba ralentizando hasta detenerse. Dominik sabía que era un efecto psicológico e intentó que no lo dominara el pánico.

Al principio la calidad del aire no se alteró, pero no tardó en aumentar el calor en aquella habitación cerrada y tuvo que desabrocharse la camisa. Cuando empezó a notar la espalda húmeda de sudor se la quitó y la dejó en el suelo de piedra.

Intentó mantenerse alerta, atento por si algún ruido proveniente de la casa se filtraba por la gruesa puerta de metal y llegaba a sus oídos. Pero al otro lado el silencio era absoluto, lo único que oía era el sonido áspero de su respiración mientras que, nervioso, empezaba a contar mentalmente hacia atrás hasta algún punto de no retorno.

Solo en un lugar oscuro, con la única compañía de sus recuerdos.

¿Era esa la sensación de la muerte?

Recuerdos de mujeres, de sonrisas, ojos, torrentes de palabras escuchadas, pronunciadas, escritas, todo ello pasando rápidamente en el viaje hacia la luz blanca.

Cuerpos, rostros, pechos, olores, colores y emociones.

Y remordimientos. Demasiados para contarlos o enumerarlos.

Cosas que había hecho.

Cosas que no había hecho.

Dominik estaba acuclillado en el suelo con el preciado Bailly al alcance de la mano mientras notaba el incremento del calor e intentaba orientarse en la oscuridad que lo rodeaba.

¿Se estaba enrareciendo el aire o solo era cosa suya?

Estuvo tentado de cerrar los ojos y quedarse dormido, pero sabía que era lo único que no debía hacer.

Dominik reflexionó sobre cómo lo recordaría Summer en los próximos años, cuando él ya no estuviera. ¿Como un idiota que lo había echado todo a perder? Sabía que si tenía que morir ahora, los recuerdos de Summer permanecerían con él hasta el último momento, como una película que se fuera repitiendo en la pantalla de su mente. Esbozó una sonrisa. Tenía la sensación de que era la mejor forma de marcharse, con Summer en la cabeza, con la imagen de su cuerpo en los ojos, para toda la eternidad.

Dominik parpadeó, creyó oír un sonido lejano, débil, indistinto.

Aguzó el oído pero de nuevo lo único que percibió fue el silencio. Y luego un eco remoto otra vez. Su nombre. Alguien lo llamaba. Por un breve instante temió que fuera una alucinación, el indicio certero de que ya iba cuesta abajo, pero el sonido se hizo más próximo. Era la voz de Summer con el eco de otra voz, una masculina. Viggo. Probablemente estaban bajando por la escalera de caracol.

Dominik esperó a que las voces llegaran al piso inferior y cuando sus llamadas resonaron en el techo bajo de la zona de la piscina, al final contestó.

–Estoy aquí. Dentro.

Oyó sus pasos apresurados cuando corrieron hacia la puerta cerrada de la cámara de seguridad.

Y al fin se abrió la puerta con un *uuushhhh*…

Dominik quedó momentáneamente cegado por la luz que se precipitó desde el exterior, pues llevaba unas cuantas horas sumido en la oscuridad, pero distinguió la forma borrosa de la silueta de Summer y la forma flaca y desgarbada de Viggo tras ella. Aún no podía distinguir sus rostros con claridad.

–¡Dominik! –exclamó Summer.

–Estoy bien –protestó él.

–¿Seguro que te encuentras bien?

–Sí. Solo un poco cabreado. –Se dio cuenta de que no llevaba camisa.

La luz de la habitación volvió a encenderse, accionada por el temporizador de la puerta.

Summer se acercó a él con la mirada llena de pánico cuando cayó en la cuenta de lo que podía haber sucedido.

–Lo siento muchísimo, de verdad... No se me ocurrió que...

Por detrás de ella, Viggo echó un vistazo por la habitación y, al ver que su colección estaba intacta, sonrió.

–Creo que has hecho un poco el ridículo, ¿verdad, amigo? –dijo, a punto de echarse a reír. Con aquellos vaqueros ceñidos y las botas hasta la rodilla parecía un espantapájaros.

–Sin duda alguna –asintió Dominik.

–Bien –dijo Viggo–. Mira, de todos modos esto es culpa mía. No debería haber organizado el robo del Angelique en la sala privada de la Academy. Lo que pasa es que lo vi y me quedé embobado. Ahora me arrepiento. No se me ocurrió pensar que afectaría tanto a Summer... Sencillamente no lo pensé bien...

Summer permanecía en silencio entre los dos y, mientras volvía a ponerse la camisa, Dominik preguntó:

–Entonces, ¿no te importa que haya allanado tu casa?

–Por supuesto que no –respondió el músico–. Yo mismo me lo busqué. Summer me lo ha explicado todo. De todos modos, ¿quién dice que la has allanado? Tenías llave. Considérate mi invitado.

Dominik dejó escapar un fuerte suspiro de alivio y pasó por su lado para dirigirse a la zona de la piscina. Summer fue detrás de él.

–¿No os olvidáis algo? –les dijo Viggo.

Ambos volvieron la cabeza.

Viggo sostenía el Bailly y su arco con las manos extendidas.

Summer fue corriendo a por ellos y le dio un suave beso rápido en la mejilla.

Regresó adonde estaba Dominik, con un pie al borde de la piscina, y con la mano que tenía libre tomó la suya.

–Creo que a los dos os vendría bien una ducha después de tanto correr por ahí y del encierro involuntario, ¿no?

Y relajaros un poco –les gritó Viggo–. Haced lo que queráis. Mi casa es vuestra casa.

–Creo que es una idea estupenda –le dijo Summer a Dominik al llegar al pie de la escalera de caracol–. Ven. Hay una suite de invitados en el último piso –y dirigiéndose a Viggo le preguntó–: No te importa, ¿verdad, Viggo?

–Por supuesto que no –contestó él.

En cuanto entraron en el cuarto de invitados, Summer dejó el Bailly sobre una cómoda y se quedó contemplándolo en silencio con ojos soñadores. Deslizó los dedos por el instrumento como si lo acariciara y lo devolvió formalmente a la vida, a su vida.

Dominik cerró la puerta cuando entraron y la observó. Se sentía mareado y un poco vacío. Sabía que se trataba del inevitable anticlímax tras las horas traumáticas que ambos acababan de vivir.

Al final Summer abandonó el instrumento recuperado y se volvió hacia él.

–Gracias, Dominik. Por hacer todo esto. Sé que corrías un riesgo enorme. Y todo por mí. Siempre te estaré agradecida…

–Gracias a ti por venir a rescatarme –repuso él–. Debo de haber parecido un poco idiota allí sentado a oscuras y encerrado. Al menos ya sabes que la próxima vez tienes que contratar a un ladrón profesional y no a un maldito aficionado como yo.

Summer sonrió.

Sus ojos tenían un trasfondo de tristeza, como siempre, pero había además un nuevo brillo. ¿Euforia? ¿Alivio? ¿Expectación?

Dominik sintió que se le encogía el corazón.

–Supongo que todo fue por mi culpa –dijo Summer–. Debería haber tenido más cuidado con el violín.

–Supongo que sí –respondió Dominik.

–Quizá merezca un castigo, ¿no? –sugirió la joven con un deje malicioso en la voz que le dijo a Dominik todo lo que tenía en mente.

–Tal vez sí. Por extremo descuido. Por actos imprudentes de naturaleza conocida.

–Por ser yo –añadió ella.

–Por ser tú.

Hubo un momento de silencio.

–Bueno, pues castígame –dijo Summer.

–Creo que ahora nos daremos esa ducha –repuso Dominik con una sonrisa, y la llevó a la fuerza hacia la puerta.

El agua de la alcachofa de la ducha caía en cascada sobre la cabeza de Summer y le aplastaba los rizos rojos, alargando su cabello por la espalda y extendiéndolo como una cortina húmeda contra su piel mojada. Dominik se quedó mirando el agua que le empapaba la melena y surgía de la cabellera enmarañada dividiéndose en corrientes más pequeñas que perlaban la parte baja de su espalda y se dispersaban al pasar por el delicado trampolín de su trasero.

–Date la vuelta –dijo Dominik.

Se enjabonó las manos y se las pasó por los pechos. Summer ya tenía los pezones duros como piedras. Dominik bajó la cabeza, los tomó entre los dientes y la lengua y los mordisqueó. Summer se puso tensa. Él se enderezó y se dedicó otra vez a lavarla por delante. Ella tenía la boca entreabierta y los labios separados de manera seductora, dejando ver un tentador atisbo de la blanca barrera de sus dientes.

Dominik le extendió la espuma del jabón por los hombros y por el resto del cuerpo, masajeó su piel a la vez que su pene la rozaba con calma en el limitado espacio de la ducha mientras se daban la vuelta con el agua cayendo sin cesar en torno a ellos. Le retiró el jabón con una manopla fina que dejó su piel reluciente en medio del vapor que se alzaba a su alrededor. Luego pasó su mano entre las piernas para comprobar lo excitada que estaba, la penetró primero con un dedo y luego con dos más. Summer bajó un poco el cuerpo, lo justo para acomodar los largos dedos de Dominik, para responder a su tacto, a la familiaridad con que la estaba poseyendo una vez más.

–Ahora te toca a ti –la instó Dominik, y le pasó la resbaladiza pastilla de jabón que había estado utilizando.

Summer la cogió y empezó a deslizarla por el cuerpo de Dominik poco a poco, con sensualidad y dedicación. Primero el pecho, luego la espalda cuando él se dio la vuelta, seguida de las nalgas y la parte posterior de las piernas. Al final se volvió de nuevo hacia ella y Summer tomó el pene con las manos, lo frotó con el jabón y lo notó crecer con su ayuda, endurecerse, aumentar su grosor, volverse más apremiante. Summer se entretuvo en ese punto, administró el detonante de la excitación de Dominik, percibió todos sus estremecimientos, escuchó el sonido entrecortado de su aliento sobre ella cuando se arrodilló para masajearlo, limpiarlo, jugar con él. Al cabo, tomó la manopla y le quitó el jabón. Para entonces, Dominik tenía el pene completamente erecto. Summer le dirigió una breve mirada, como si le pidiera permiso, bajó la cabeza a su miembro y lo cubrió con la boca al tiempo que con la mano rodeaba sus testículos.

Aun cuando lo había aclarado bien, Dominik seguía oliendo a jabón y la perfumada humedad resbaló por sus sentidos como una cortina de lluvia. Sus dientes rozaron la turgencia de Dominik, la suavidad aturdidora del glande y la textura de su corona, mientras le pasaba la lengua en una parodia de apetito y glotonería. Dominik le llenó la boca.

Un último chorro de agua descendió por la cara de Summer y oyó que él cerraba el grifo de la ducha. La agarró del pelo con fuerza y la atrajo hacia sí para cambiar el ángulo de su penetración, para profundizar más dentro de su boca.

Ella respiró hondo, notaba la dureza del suelo de piedra en las rodillas.

Hizo todo lo posible para contener las arcadas reflejas.

Dominik la observó mientras su pene se abría paso poco a poco entre los labios de Summer y se empapó de la sensación de su extrema proximidad. Era como si los meses se hubieran desvanecido. En cuanto notó que Summer lo había alojado por completo y que su pecho se agitaba con suavidad como si lo estimularan las manos invisibles de una brisa, Dominik inició una serie de embestidas progresivas sin soltarle el pelo que agarraba con fuerza y mediante el cual controlaba sus movimientos.

El resto del mundo se disipó, su universo quedó restringido al estrecho espacio de la ducha cuyos paneles aún empañados los protegían de lo que había al otro lado.

Dominik embistió su garganta una y otra vez y Summer intentó controlar los espasmos deseando que no parara nunca, inhalando por la nariz todo el aire que podían albergar sus pulmones en el contrapunto de cada arremetida. La salvaje invasión de Dominik era como un tesoro y ella lo recibió en su cuerpo y en su alma. Rezó para que aquello durara siempre. Para que la llenara plenamente. Para ser suya.

Más tarde, después de secarse con las toallas blancas y mullidas repartidas por todo el baño de invitados de Viggo, Dominik se llevó a Summer a la cama.

Retiró la horrible colcha de felpilla de tono oscuro y la arrojó al suelo. Summer se despojó de la toalla y la dejó caer sobre la alfombra. Se volvió hacia Dominik. Se ofreció. Recordaba sus preferencias, sus rarezas, la forma en que ella le gustaba cuando la vida aún era buena.

Subió de lado a la cama destapada y fue a colocarse a gatas porque esperaba que Dominik la tomara por detrás como lo hicieron muchas otras veces. Nunca había sido partidario de la postura del misionero, pues era demasiado esclavo de su voyerismo y disfrutaba del espectáculo de su pene entrando y saliendo de ella.

–No.

Summer se volvió a mirarlo y notó la mirada dura y severa de sus ojos que la observaban.

–Dime lo que quieres –le pidió.

Ella buscó respuestas a la actitud de Dominik. Su expresión era imperturbable, pétrea.

¿Qué quería que dijera? ¿Que lo deseaba, que no podía contener las ansias de pertenecerle contra toda lógica y experiencia pasadas? ¿Acaso quería que renunciara a su voluntad, a su orgullo?

–Ahora mismo lo que quiero es que me folles –dijo Summer al fin.

Dominik no alteró el gesto.

–Quiero estar contigo… Aunque duela.

En momentos como aquel Summer se sentía desbordada y las palabras no bastaban para expresar el caos que se arremolinaba en su interior. Casi quería gritar: «Tómame, fóllame, hazme daño, márcame el alma, tatúame el corazón con tinta indeleble, hazme tuya y destierra para siempre el vacío interior que me atormenta». En su cabeza tenía cierto sentido, pero dicho en voz alta sonaría ridículo. Degradante, humillante incluso.

Dominik seguía sin reaccionar, permanecía allí impasible, observándola, traduciendo las palabras que ella no había pronunciado a un idioma que él pudiera entender.

–Te quiero dentro de mí. Ahora.

¿Acaso no le quedaba más remedio que suplicar?

Se sentía casi al borde de las lágrimas. ¿La estaba poniendo a prueba? ¿Estaba jugando con ella?

–Yo también te deseo –dijo Dominik al fin.

Se acercó a la cama, le pasó los dedos por los ojos con una ternura que Summer nunca había experimentado, como el más cariñoso empleado de una funeraria cerrándole los ojos a una muerta, e hizo que se tumbara. La abrió de brazos y piernas con delicadeza y se colocó sobre ella, con lo que su sombra se proyectó por el techo de la habitación mientras fuera caía la noche como un manto.

Dominik se situó entre sus piernas y ella lo guio hacia su interior.

–Acéptame tal y como soy –le dijo Summer.

Dominik la hizo sentirse plena.

–Shhh… –le susurró.

Summer se estremeció.

Viggo apagó la pantalla y una amplia sonrisa de satisfacción se extendió por su rostro.

La pareja a la que había estado observando se había separado por fin, ya no formaban una sola entidad, una criatura con dos espaldas cuyos movimientos combinaban la elegancia del vuelo de los pájaros y la crueldad salvaje de las criaturas carnívoras. Una danza de cuerpos frenética y extática con toda la feroz entrega de unos tigres luchando a muerte.

Ahora habían salido a respirar. Se habían convertido otra vez en dos. Summer y Dominik.

Viggo sabía que era un mirón, por supuesto. Pero nadie es perfecto, ¿no?

Era un hombre que reconocía la belleza en cuanto la veía y con frecuencia quería preservarla, salvarla, ponerla bajo un cristal. Coleccionarla.

Si la belleza tuviera una esencia que se pudiera embotellar, él hubiera sido el primero de la fila con la chequera en la mano.

Se había acostado con Summer, cierto. Solo y con Luba. Pero verla follar con Dominik contenía otro tipo de belleza. La había visto cobrar vida, y observado el fulgor que se extendía por su cuerpo, la forma en que todo su desafío y preocupación innatos se habían desvanecido en cuanto Dominik asumió el control, la forma en que se había confabulado con su propio espíritu de rendición, la forma en que lo había aceptado. A Viggo nunca le habían gustado los hombres, pero ver a Dominik y su manera de poseer a Summer, al lado de Summer, le había resultado excitante.

Tenía la boca seca.

Cogió una botella de Bourbon añejo del mueble bar y se sirvió un vaso generoso.

–Delicioso –dijo entre dientes, dirigiéndose tanto a la aspereza meliflua del líquido que le bajó como de puntillas por la garganta como al recuerdo de los dos amantes ya ausentes de su pantalla clandestina.

Instalar una cámara minúscula en la habitación de invitados había sido una especie de broma de hacía ya años, cuando había adquirido la mansión y un arquitecto amigo suyo había propuesto los diseños y supervisado la reforma. Le había parecido muy roquero, algo que mantendría su reputación de chico malo. Y luego se había olvidado de la instalación durante años. Recordó que en realidad fue la poco convencional Luba, su mujer internacional de misterio y elegancia desnuda, quien una noche le sugirió que la observara durante su juego amoroso con una joven con la que había ligado en un club, una punki que llevaba un fino tatuaje de una lágrima debajo del ojo. Viggo suspiró al evocar la fascinante imagen de las mujeres juntas, sus curvas, la sensualidad de sus besos y sus gestos, el apetito, la perfecta alineación geométrica de la voluptuosidad y el deseo.

No era el sexo mecánico lo que lo excitaba, sino el movimiento lento, la muda elegancia de los cuerpos unidos en una danza. La imagen de dos mujeres era mucho más poderosa que la de las parejas heterosexuales a las que sus amigos y él habían espiado durante las fiestas liberales en la mansión, cuando los invitados se metían sin querer en la habitación de huéspedes o se les animaba a que se aventuraran en ella, ajenos a que Viggo y otros los estaban observando.

Pero ninguna de las parejas inocentonas tenía la gracia salvaje de Summer y Dominik, se dijo Viggo. Esos dos poseían un apetito voraz el uno por el otro, una pasión de la que él casi se sentía celoso, una avidez que coqueteaba con el peligro. Viggo había contenido el aliento en más de una ocasión cuando uno o el otro se había aventurado en territorio azaroso, una mano, un gesto, una pulsión que casi iba demasiado lejos, que se balanceaba en el límite antes de retroceder de manera tranquilizadora. Viggo nunca había visto a un hombre y una mujer que follaran con semejante abandono; hubo momentos en que se le puso la piel de gallina.

Tras el tragicómico incidente de la cámara les había sugerido que se fueran arriba a sabiendas de que terminarían en la cama y bajo la mirada de su cámara oculta, por lo que la tentación de activar el sistema de vigilancia había sido demasiado fuerte. Estuvo a punto de renunciar a ello puesto que pasaron demasiado tiempo en el baño, lo que lo llevó a pensar que ya se había perdido toda la diversión. Pero al final salieron, envueltos en toallas blancas y casi dando vueltas en círculo el uno alrededor del otro como aves de presa famélicas, listos para saltar y precipitarse hacia una hermosa locura.

Viggo no se arrepintió de espiarlos. Ellos no lo sabrían. No se sentirían heridos. Lo único que lamentó momentáneamente fue no haber instalado también micrófonos en la habitación además de las lentes espías.

Pensó que haría que inutilizaran el sistema de vigilancia. Nada podía haber después de Summer y Dominik. Nadie llegaría a igualar la intensidad de lo que había presenciado. Era mejor terminar con algo grande.

Se levantó y tiró de la librería corredera para ocultar la pequeña pantalla.

Supuso que Dominik y Summer debían de estar durmiendo.

Tal vez él hiciera lo mismo, y reviviría el recuerdo de sus abrazos, se deleitaría en él. Cayó en la cuenta de que Luba no tardaría en regresar de la galería. La primera vez que la había visto bailar se quedó fascinado de manera muy parecida a lo que le habían provocado Summer y Dominik. Supo que debía tenerla. Ella accedió enseguida, aunque Viggo era consciente de que Luba nunca pertenecería a nadie y de que, para ella, él no era más que un paso del camino, conveniente y agradable, pero solo un bar de carretera. Mmm… Allí estaba el germen de una canción, pensó.

Se dirigió a su estudio y encendió el piano eléctrico. Resultaba curiosa la manera en que surgían las ideas, las palabras o los esbozos de melodías. Espontáneamente, de la nada.

Dominik se despertó y se frotó los ojos para desprenderse de la desorientación de estar en una habitación desconocida. El día anterior se habían olvidado de bajar las persianas y el dormitorio se hallaba inundado por un sol magnífico.

La suavidad del trasero de Summer descansaba acurrucada contra su estómago, como si este fuera una cuchara. Aún dormía, y el delicado sonido de su respiración era un rumor débil.

Le dio un beso en el cuello y ella se movió.

Dominik aún llevaba puesto el reloj y miró la hora. Tan solo era media mañana. Daba la sensación de que fuera más tarde.

En cuanto Summer abrió los ojos y le sonrió, Dominik le preguntó:

—¿Tienes muchas cosas tuyas aquí?

—No muchas. Solo unas cuantas —contestó ella—. Aún está casi todo en casa de Chris.

—En cuanto nos hayamos levantado quiero que lo recojas todo. Aquí y allí también. Iremos a buscarlas. Vas a venir a mi casa. Vas a vivir conmigo.

–¿Ah, sí?

–Sí. –Era completamente sincero.

Summer asintió. De momento lo haría. La primera vez, en Nueva York, no había funcionado. Pero estaba dispuesta a darle otra oportunidad.

Bostezó, se dio la vuelta y se quedó de lado.

–¡Qué hambre tengo! Pero lo que más necesito es mi dosis de cafeína.

–Yo también me muero de hambre –comentó Dominik. Lo último que había comido era un pequeño *pain au chocolat* que compró la mañana anterior en la Patisserie Valerie, cuando estaba preparándose para su visita a la casa de Viggo, tras lo cual los sucesos lo pillaron desprevenido.

Se estiró, se separó del confortable calor del cuerpo desnudo de Summer y salió de la cama. Bajó la mirada hacia ella, a la maraña desordenada de las sábanas y al charco que formaba su cabello rojo extendido sobre la almohada. Su pene respondió a la visión de forma repentina. Summer le devolvió la sonrisa.

Dominik se puso los pantalones negros y le pasó a Summer la camiseta blanca que llevaba el día anterior. Ella se la puso, sentada al borde de la cama. Esperó a que le pasara alguna otra cosa, la ropa interior o los vaqueros, pero no lo hizo, se limitó a mirarla con una sonrisa benévola.

Summer se levantó de la cama. La camiseta arrugada le llegaba justo por debajo del ombligo, con lo que le dejaba el trasero y el pubis totalmente expuestos. Era una forma de desnudez particularmente íntima, natural, tal como uno iría en la intimidad de su casa sin miedo a que lo viera nadie.

–Ven. –Dominik le hizo un gesto–. Vamos a buscar la cocina.

–¿Así? –preguntó Summer.

–Sí –respondió él.

–Puede que Viggo esté allí. O que haya otras personas…

–Ya lo sé –dijo Dominik–. Me gustas así. De todos modos Viggo ya lo ha visto todo, ¿no es verdad? No me importa que otros te vean. No me molesta.

Pero se abstuvo de decir que eso era porque sabía que ahora era suya.

Al salir de la habitación, él desnudo de cintura para arriba y ella de cintura para abajo, Summer aguardó un momento cuando la asaltó un estremecimiento de duda al pensar que volvía a dejar atrás el Bailly. Se dio cuenta de que estaba a salvo. Cosas así solo ocurren una vez.

Cuando llegaron a la cocina, Viggo estaba sentado frente a la barra mordisqueando una tostada. Les dirigió una mirada y un silbido de admiración.

–¡Vaya, nuestros tortolitos! Bienvenidos a otro día soleado, chicos.

Él también iba descamisado y su torso flaco y sin pelo parecía una página en blanco.

–¿Café?

–Sí, por favor.

–Recién hecho, para que lo disfrutéis. –Dirigió un gesto teatral a la pareja y señaló la máquina articulada de acero reluciente que dominaba la superficie de la encimera de granito y que tenía aspecto de ser un artilugio de la NASA.

Mientras Summer y Dominik se servían, Viggo se levantó de repente, no sin antes dirigir una mirada nostálgica al trasero desnudo de Summer, para salir de la cocina.

–Esperadme, chicos. Tengo una sorpresa para vosotros.

Regresó al cabo de diez minutos con un pequeño marco en las manos que le entregó a Summer con reverencia mientras Dominik observaba.

–Es para disculparme. Un regalo. Con la esperanza de que me perdones.

Dentro del marco había un dibujo en blanco y negro. Bastante antiguo, a juzgar por su aspecto.

En la esquina superior derecha de la imagen aparecía el dibujo de una bailarina de ballet y su pareja masculina, pero solo se veían sus cuerpos, la cabeza quedaba cortada por el borde del cuadro. Más a la derecha se veía el mástil de un violín y un arco y el rostro de un hombre con peluca y un adornado sombrero ceremonial. Más abajo, y apenas esbozado, las chimeneas humeantes de alguna fábrica y unos cuantos veleros dibujados con trazo fino.

–¿Qué es? –preguntó Summer.

–Es de Degas –dijo Viggo–. Se llama *Programa para una velada artística*. Es bastante singular. Pensé que estaría bien que lo tuvieras tú, por el violín. Es auténtico, no es una copia...

–No sé qué decir –repuso Summer.

–Solo una cosa –la interrumpió Viggo.

–¿Sí?

–No lo enseñes demasiado. Solo a personas en las que puedas confiar.

–¿Quieres decir que es robado? –inquirió Dominik.

–Sí –admitió Viggo con una sonrisa pícara–. Lleva años desaparecido. Es una larga historia, pero en un momento dado llegó a mis manos. Son cosas que pasan, ¿sabes? De todos modos, después de lo que te he hecho, me pareció que lo merecías más que yo.

Eso explicaba por qué había ciertos objetos de su colección encerrados en la habitación del pánico, supuso Dominik. Eran todos robados.

–Gracias, Viggo. Lo guardaremos como un tesoro. De verdad –le aseguró Summer.

–¿Estoy perdonado entonces? –preguntó Viggo.

Dominik no oyó la respuesta de Summer. Lo único que oyó fue que ella dijo «lo guardaremos», en plural.

13

Nos llevará el viento

Cambiarme de domicilio me llevó mucho más tiempo de lo normal.

Había pasado la mañana con Susan, mi agente y mi mánager, en un Starbucks corriente cerca de la estación Victoria discutiendo mis planes para el futuro. Trabajaba desde Estados Unidos, pero había aparecido en Londres de improviso, frustrada por el hecho de que yo ignorara demasiados de sus correos electrónicos.

Yo llegué tarde después de dejar apresuradamente a Dominik en su casa de Hampstead. No había querido desperdiciar ni un minuto del tiempo que estaba con él, de modo que habíamos pasado la mañana de forma muy parecida a la noche anterior, y la anterior, y la de antes. Entrelazados, uno en brazos del otro, follando tan a menudo como nos lo permitían las energías. Algunas veces hacíamos el amor, él lleno de afecto y ternura y yo rebosante de satisfacción, contenta de estar allí tendida debajo de él, deseando poder parar el tiempo y pasarme la vida así, escuchando su risa profunda y gutural, cruzando la mirada y esperando el momento en que sus ojos pasaran de tiernos y afectuosos a duros y crueles, me agarrara de la muñeca, que momentos antes había estado acariciando con suavidad, y me inmovilizara en la cama mientras me susurraba guarradas al oído.

Desde que me puse la ropa que tenía más cerca y salí corriendo al metro, consciente de que lo más probable era que Susan ya me estuviera esperando, no dejaron de repetirse una y otra vez en mi cabeza imágenes de los dos juntos entre las sábanas.

Susan tenía el mismo aspecto que la última vez que la vi, con una presencia perfecta. Tanto si salía por la noche por la ciudad como si iba a tomar un café con un cliente, siempre tenía un aspecto formal. Su vestido suelto era de muy buen corte, de color verde mar para contrarrestar su cabello castaño rojizo, y con el complemento de un grueso collar de oro de Chanel. Estaba absorta en su BlackBerry y sus dedos volaban sobre las teclas con la misma rapidez que los de un pianista.

—Nos hemos dormido, ¿eh? —me preguntó en tono un tanto mordaz mientras me sentaba en el taburete a su lado. Ya me había pedido un café. Estaba frío, pero lo bebí de todos modos.

—Lo siento —respondí, y me ruboricé. Lo cierto es que no tenía ninguna excusa.

—Me alegro de verte, señorita estrella de rock —me dijo, ya con una sonrisa cordial, y me dio un beso rápido en cada mejilla—. Y he oído que recuperaste tu violín.

—¡Sí! —exclamé con entusiasmo.

—Así pues, ¿estás preparada para tocar?

—Nunca lo he estado más.

—Me alegra oírlo. Al menos podré leer un periódico sin preocuparme de en qué página vas a aparecer la próxima vez.

Ahora los Groucho Nights eran los Groucho Nights, sin invitados especiales, y aunque pudiéramos reunirnos en un futuro, de momento estaba ansiosa por volver a mi repertorio clásico.

Sugerí la idea de un álbum neozelandés y Susan accedió de buena gana. Consideraba que el mercado de la exportación era importante.

Sonidos de mi tierra. Parecía adecuado. Me había pasado los últimos años yendo de un lado a otro, rebotando de una situación a otra como un premio en la máquina del millón. Ahora tenía a Dominik, y había recuperado mi violín, y por primera vez en la vida me sentía asentada. Era el momento de mirar hacia mis raíces, como había intentado hacer cuando estaba con Simón, con las piezas venezolanas. Pero esta vez volvería la mirada hacia mi propia historia, no la de otros, evocaría el paisaje de mi tierra natal y lo pondría en una canción.

El Bailly sería perfecto para ello. Ya sentía una emoción embriagadora solo con pensarlo. Mi alegría inicial al recuperarlo había sido fugaz. Me olvidé del instrumento en cuanto tuve a Dominik a mi lado y me rendí al tacto de su piel, a la firmeza de sus órdenes, al sonido de su voz. Estaba tan contenta de tenerlo de nuevo, de volver a sentirlo dentro de mí, que el violín se había quedado solo un día y una noche enteros mientras nosotros volvíamos a reconocernos.

Cuando al fin nos agotamos el uno al otro, yo salté sobre el instrumento y me puse a tocar. Dominik se había reído al ver mi expresión cuando saqué el Bailly del estuche. Era como la de un niño abriendo un regalo de Navidad. Deslicé las manos por la madera pulida de color miel y comprobé la afinación antes de lanzarme a tocar toda la música que ahora era nuestra, el telón de fondo de nuestra relación. Vivaldi, por supuesto, y mientras tocaba los acordes de cada estación pensé en el tiempo que había transcurrido y en el que teníamos por delante. La forma en que la vida avanzaba y fluía sin cesar, siempre cambiante, pero siempre con algo nuevo y hermoso a la vuelta de la esquina. Terminé con las notas ligeras de «Primavera».

Solo tenía la maleta medio llena y ni siquiera había empezado con las cajas cuando oí el chirrido de la puerta de entrada. Tardé unos momentos en levantarme porque estaba acurrucada en el suelo, perdiendo el tiempo con cada cosa, tocándolo todo antes de doblarlo y guardarlo y sonriendo por los recuerdos que me llevé conmigo de un país a otro.

Chris y Fran entraron y no se dieron cuenta de que yo había entrado con la llave que me dieron al mudarme. No la había devuelto puesto que oficialmente todavía vivía allí, aunque hasta hacía poco pasaba casi todas las noches en casa de Viggo.

Desde mi asiento en el suelo, mirando al vestíbulo junto a la puerta, los veía perfectamente a los dos, que se abrazaban con fuerza y se besaban como si se fuera a acabar el mundo.

Parpadeé, pero cuando volví a abrir los ojos ellos seguían allí, solo que entonces Chris deslizaba la mano por la pernera de los pantalones cortos de mi hermana y ella tenía los brazos por encima de la cabeza forcejeando en vano para intentar quitarse la ceñida camiseta que llevaba.

Tosí con fuerza para alertarlos de mi presencia antes de ver algo que no quería ver. Chris se sobresaltó y se dio la vuelta rápidamente en busca de un intruso.

–Estoy aquí –dije.

–¡Summer! ¿Es que no llamas nunca?

–¿Llamar? ¡Pero si estaba aquí! ¿Alguna vez compruebas los mensajes?

–He estado... distraído –dijo con una sonrisa tímida.

–Ya lo veo.

Fran se había puesto roja como un tomate. Por norma general mostraba un total despego por sus aventuras pasajeras y nunca la había visto avergonzarse al ser sorprendida. Aquella mañana con Dagur, el batería, le había quitado importancia con desparpajo delante de mucha más gente.

Esto debía de ser serio.

–Vosotros dos... os lleváis muy bien.

Fran avanzó hacia donde estaba Chris, en la puerta del dormitorio que ella y yo habíamos estado compartiendo, y le tomó la mano.

—Estamos saliendo —dijo—. Quiero decir, oficialmente.

Chris sonrió de oreja a oreja.

—Tu hermana es mi novia.

Le arrojé un calcetín. Él lo cogió al vuelo con la mano que tenía libre y continuó sonriendo con suficiencia.

—De manera que es por eso que está todo tan ordenado aquí dentro. Me preguntaba por qué no estaban todas tus cosas desparramadas por todas partes como siempre, Fran. Lo has llevado todo a su habitación. Y yo aquí pensando que te habías reformado.

—Tal vez lo haya hecho —replicó ella—. Aunque no en la dirección que tú te esperabas.

Sonreí. Me alegraba por ella. Y por Chris. De hecho, hacían una pareja estupenda, aunque yo hubiera apretado los dientes al pensar en mi mejor amigo saliendo con mi hermana.

Lauralynn había regresado toda entusiasmada de un concierto nocturno para el que la habían contratado en un estudio del oeste de Londres.

—No te imaginas para quién era —le dijo a Dominik después de colgar su chaqueta de cuero, dejar el pesado estuche del violonchelo en su habitación y correr a la cocina que, por defecto, se había convertido en su espacio común.

—Deja que intente adivinarlo. El difunto Herbert von Karajan está grabando una suite sinfónica inspirada por las canciones sobre drogas de los Rolling Stones y necesitaba un solo de violonchelo psicodélico interminable como punto culminante.

—La verdad es que no vas muy desencaminado... —dijo Lauralynn.

–Y ha venido hasta Shepherd's Bush para hacerlo, desde dondequiera que haya estado esperando el momento oportuno durante más de treinta años… –continuó diciendo Dominik.

–Deja de decir frivolidades. No, la sesión era con Viggo Franck y los Holy Criminals. Están grabando canciones nuevas y necesitaban un contrapunto de violonchelo en uno de los temas. Su productor me ha dicho que si la canción se incluye en el álbum me añadirán a los créditos.

Dominik tenía una sonrisa irónica en la cara.

–Eso es genial –dijo–. Me alegro por ti.

–Pero bueno, aún no he conocido al famoso Viggo Franck. No estaba en las sesiones. Solo los de su grupo. Toqué con el acompañamiento de sus cintas.

Lauralynn miró a su amigo con más atención. Parecía distinto, de buen humor pero un poco ausente.

No se habían visto mucho durante las últimas semanas, desde que ella regresó de Estados Unidos. Dominik había estado ocupado arriba frente al ordenador, se suponía que escribiendo, o bien se escabullía de casa a horas poco habituales como un conspirador, evitaba su compañía y eludía sus preguntas. Lauralynn llevaba días trabajando por las noches y supuso que él tendría las suyas ocupadas con Summer. Había visto zapatos y cosas de ella colgados en sitios raros de la casa.

–¿Hay algo que debería saber? –preguntó Lauralynn–. Últimamente no has estado muy comunicativo, ¿sabes?

–Bueno… –Dominik vaciló–. Han pasado muchas cosas.

–¿Summer?

–Sí. En pocas palabras, hemos estado viéndonos mucho. Creo que vamos a intentarlo otra vez.

Lauralynn sonrió abiertamente.

–Estupendo.

–Al fin hemos tomado una decisión. Espero que más adelante se instale aquí. Con sus cosas. Voy a tener los dedos cruzados para que todo salga bien esta vez. Los dos estamos nerviosos, por supuesto, pero conseguimos encontrar su violín, por lo que creo que es un buen augurio.

–Es fantástico. Os merecéis el uno al otro, lo he sabido desde el principio. Y...

–¿Sí?

–Llevo tiempo pensando en marcharme, Dominik. Tú y yo somos buenos amigos, pero nunca fue la situación ideal, ¿verdad?

–Supongo que no.

–De manera que todo esto es muy oportuno. Y estoy segura de que no me querrás por aquí cuando Summer se mude, ¿no?

–Resultaría incómodo –asintió–. ¿Tienes adónde ir? –le preguntó preocupado–. Me sentiría fatal si te dejara en la calle.

–Mmm... –A Lauralynn le centellearon los ojos con más picardía de lo habitual.

–¿Qué pasa?

–Creo que sí tengo adónde ir.

–Perfecto.

–Es alguien que estaba en el estudio. En realidad la sesión terminó bastante pronto, hicimos lo que teníamos que hacer en un par de tomas. Anoche una amiga de la banda vino pensando que Viggo estaba trabajando en el estudio pero resultó que él estaba reunido con su discográfica. Nos pusimos a hablar. Pasé la noche con ella.

Lauralynn hasta se ruborizó un poco. Su rollo de una noche debía de haberla impresionado, pensó Dominik.

–Ahora me toca a mí alegrarme por ti –le dijo.

–Gracias –se rio como una adolescente–. Sé que solo ha sido una noche pero creo que es muy especial. Ya sabes cómo va esto, a veces solo hace falta una mirada.

–O más –comentó Dominik.

–Mucho, mucho más –coincidió Lauralynn–. Está viviendo en la mansión de Viggo Franck en Belsize Park, dice que allí hay muchas habitaciones libres y que a él no le importaría.

–¿Te refieres a la mujer rusa? –le preguntó Dominik, embargado por una curiosa sensación, como si un montón de piezas distintas del puzle estuvieran por fin encajando en su lugar.

–Sí, Luba. La que ibas a presentarme tú, ¿te acuerdas?

–Ah, sí, la incomparable Luba.

–¿No es maravillosa?

–Sí, sí que lo es –asintió–. Sin duda alguna.

Aquella mañana Summer tenía una cita en el centro con Susan. La había llamado para verse y hablar un poco más sobre los planes de Summer para reincorporarse al mundo clásico con un retorno a sus orígenes y la posibilidad aña-dida de publicar un álbum en directo que se había grabado con los Groucho Nights en el concierto de Sarajevo. No espe-raba quedarse libre hasta media tarde como pronto, que era cuando tenía pensado recoger el resto de pertenencias en el piso de Chris en Camden Town y dirigirse a casa de Do-minik.

Dominik se había ofrecido a acompañar a Lauralynn en coche con sus cosas a casa de Viggo.

Cuando tocó el timbre de la puerta de la mansión, Domi-nik no pudo evitar acordarse de que hacía poco menos de una semana utilizó la copia clandestina de las llaves para entrar. Ya le había devuelto esas llaves a Viggo.

Fue Luba quien les abrió la puerta.

Salió corriendo a darle un largo abrazo a Lauralynn, besó con afecto a Dominik en ambas mejillas y los invitó a pasar.

Considerando todas las combinaciones sexuales en las que habían estado involucrados o en las que habían visto involucrarse a los demás, Dominik se sorprendió por lo normal que parecía todo. Como una historia que fuera llegando a su conclusión natural. Una historia posiblemente dictada desde lejos por la supuesta maldición del Angelique, se dijo sonriendo.

–Viggo está por aquí en alguna parte. Es probable que baje después –declaró Luba.

Al ver a las dos mujeres juntas, Dominik cayó en la cuenta de sus similitudes. No había caído en ello. Ambas eran altas, rubias y con constitución de amazonas. Luba era más estilizada, pero sin duda como consecuencia de su preparación como bailarina, su andar era más erguido y llevaba los pechos en alto, en un porte orgulloso. La postura de Lauralynn era más laxa y despreocupada, con unos fuertes hombros de nadadora en los que se asentaban su cuerpo y sus curvas.

Era evidente que estaban hechas la una para la otra.

¡Ay, lo que daría por verlas por un agujero del dormitorio!, pensó Dominik.

Lauralynn y él metieron en casa las dos pesadas maletas Samsonite y Dominik regresó al maletero del BMW para llevarse un par de cajas grandes de cartón en las que Lauralynn había metido a toda prisa sus libros y trastos en general.

Una Luba sorprendentemente casera les ofreció café y pastelitos, pero Dominik enseguida tuvo la sensación de que empezaba a estar de más y no había duda de que las dos mujeres esperaban que se disculpara y las dejara solas. Estaba a punto de despedirse cuando Viggo entró en la habitación. Llevaba puestos unos pantalones tan ceñidos como siempre, como si acabara de pasarse una media hora fortificadora bajo la ducha o en un baño de vapor para ajustarlos aún más a su forma de sílfide. Su camiseta había visto tiempos mejores y estaba llena de agujeros como un pedazo de queso europeo.

–Hola, tío –saludó a Dominik con su acostumbrado tono de despreocupación.

Entonces desvió su atención hacia la recién llegada.

–Esta es Lauralynn –la presentó Luba.

El músico de rock se quedó mirando a la rubia escultural y fue pasando rápidamente la mirada entre ella y Luba.

–Bienvenida, querida. He oído hablar mucho de ti.

–¿Te refieres a la pista de violonchelo que grabé para tu nueva canción? –le preguntó Lauralynn.

–Oh, sí –repuso Viggo con una sonrisa burlona–. Eso también…

Divertida por las precoces intenciones sexuales de Viggo, Luba tomó a Lauralynn de la mano y se la llevó hacia el vestíbulo para dirigirse a los pisos superiores de la casa.

–Te enseñaré la habitación en la que vamos a instalarte, ven –dijo Luba.

Lauralynn le dijo adiós con la mano a Dominik.

Viggo siguió con la mirada las siluetas de las dos mujeres que se alejaban. Exhibía sin pudor su sonrisa de niño.

–Es una buena amiga –comentó Dominik–. Es muy maja. Pero, te advierto una cosa…

–¿Sí?

–No le van mucho los hombres.

La sonrisa de Viggo se hizo aún más amplia.

–Nunca digas de esta agua no beberé, amigo.

Cuando llegaron los muebles empecé a asustarme.

Era la primera vez en la vida que algo mío me daba una sensación de permanencia.

Había comprado un ropero grande, un juego de cajones y un espejo de cuerpo entero por Internet de una tienda de East Sussex que fabricaba muebles de madera reciclada, todo macizo, nada de muebles para montar. Neil, el encargado que me lo vendió, se había esmerado mucho en subrayar que estaban hechos para durar, todo lo cual aumentó mi miedo a encontrarme atrapada en casa de Dominik sin posibilidad de una huida rápida maleta en mano, que era lo que hice la última vez que las cosas no salieron bien entre nosotros.

Se necesitaron cuatro hombres para subir el armario por las escaleras estrechas hasta el dormitorio, y mientras miraba cómo se esforzaban para levantarlo y moverlo, lo único en lo que podía pensar era en cómo me las apañaría para volverlo a sacar de allí. Me calmé recordándome que solo era un mueble y que, en el peor de los casos, siempre podía usar un hacha y volver a llevarlo escaleras abajo hecho pedazos.

La idea me hizo sentir culpable de inmediato y durante el resto de la semana me mostré mucho más amable con Dominik. Yo no era la única que sufría con el cambio de nuestras circunstancias y él lo estaba llevando increíblemente bien, tanto que apenas enarcó una ceja cuando coloqué un montón de novelas de vampiros para adolescentes en sus estantes junto a sus primeras ediciones. Se plantó con firmeza en cuanto a lo de comprar un gato, pero accedió a considerar un pez de colores si yo prometía cuidar de él.

En Nueva York fue distinto. Desde el principio supe que el hecho de vivir juntos sería temporal, porque Dominik solo iba a estar de alquiler unos cuantos meses para cumplir con las obligaciones de su beca. Yo pensaba en el *loft* como si fuera un hotel, cosa que quizá había sido parte del problema.

Incluso cuando me fui a vivir con Simón, y aunque estuvimos dos años juntos, no hice ningún cambio en su casa, solo colgar mi ropa en una mitad de su enorme armario empotrado y colocar los artículos de tocador en el baño. No llevé ni una sola foto enmarcada al apartamento, y siempre pensaba en él como en la casa de Simón, nunca como en nuestra casa.

La situación doméstica en la que me encontraba ahora se puso de relieve cuando recibí un correo electrónico de mi vieja amiga Charlotte, con quien tuve una estrecha relación cuando conocí a Dominik y que me introdujo en el ambiente fetichista de Londres. Hacía más de dos años que no la veía ni sabía nada de ella, desde la primera vez que me marché de Londres de manera precipitada y me mudé a Nueva York.

Había leído una crítica del concierto de los Groucho Nights en La Cigale y me escribió diciendo que saber de mí después de tanto tiempo la había impulsado a ponerse en contacto. Ahora vivía en París y se había casado con Jasper, el escolta con el que se veía de manera informal cuando la conocí en Londres, después de quedarse embarazada de su primer hijo que ya tenía dieciocho meses. Había tenido un segundo hijo tan solo un año después.

Jasper era uno de los pocos hombres que conocía capaz de satisfacer el voraz apetito sexual de Charlotte. Pero, por lo visto, su aventura se había convertido en algo más profundo y al parecer Jasper dejó su trabajo de escolta y ahora estaba en casa cuidando de los niños y estudiando psicología. Ella trabajaba en el departamento financiero de la embajada británica.

La contesté y le conté que volvía a estar con Dominik. A partir de ahí, iniciamos un intercambio en el que discutimos los pros y los contras de las relaciones, y lo que suponía formalizarlas cuando nunca había sido tu intención. Desde que la conocía, Charlotte siempre defendió la soltería, y hasta prefería contratar los servicios de un hombre de la noche antes que ligarse a alguien en un bar para una aventura a corto plazo. En aquel entonces, decía que le resultaba más fácil, y honesto, y que enamorarse de Jasper, el escolta que se había convertido en su amante habitual, no fue más que un feliz accidente.

«El amor llega cuando menos te lo esperas», escribió.

Sin embargo, los parisinos eran mucho más abiertos que los británicos en cuanto a su sexualidad y, mientras que por fuera mantenían una apariencia de respetabilidad, de vez en cuando Charlotte y Jasper contrataban una niñera y visitaban Les Chandelles, o Cap d'Agde, la famosa playa nudista.

«Está lleno de gente que practica el intercambio de parejas. A ti no te gustaría nada. Quédate con el Torture Garden», contestó cuando le pregunté qué tal era.

No me imaginaba persuadiendo a Dominik para que se pusiera un uniforme militar o un traje de látex, aunque a mí me emocionaba la idea de verlo con botas de montar y blandiendo una fusta. Nunca le había gustado la parafernalia del fetichismo y prefería vivir sus fantasías solo con su tacto y sus palabras. Cualquier otra cosa sería una conversación para otro momento, pero yo dudaba que llegara a incluir alguna vez ropa de cama especial o algún tipo de esposas, ya fueran de las acolchadas de color rosa o de las de cuero grueso.

Teníamos una nueva adquisición para nuestra caja de juguetes. Viggo nos había hecho un regalo con motivo del estreno de nuestro hogar. Una varita mágica Hitachi. Dominik la había sacado de la caja, la había sostenido con expresión perpleja y yo, gustosamente, le hice una demostración de cómo funcionaba.

Simón también se había enterado, a través de Susan, de que Dominik y yo volvíamos a estar juntos y me llamó por teléfono inesperadamente. A Simón siempre le hizo gracia que yo detestara las conversaciones telefónicas, por lo que cuando salíamos juntos siempre se empeñaba en llamarme, nunca en mandarme un mensaje o un correo electrónico, aunque se tratara de algo sin importancia, para saber a qué hora llegaría a casa a cenar o para pedirme que comprara un poco de leche en la tienda coreana del barrio.

Yo respondí al teléfono sin tiempo de pensármelo, dando por sentado que sería Susan que llamaba para saber cómo me iba en el estudio. Viggo me estaba ayudando a montar un espacio para grabar mi nuevo álbum de Nueva Zelanda. Iba a ir todos los días a ensayar con el Bailly para recuperar el ritmo de la música clásica después de mi pausa roquera. Con otros violines me resultaba imposible, pero el regalo de Dominik se adaptaba tan bien a mí que prácticamente era como si el instrumento cantara en cuanto le ponía los dedos encima.

–¡Eh, hola! –dijo Simón cuando respondí. Era la forma en que me saludaba siempre, dos palabras que habían sido como una especie de código entre nosotros, una conversación entera que quería decir: «Hola, cómo estás, ya estoy en casa» y una docena de cosas más.

–¿Simón?

–Así que, ¿no te has olvidado de mí?

–¿Cómo estás? –le pregunté–. ¿Ya estás de vuelta en Nueva York? ¿Con la orquesta?

–Casi. Solo estoy de paso. Voy a irme a vivir a Venezuela.

–¿Vas a dirigir en Caracas?

–Ni siquiera se trata de eso. Lo creas o no, es un empleo gubernamental. Ministro de cultura.

–¡Vaya! Enhorabuena. Pues tendrás que asistir a un montón de rodeos de manera oficial, ¿no?

–Todas las semanas. Y engordar con los postres de coco y caramelo.

–A mí me parece un buen negocio.

–Deberías venir a verme algún día. Y Dominik también –se apresuró a añadir–. Susan me contó que habéis vuelto. Y me he mantenido al día con todas tus aventuras musicales, por supuesto.

–Fue una experiencia emocionante.

–Digna de un libro.

Sonreí por la coincidencia.

–Dominik está escribiendo otro. Esta vez no es sobre mí, me lo ha prometido, sino sobre el Bailly.

–Ya me imaginaba que seguiría escribiendo. Así que él te da la música y tú le proporcionas las palabras.

–Nunca lo había visto así, pero supongo que sí.

–Siempre supe que estabais hechos el uno para el otro. Nosotros nunca tuvimos ninguna posibilidad.

Lo dijo con cariño y humor y yo me eché a reír. Simón tenía la costumbre de tener razón. Era uno de los motivos por los que rompimos.

Al hablar con él tuve la sensación de que algo llegaba a su fin. Me alegré de oír que parecía estar contento porque, aunque fue él quien rompió la relación, yo siempre me había sentido culpable al pensar que de alguna manera la culpa era mía.

Cuanto más pensaba en ello más miedo tenía de que irme a vivir con Dominik fuera un error, igual que lo había sido irme a vivir con Simón. Yo no era una persona doméstica. Con Simón me había sentido atrapada y me aterrorizaba que ocurriera lo mismo con Dominik al cabo de unos meses de compartir todos los días la misma casa.

Si salía bien, entonces vivir con Dominik sería maravilloso, sería una respuesta a todo, la relación que yo siempre había esperado poder tener.

Pero si no salía bien, destruiría todo lo que teníamos.

En la novela, Dominik ya había escrito sobre la barbarie y la locura de la Segunda Guerra Mundial, y había llegado a finales de la década de 1960, época en la que Edwina Christiansen se convirtió en la última de una serie de heroínas desafortunadas, condenadas y dueñas del violín maldito.

Edwina era una madre soltera de Hannover, Alemania. Su hijito fue el resultado de una desacertada aventura amorosa durante la ruta *hippy* cuando tenía poco más de veinte años. Tras su vuelta a Alemania se casó con Helmuth Christiansen, un abastecedor de buques de Hamburgo, pero el matrimonio no duró porque su espíritu libre no pudo soportar las serias costumbres del esposo y la diferencia de edad. Entonces regresó a Hannover con su hijo pequeño, donde trabajó como encargada técnica y representante sindical en una fábrica de automóviles.

El violín, que ni siquiera sabía tocar, llegó a sus manos tras la muerte de un pariente lejano y ningún otro miembro de la familia lo había reclamado, de forma que entonces descansaba en el fondo de un armario y Edwina no tenía ni idea de su valor.

En la mente de Dominik, Edwina se parecía un poco a Claudia, la estudiante de posgrado con la que había tenido una aventura poco antes de conocer a Summer. Siempre le había ayudado tener una imagen mental de sus personajes y no existía mejor inspiración que la sustraída de la vida real. Claudia tenía el pelo castaño claro pero siempre se lo teñía de un vivo color rojo, un tono chillón y nada natural que dejaba rastro en las sábanas y almohadas, y que le hacía huir de la lluvia como de la peste para evitar que el tinte le chorreara por la cara, vulnerable como era al ataque prolongado del agua.

Había pasado toda la noche escribiendo, y una especie de cansancio satisfecho se iba apoderando entonces de su cuerpo. Las puntas de los dedos con los que tecleaba le pesaban como si fueran de plomo, mientras buscaba las palabras adecuadas para describir la manera en que los muslos de Claudia se juntaban en la intersección de su pubis rasurado.

Dejó a Summer en la cama en el piso de arriba poco después de medianoche. Habían hecho el amor apasionadamente hasta que ella se hizo un ovillo, agotada, y se quedó dormida con una sonrisa infantil de deleite que le iluminaba el rostro. Dominik intentó dormir, pero aún tenía el cuerpo y la mente inquietos, febriles, y salió del dormitorio para dirigirse al estudio y ver si el zumbido eléctrico que lo estimulaba podía trasladarse a su escritura. Pero ahora se estaba vengando, y Dominik sabía que ya no podía retrasar más el momento de descansar.

Puso el ordenador en modo de suspensión, retiró la silla y estaba a punto de irse al piso de arriba cuando oyó el sonido brusco de la trampilla del buzón de la puerta. Miró la hora. El cartero estaba haciendo las rondas muy temprano.

Se dirigió pesadamente a la puerta de entrada para recoger el correo por la fuerza de la costumbre.

Era la mezcla habitual de revistas a las que estaba suscrito, correo basura, facturas y una postal. De Bali.

Le dio la vuelta a la postal. Era de esos dos disolutos, Edward y Clarissa. Lamentaban que no hubiera ido a «la fiesta sin fin». Dominik sonrió. Por lo visto, había personas que nunca cambiaban. Imaginó que aquellos dos vagarían por el planeta en busca de placer hasta el día del Apocalipsis. Lo cual tenía algo de entrañable.

Al dejar el resto del correo en la mesilla del teléfono, se fijó en que el Bailly de Summer, con su maltrecho estuche, no estaba en el lugar acostumbrado del rincón donde ella siempre lo dejaba. Dominik sabía a ciencia cierta que la noche anterior estaba allí.

Le dio un vuelco el corazón.

Subió corriendo al dormitorio con tanta prisa que se saltaba los escalones, con la esperanza de que, por uno u otro motivo, Summer pudiera haber llevado el instrumento allí. No es que nunca ensayara en el piso de arriba, pues poco después de su llegada había cambiado casi todo el mobiliario de la habitación trasera de la planta baja que daba al jardín para convertirla en un espacio de ensayo improvisado.

Se le pasaron por la cabeza toda clase de posibles catástrofes. Summer había estado más callada de lo habitual los últimos días, y la había sorprendido en más de una ocasión con la mirada perdida en el horizonte y expresión meditabunda. ¿Podría haber cambiado de opinión? Después de todo, ¿de verdad no creía que su relación podía funcionar?

Empujó la puerta para abrirla y sus ojos se fueron acostumbrando a la oscuridad del entorno.

Miró por toda la habitación. El estuche del violín no estaba.

Se volvió hacia la cama esperando ver la forma de Summer bajo las sábanas. Pero la ropa estaba echada a un lado y la cama estaba vacía.

El mundo se detuvo.

Se vino abajo a su alrededor.

Presa de un pánico cegador, Dominik recorrió la casa corriendo, miró en todas las habitaciones y la sangre se le subió a la cabeza.

Summer no estaba.

Regresó al vestíbulo de la planta baja, donde había empezado su búsqueda. Apoyó una mano en la puerta para no perder el equilibrio. Sabía, y siempre había sabido, que Summer era un espíritu libre. Que atarla a una relación convencional solo serviría para ahuyentarla. Había sido egoísta y estúpido, y la había perdido una vez más.

Se fue deslizando hacia el suelo con la espalda contra la puerta. Dejó caer la mano junto al costado y sus dedos tocaron algo largo y suave. Era uno de los arcos de Summer que estaba sobre la estera. Debía de habérsele caído con las prisas por escapar. Dominik no lo había visto antes porque el montón de correo cayó encima y lo tapó, y al recoger distraídamente los sobres y las revistas no se fijó en él.

Pasó los dedos por el arco mientras pensaba en Summer. Hermosa, frágil, orgullosa. La mujer que amaba. La mujer que había perdido otra vez. Y allí, asiendo el único trozo de Summer que le quedaba, Dominik creyó que se le rompería el corazón.

Supo de inmediato que el arco no estaba en su lugar habitual.

Lo habían colocado como si apuntara a la puerta.

¿Una señal?

Dominik abrió la puerta principal. La calle estaba tranquila y sin tráfico a esa hora. Miró el reloj. Tan solo eran las siete de la mañana.

En la acera estrecha, a unos pocos metros de la entrada de la casa, distinguió una púa de guitarra de plástico marrón.

Se agachó a recogerla.

Tenía grabado el logotipo de los Groucho Nights, un símbolo cabalístico que la hermana de Summer, Fran, había visto en un libro de esoterismo y que había estimulado la imaginación de Chris y sus compañeros músicos.

Hicieron unos cuantos miles de púas, y por tradición las lanzaban al público en el punto culminante de sus últimos bises. Era un truco promocional barato y efectivo.

Al otro lado de la casa, la curva que conducía a la zona de Vale of Health era como un pozo de tinieblas.

Dominik vio otra de las pequeñas púas de guitarra en la acera de enfrente, a unos pasos del bordillo, en dirección a la imponente forma del Royal Free Hospital que se alzaba al pie de la empinada colina. Cruzó la calle calzado todavía con las chancletas que llevaba por la noche mientras escribía y dejó la puerta de la casa abierta. Al cabo de unos dos minutos, calle abajo, encontró una tercera púa.

Era un rastro.

¿Un mensaje de Summer?

Volvió rápidamente sobre sus pasos, entró en casa, se calzó unas zapatillas de deporte y se puso por encima de la camiseta la primera sudadera que encontró en una de las habitaciones de abajo, se hizo con las llaves, cerró la puerta al salir y se fue en busca de más púas de guitarra esparcidas por el camino que descendía por la colina.

Mientras hacía todo eso su memoria no dejó de maquinar. Intentó recordar el cuento de hadas, si es que había uno, *Caperucita roja* o *Pinocho, Hansel y Gretel* o algún otro, en el que un reguero de piedrecitas –¿o eran semillas?– había conducido a un personaje en la dirección adecuada.

En un primer momento me pareció una idea ridícula.

Lo que tenía que hacer era dejarle una nota en la barra de la cocina: «He ido a dar un paseo. Ven a buscarme», con un mapa adjunto y el destino planeado marcado con una X.

Pero cuanto más pensaba en ello, más empezó a arraigar la idea en mi mente, como un fruto que brotara con rapidez.

Por la noche me había despertado y me encontré con que él se había ido, su lado de la cama estaba frío y las mantas retiradas como si hubiese salido a toda prisa. Dominik era siempre muy pulcro, y en circunstancias normales hubiera vuelto a poner bien las sábanas.

Me inquieté de inmediato. Pensé que tal vez se despertó y, al verme a su lado, pensó que la cama estaba demasiado llena y había querido estar solo. A veces me sentía así, aún no me había acostumbrado al hecho de que estuviéramos juntos. Quizá fue a refugiarse a un hotel o con un amigo, quizá le pidió a Lauralynn que le dejara pasar la noche en una de las habitaciones de invitados de Viggo.

El dormitorio me resultó asfixiante sin él allí. Retiré las mantas y bajé las escaleras con paso suave. Fue entonces cuando vi la luz de su estudio y, al acercarme, oí el débil golpeteo de sus dedos contra las teclas.

Estaba escribiendo.

Había dejado la puerta entornada y la abrí un poquito más al tiempo que lo llamaba en voz baja, para ver si quería beber algo caliente o un vaso de agua, pero no me respondió.

Tenía esa expresión que ya me era conocida, entre la alegría y una furiosa concentración, la actitud que adopta cuando se le ha ocurrido una buena idea, como una visita irregular de una musa impredecible, y me pareció mejor no interrumpir.

Me serví un vaso de leche y volví a la cama, pero no podía dormir.

Permanecí despierta el resto de la noche, pensando en el futuro y en lo que nos depararía.

En si lo conseguiríamos o no. En si irme a vivir con él tan deprisa podría ser un error.

Solo el tiempo lo diría.

Pensé en el Bailly que había dejado en el vestíbulo la noche anterior, y mis dedos se movieron nerviosamente, con ansias de tocarlo hasta quedar agotada y que el cansancio me cubriera por fin como con una pesada capa y me sumiera en el sueño, pero aun con la puerta cerrada tenía miedo de que mi música sacara a Dominik de su trance creativo como el canto de una sirena y lo trajera de vuelta arriba.

En ocasiones me sentía como el Flautista de Hamelín, porque Dominik siempre seguía las notas del Bailly. Utilizaba el sonido de mi violín como un barómetro de mi estado de ánimo. Me fijé en que, por costumbre, siempre que lo dejaba en algún sitio él le echaba un vistazo para asegurarse de que seguía estando a salvo y bien guardado antes de apagar la luz.

Me contó la historia del Angelique que estaba usando como pilar esencial de su novela. Siempre me había interesado la historia de mis instrumentos. Siempre quería saber qué manos los habían sostenido y qué historias guardaban antes de llegar a mí. Pero no era tan romántica como Dominik en todo el asunto, y me burlaba de él por sus supersticiones.

Seguro que la persona que manejaba el violín tenía más poder que el instrumento, ¿no?

Incluso el señor Van der Vliet, mi difunto profesor de violín, me enseñó que el intérprete adecuado podía sacar música de cualquier cosa, hasta frotando un palo contra una sierra.

Pero al pensar en el Bailly y en las leyendas y cuentos de hadas románticos, se me ocurrió la idea, y una vez hubo plantado su semilla ya no pude evitarlo. No tardé en tramar un plan.

Me vestí con rapidez, con mi viejo vestido negro de terciopelo que aún me ponía algunas veces para actuar, el que compré en Brick Lane años atrás y que me puse para Dominik en nuestro primer recital. Me parecía poético.

A continuación agarré el Bailly y caí en la cuenta del primer escollo de mi plan. Tenía que dejarle algún tipo de pista. Pero ¿cuál?

Abrí el estuche y rocé con los dedos la madera de color anaranjado, cálido como una puesta de sol, y esperé que el violín me proporcionara una respuesta.

El violín no lo hizo, pero el estuche sí. El bolsillo estaba abultado y al meter la mano me encontré con una provisión de púas de guitarra con el nombre de los Groucho Nights de las que solíamos arrojar al público, que con frecuencia las recibía con frenesí.

Perfecto. Como un rastro de migas de pan que dejaría por el camino hasta el Hampstead Heath y que conducirían a mí en lugar de a una casa de mazapán.

Para estar doblemente segura de tener al menos una posibilidad de que saliera bien, dejé un arco de recambio en la estera de la puerta apuntando a donde me dirigía y donde él encontraría la primera púa de guitarra.

Amanecía cuando avancé por la calle cuesta abajo para dirigirme al parque. El sol se alzaba con un brillo anaranjado por encima del horizonte ribeteado de árboles, y emitía franjas rosadas al cielo como pequeños tentáculos. Rara vez estaba despierta tan temprano y, como apenas había dormido, tenía la sensación de haber entrado en un sueño, en una bruma de aire frío salpicada por el piar de los pájaros y el suave roce del viento entre los árboles.

A medida que avanzaba tuve cuidado de dejar las púas en todos los lugares que Dominik reconocería. Seguí la misma ruta por la que él me llevó la primera vez que hice este camino. Iba descalza, como entonces, y sonreí al notar la conocida sensación de la tierra húmeda bajo mis pies.

Una vez pasados los estanques, crucé al otro lado del puente pequeño junto a la zona para nadar y subí por el sendero. Hice una mueca cuando los guijarros puntiagudos se me clavaron en los pies y tuve cuidado de dejar una púa de guitarra en una piedra negra y grande que resaltaba y parecía fuera de lugar entre las otras, más pequeñas y pálidas, para que Dominik la encontrara. Cuando llegara allí seguro que ya sabría adónde lo llevaba. No había vuelto por ese camino desde aquel día de hacía mucho tiempo en que interpreté a Vivaldi allí por primera vez para él, pero tenía la ruta grabada en mi mente con la misma claridad que si fuera el mapa de un tesoro.

Por fin llegué otra vez a la hierba suave y suspiré de placer cuando el rocío me acarició los pies magullados por las piedras. Me encontré entonces bajo la fronda de unos árboles que tapaban la luz como una cortina, tras lo cual salí otra vez a campo abierto y divisé el cenador de música situado en lo alto de aquel montículo de verdor magnífico, como si hubiese brotado de la tierra como un árbol hecho de pilares de hierro forjado en lugar de tierra y madera.

A lo largo de los últimos centenares de pasos ya no me molesté en seguir dejando púas. Dominik ya podría oírme.

Si venía.

Estaba segura de que vendría.

Subí con cuidado los escalones de piedra que conducían al pequeño escenario del cenador, me di la vuelta y miré a través del campo abierto y hacia la línea de árboles por la que no tardaría en aparecer Dominik.

Solo estábamos el Bailly, los pájaros, el parque y yo. Sin duda, pronto aparecerían al menos unos cuantos corredores tempraneros que alterarían mi soledad, lo que casi estuvo a punto de disuadirme del siguiente punto en la trama de mi plan, pero decidí hacerlo de todos modos.

¿Qué sentido tenía tocar un recital para Dominik, en el cenador de música del parque, si no lo hacía desnuda? Era mi mensaje final para él.

Quizá fuera consecuencia de la noche de insomnio, pero cuando llegué al parque ya me había decidido.

Si Dominik aparecía, si se fijaba en la ausencia del violín, y en la mía, y seguía mis pistas hasta el cenador, lo tomaría como una señal de que estábamos destinados a estar juntos, desterraría mis dudas y me comprometería a hacer que saliera bien.

Si no aparecía, si seguía escribiendo durante el resto del día o bien veía que no estaba y suponía que había ido a correr y no me seguía, entonces yo me marcharía y dejaría todo aquello atrás. Empezaría de nuevo. Soltera.

Una última tirada de dados. Poner nuestra suerte en manos del destino. Parecía una cosa muy propia de Dominik, una de esas cosas que reconocería y aprobaría. Pero ese era precisamente el motivo por el que creía que saldría bien, porque me proponía ir a buscarlo a medio camino apareciendo desnuda y tocando a Vivaldi.

Igual que la primera vez.

Me quité el vestido, cerré los ojos y empecé con el concierto número dos: «Verano». No seguía el orden, pero tenía pensado terminar con «Primavera», porque me parecía que era como un inicio, lo cual satisfacía mis propósitos. Terminar con «Invierno» hubiese resultado demasiado deprimente.

Las notas fluyeron del Bailly en cuanto toqué las cuerdas con el arco y me dejé llevar por ellas, volando por el parque de Hampstead Heath con las alas de una melodía.

Estaba tocando las últimas notas de «Otoño» cuando recordé mi propósito, abrí de nuevo los ojos y escudriñé la línea de árboles por si lo veía.

Quizá no había venido después de todo, y todo aquello era una idea estúpida. Quizá habíamos cometido un error y era el destino que me decía que me marchara, que me fuera corriendo mientras aún pudiera, antes de que alguno de los dos acabara herido. Pero mientras seguía tocando sabía que en el fondo de mi corazón quería que Dominik viniera a mí.

La mano con la que sujetaba el arco me tembló levemente cuando la enormidad de mis sentimientos brotó de mi ser y susurré una plegaria silenciosa para Dominik. «Encuéntrame. Ven a buscarme. No te des por vencido.» Noté que se me escapaba una lágrima que me corrió por la mejilla y cayó sobre la suave superficie del violín. Y en aquel preciso momento, mientras las dulces notas de Vivaldi se alzaban a través de la niebla matutina, supe que no podría vivir sin él.

Vi una silueta que aparecía por debajo del dosel de árboles, a unos cien metros de distancia. Resultaba imposible identificar a nadie desde tan lejos. El corazón empezó a palpitarme como un loco cuando creí reconocer la vieja sudadera del equipo de atletismo de la universidad, pero aparté la idea de la cabeza, cerré los ojos de nuevo y dejé que el violín tomara el control.

Me pareció notar su presencia rondando cerca, unos pequeños cambios en el aire en torno a mí, cuando inicié «Primavera», el final de mi recital, el primer movimiento. Observándome, planeando qué hacer a continuación, o tal vez escuchando la música sin más.

Al final, se impacientó e interrumpió mi canción.

Primero noté su aliento cálido en el cuello, cuando se inclinó como si fuera a besarme, pero no lo hizo.

En cambio, cuando llegué al último acorde, su mano me quitó suavemente el violín y me tendió en el frío escenario de piedra del cenador.

Abrí los ojos.

Allí estaba Dominik, con una sonrisa de oreja a oreja y ese centelleo misterioso en los ojos que yo conocía tan bien.

–Pero si no he terminado –susurré.

–Vivaldi nos perdonará –repuso él.

E hicimos el amor. A nuestra manera.

Agradecimientos

Nos gustaría dar las gracias a nuestra agente Sarah Such, de Sarah Such Literary Agency, quien hizo un trabajo maravilloso al publicar *Ochenta melodías*. Nuestro más profundo agradecimiento también para Jon Wood, Jemima Forrester, Susan Lamb, Emma Dowson y a todos los miembros de Orion por incluirnos en las listas de los más vendidos. Nos quitamos el sombrero ante Tina Pohlman y Allison Underwood de Open Road Integrated Media. También tenemos una deuda de gratitud con Rosemarie Buckman, de Buckman Agency, por las ventas de derechos en el extranjero y por los incontables editores extranjeros que han contratado la serie. También ante Hamish y Junzo, de English Agency (Japón), y a Carrie Kania, de Conville & Walsh. Un último agradecimiento a nuestros agudos revisores de texto, correctores de pruebas y traductores que trabajaron incansablemente y a toda velocidad.

Gran parte de estos libros se escribieron viajando y debemos dirigir nuestro más sentido agradecimiento a nuestras respectivas parejas, familias y amigos a los que tuvimos que descuidar para dedicar nuestro tiempo a Summer y a Dominik mientras deambulábamos por Londres, París, Bristol, Roma, Berlín, Edimburgo, Nueva Orleans, Nueva York, Chicago, Aviñón y Sitges con portátiles y iPads funcionando a toda marcha.

Y un último agradecimiento para Matt Christie por la fotografía, a la jefa de Vina por su apoyo y ánimo, a pesar de las muchas ausencias del trabajo provocadas por la escritura, y a todas las fuentes necesariamente anónimas que nos ayudaron en nuestra investigación.

Ha sido un viaje muy emocionante.

Las turbulentas aventuras románticas de Summer y Dominik tal vez hayan llegado a su fin, pero la serie *Ochenta melodías* continúa con más colores, en concreto seguirán *Ámbar* y *Blanco*. En estos dos nuevos títulos volverán Summer, Dominik, Luba, Viggo Franck, la chica con el tatuaje de la lágrima y muchos otros, tanto viejos conocidos como personajes nuevos.

Vina Jackson

Ochenta melodías de pasión en ámbar

Te adelantamos unas páginas del siguiente libro de Vina Jackson

Ochenta melodías de pasión en ámbar

1

Bailando con los chicos malos

Siempre me atrajeron los chicos malos.

Y, cuando crecí, los hombres malos.

Hacía seis meses que había dejado a Chey, y me encontraba en Nueva Orleans. Diciembre llegaba a su fin, y mi mente daba vueltas como un derviche tratando de imaginar cuáles serían mis propósitos para el nuevo año cuando el reloj diera las doce en Nochevieja. Tan pronto mi mente se quedaba en blanco como una maraña de ideas y emociones revoloteaba por mi cabeza como una bandada de pájaros al vuelo, aunque era incapaz de atrapar ninguno. No podía serenarme ni concentrarme.

Me aburría. Mi vida se había convertido en una repetición incesante de bailar, comer, beber, dormir, algún polvo, viajar, bailar de nuevo, comer, beber, dormir, y así sucesivamente.

Echaba de menos a Chey.

Echaba de menos a los hombres malos y a los chicos malos.

Aunque era invierno, el calor persistía en el aire, húmedo y fragrante. Mientras mataba el tiempo dando un paseo por las callejuelas estrechas pero hermosas del Barrio Francés, la brisa que se alzaba del cercano Misisipí me acariciaba los brazos desnudos. Parecía irreal, como si yo formara parte del sueño de otra persona. Hacía menos de una semana que había celebrado la Navidad con Madame Denoux y habíamos comido en la terraza de su casa junto al lago, con algunos familiares y amigos. Uno de los hombres presentes, que era primo lejano suyo, me acompañó de vuelta al centro de la ciudad en su coche, y al deslizarnos sobre el puente bajo que cruzaba el inmenso Pontchartrain, me sentí como si casi pudiera rozar la superficie del lago con solo alargar un poco el brazo a través de la ventana abierta. Parecía un espejismo, con las luces del Vieux Carré parpadeantes en el horizonte, y la alegre decoración navideña que colgaba de las fachadas de las casas de la orilla. Me acosté con él, y me llevé una decepción. Un amante torpe y poco generoso. No me quedé a desayunar en su céntrico apartamento de la calle Magazine. Regresé a pie a mi casa, en la calle Canal, a través del desierto distrito financiero, con el vientre hambriento. Pero no de comida.

Nueva Orleans era un lugar tan extraño... Muy diferente a Donetsk, donde nací, y donde todos los edificios eran cuadrículas de líneas rectas absolutamente funcionales, y el único horizonte que se divisaba era una hilera irregular de chimeneas de fábricas que escupían día y noche bocanadas de humo negro.

El club de Madame Denoux había cerrado durante cinco días por Navidad, pero ese día tocaba regresar a la realidad y volver a bailar.

Al entrar en el camerino, intenté recordar las navidades y nocheviejas que había pasado en Ucrania, pero no guardaba ningún recuerdo en particular. Todo era una nube desdibujada. Ya había tres mujeres en el camerino en varios estadios de desnudez, retocándose el maquillaje frente a los grandes espejos, recolocando sus disfraces, ajustando tirantes aquí y allí; algunas estaban regando sus cuerpos con perfume, empolvándose o haciendo malabarismos con bisutería barata. Yo venía de California, y, antes de eso, de Nueva York, y todas mostraban suspicacia ante mi presencia y mi experiencia en la gran ciudad, y también ante el hecho de que Madame Denoux me hubiera elegido a mí para el número principal antes que a ellas. Me consideraban bella y distante, una mala combinación en lo que respecta a hacer amigos. Pero es que yo era hermosa, la gente me lo decía desde que era una niña, y era algo que daba por supuesto. Siempre había vivido según mis propias reglas, sin necesidad de amigas. Tenía poco en común con ellas. Y ellas lo sabían tan bien como yo.

Di la espalda a las otras mujeres y me desnudé con sus ojos clavándose en mi espalda como puñales. Todas me miraban, su atención fija en la hendidura entre mis nalgas, en la ligera protuberancia del coxis cuando me incliné para desabrocharme las sandalias. Que me miraran. Estaba acostumbrada. Muy acostumbrada.

La música de la sala nos llegaba como un zumbido a través de los altavoces: «Minnie the Moocher», de Duke Ellington. Era la señal de Pinnie para salir a escena. Era una mulata bajita y llena de curvas, preciosa. Tenía una reluciente melena negra que le caía hasta la mitad de la espalda en la que le gustaba envolverse mientras bailaba, tentando con ella a los espectadores cuando cubría parcialmente sus pezones cobrizos como una cortina provocadora. La otra característica que la hacía única era que llevaba el vello púbico completamente al natural, exuberante; se extendía sobre su sexo con la ferocidad de un animal de la jungla. Tenía un lunar en medio de la frente, y en lugar de ocultarlo o distraer la atención hacia él, lo resaltaba con un flequillo tan recto y geométrico como si se lo hubieran cortado a cuchillo. Era la única bailarina que me trataba con amabilidad e intentaba entablar conversación entre los números, mientras las demás me ignoraban deliberadamente. Igual que yo a ellas.

Faltaba por lo menos una hora hasta que llegara el momento de mi actuación. Yo era la última en bailar.

Saqué el libro que estaba leyendo de mi capacho y me acomodé en mi sillón, y me abstraje por un momento del entorno. En los últimos tiempos, leer novelas se había convertido en mi mayor adicción. Esta trataba de un circo. Era barroca y llena de color. Nunca he sido muy aficionada al realismo. Ya tuve suficiente con las lecturas obligatorias de la escuela, edificantes e interminables tomos sobre las tribulaciones de la humanidad con los que nunca me había identificado.

Alcé la mirada al oír cómo la música se atenuaba al final de una canción, «Into the mystic», de Van Morrison, y Sofia regresó al camerino echando pestes porque había tenido un pequeño incidente con el vestuario durante su actuación. La mirada que me lanzó antes de sentarse en su tocador y empezar a quitarse el maquillaje era de pura maldad, como si el accidente hubiera sido culpa mía, porque el traje que yo llevaba para mi número era muy simple y no me molestaba con velcros, hebillas, cierres de apertura rápida, botones o cremalleras.

Aún tenía cinco minutos antes de subirme al escenario, así que cerré los ojos. Me puse en situación. Hacer *striptease* no tiene nada de sensual. Es solo un trabajo; pero cuando conseguía hacer desaparecer lo que me rodeaba, encerrarlo en otra dimensión, flotaba a través de mi número como si volara con alas invisibles. Durante el último año había usado *La Mer* de Debussy como banda sonora, y conocía de memoria cada ola de ese mar imaginario, cada curva sensual de la melodía. Era la pieza musical favorita de Chey. Siempre le había gustado el océano. La primera vez que bailé con esa música fue para él. En privado.

Bailar, desnudarse, exponerse, se convirtió en una ceremonia secreta en la que yo era al mismo tiempo carnero sacrificial y suma sacerdotisa enarbolando la daga fatal, una fantasía en la que me refugiaba, un mundo que habitaba hasta que se terminaba la música.

Desconecté.

Como siempre.

Oí mi señal desde muy lejos, mientras Madame Denoux ponía mi canción en el reproductor y el suspiro de silencio inicial llenaba los altavoces. De puntillas, me acerqué al zumbido inaudible del escenario en la oscuridad, y me coloqué en posición.

Conecté.

Y entonces, el público jadeó de asombro.

Cada noche recibía la misma respuesta y sabía que, a poca distancia, oculta entre bambalinas, Madame Denoux sonreía.

Primero, solo unos movimientos infinitesimales. Como si estuviera reuniendo energías, retirándome a ese lugar interior donde no había nada más que quietud y un núcleo en perpetua ebullición, un poder invisible que esperaba a que yo lo recogiera, lo enviara a todos los rincones de mi cuerpo y lo pusiera en acción. Yo era la marionetista que movía mis propios hilos.

Durante el primer minuto, imitaba la sensación de la brisa soplando sobre la superficie de las olas; las gotitas casi invisibles de agua y bruma que flotaban en el aire cuando el día prometía tormenta; la atracción constante de la marea; un simple gesto de mi brazo aquí, un movimiento de mi muñeca allá, una onda de mis caderas a tiempo con un aumento en la intensidad de la música; el suave y triste sonido de la flauta dulce fundiéndose con el apacible rasgueo del harpa y el tamborileo de la percusión, como una suave lluvia que empezaba a caer, la primera señal de la tormenta que arreciaba.

Continúa en tu librería